ROGER LEMELIN

Roger Lemelin naît à Q[...] te de la basse-ville. À l[...] tient au lit pendant plus [...] roman, Au pied de la [...] *inespéré. Lauréat du très [...] Guggenheim et Rockefeller, il est engagé par le magazine* Time. *Son deuxième roman,* Les Plouffe *(1948), est adapté pour la télévision et devient la plus célèbre émission de télévision du pays. Les rues des villes canadiennes sont désertes le soir où les Plouffe apparaissent à l'écran. S'éloignant de cette immense tâche de création, Roger Lemelin se transforme en homme d'affaires. Il réussit encore. Passionné par les idées et la politique, il devient l'éditeur du journal* La Presse. *Après un fulgurant retour à l'écriture, Roger Lemeline s'éteint le 16 mars 1992.*

PIERRE LE MAGNIFIQUE

C'était avant la révolution tranquille. La critique s'est montrée très dure pour ce roman. Elle attendait de Roger Lemelin une œuvre savoureuse et accessible comme *Au pied de la pente douce* ou *Les Plouffe*. Au lieu, Roger Lemelin trace un portrait sévère de la Grande Noirceur. Pierre Boisjoly veut devenir prêtre. C'est ce que devient, vers le milieu du siècle un jeune homme qui a de l'ambition, de l'idéal et quelques qualités. Sa rencontre avec Fernande bouscule pourtant son destin. Les événements se succèdent : Pierre se retrouve dans un chantier forestier, se heurte à la montée du syndicalisme, terrasse un agent du communisme impérialiste et s'inscrit en sciences sociales pour apprendre à réfuter le marxisme. Pierre vit différentes expériences, mais comprend enfin que son amour demeurera toujours inassouvi; il reprend le chemin du Grand Séminaire. Notre homme deviendra magnifique.

Données de catalogage avant publication (Canada)

Lemelin, Roger, 1919-1992

Pierre le magnifique

(Québec 10/10)
Éd. originale : Québec : Institut littéraire du Québec, 1952.

ISBN 2-7604-0758-6

I. Titre. II. Collection.

FS8523.E51P41 2000 C843'.52 C00-941001-5
FS9523.E51P41 2000
FQ3919.L45P41 2000

Les Éditions internationales Alain Stanké remercient
Conseil des Arts, le ministre du Patrimoine canadien et
Société de développement des entreprises culturelles pour le
soutien financier.

Nous reconnaissons l'aide financière du gouvernement du Canada par l'entrem
se du Programme d'Aide au Développement de l'Industrie de l'Édition (PADI
pour nos activités d'édition.

ISBN 2-7604-0758-6

Dépôt légal: Bibliothèque nationale du Québec, 2000.

Les Éditions internationales Alain Stanké
615, boulevard René-Lévesque Ouest, bureau 1100
Montréal (Québec) H3B 1P5
Téléphone: (514) 396-5151
Télécopieur: (514) 396-0440
editions@stanke.com
www.stanke.com

IMPRIMÉ AU QUÉBEC (Canada)

Roger Lemelin
Pierre le magnifique

A mes enfants, pour que plus tard…

Car tous sont soumis aux circonstances
et aux accidents,

Car l'homme ne connaît pas son heure.

(Ecclésiaste, chapitre IX, verset 11).

PREMIÈRE PARTIE

I

— Hé ! le petit *suisse !* Dis donc ! C'est décidé, tu deviens curé, oui ou non ?

Pierre serra les dents. Il ne faisait donc jamais rien que fumer, appuyé à sa maison du Quartier Latin, cet homme de trente ans qui ne portait pas de cravate et qui criait *suisse !* sur tous les tons chaque fois qu'un séminariste passait dans la rue vieillotte aboutissant au Petit Séminaire ? Pierre baissa les yeux et examina furtivement son uniforme bleu marine, luisant, presque verdâtre, râpé aux coudes et aux poignets. Pierre n'en voulait pas à l'inconnu. Il n'y avait pas, dans ce *suisse !* qu'il lui adressait si souvent, la modulation méprisante qui cinglait ses camarades. Mais qu'on criât ainsi après lui l'agaçait. L'inconnu continuait de l'examiner d'un air goguenard. Il eût même souri avec sympathie si ses lèvres n'eussent eu à retenir le mégot qui traînait presque sur son menton tant il observait avec intérêt le jeune séminariste embarrassé. Pierre ajusta sa casquette d'un geste sec. Au lieu de s'éloigner d'un pas rapide comme le lui commandait sa timide impatience, il traversa la rue et se dirigea vers l'homme à la cigarette. Pierre n'eût pu expliquer cet aspect de son caractère qui le faisait se ruer, tête baissée, contre tout ce qui l'ennuyait ou l'intriguait, contre tout ce que son bon sens lui disait de fuir. L'inconnu sourit si largement que sa cigarette éteinte tomba à ses pieds.

— Monsieur ! je n'aime pas que vous m'appeliez *suisse !* Il avait lancé cette sommation avec une arrogance qui sonnait faux. L'homme examinait Pierre longuement et souriait toujours.

— Fais pas l'imbécile. Je trouve que tu es un *suisse* sympathique.

Pierre rougit et pensa à la couleur rose qu'il sentait cuire sur son visage. On le trouvait sympathique? Que faire de son fougueux élan de révolte? Il fit le geste de partir.

— Attends! fit l'autre. Je suis pas un ours. Ainsi, tu vas faire un curé?

— Oui Monsieur, et j'ai hâte et j'en suis fier! Quoi que vous puissiez en penser.

L'arrogance ressuscitait, plus franche, le faisait se sentir fort à nouveau. Qu'il essaie, ce flâneur, de risquer la moindre moquerie contre la prêtrise! Encore un coup de poing dans le vide: l'homme devenait sérieux et poussait un soupir.

— Eh bien! tant mieux. Je crois que tu feras un curé sympathique. C'est la distribution des prix, aujourd'hui?

— Oui.

— Je parie que t'es premier.

— Oui.

Les yeux de l'homme s'illuminèrent, et elle faisait du bien à voir cette figure armée de sarcasmes, redevenir, par le seul éclair d'un regard, pure et unie comme celle de l'adolescent de dix-neuf ans qui, devant lui, s'avouait premier de classe. Le passé était si loin et si près où, pour lui aussi, ce mois de juin terminait une année de triomphe et le lançait dans deux mois de soleil. Aujourd'hui, à trente ans, les années finissaient le trente et un décembre, ou plutôt ne commençaient ni ne finissaient jamais. L'homme passa sa main sur son front, puis dans ses cheveux bruns, jusqu'à la nuque.

— Tes parents ne sont pas avec toi?

Il eût été facile à Pierre de répondre non, sans s'expliquer, ou d'inventer un mensonge quelconque. Mais cette griffe de fer, qui avait poussé quelque part dans sa poitrine, avec ses poumons et son cœur, cette griffe avec laquelle il avait macéré toutes les occasions de bonheur facile, se tendit à nouveau.

— Mon père est mort. J'ai un frère; il est pompier et les études ne l'intéressent pas. Ma mère, pour payer le loyer, est femme de peine à trois dollars par jour. Aujourd'hui elle ne peut pas venir. Elle cire les planchers d'une maison de la Grande-Allée, une maison chic qui appartient à la mère d'un de mes confrères de classe. Vous êtes satisfait?

L'homme se mordit la lèvre, puis tira la porte de la maison d'une main brusque.

— Fernande! Fernande! Peux-tu venir un instant? C'est important.

Elle arriva, la figure tendue et un peu effarouchée. Ses pantoufles avaient, dans sa course, claqué avec un bruit mat à ses talons. En apercevant Pierre, elle s'immobilisa avec embarras dans le cadre de la porte. « Viens! » insista l'homme. Elle hésita, croisa encore une fois sur sa poitrine le peignoir d'un vert décoloré, trempé par plaques par le lavage sommaire qu'elle venait de donner à sa chevelure noire, lustrée, follement répandue sur ses épaules. Elle vérifia furtivement le bouton qui fixait le croisement de son peignoir et protesta:

— Je t'en prie. Voyons!

Comme pour se donner une attitude, elle lissait de longues mèches de cheveux avec un peigne minuscule. Sa tête, à chaque long et lent coup de peigne, penchait légèrement, intensifiant la douceur curieuse du regard oblique, gêné, qu'elle glissait sur Pierre.

C'était la première fois que Pierre regardait une femme ainsi. Il n'en éprouvait pas de surprise, puisqu'il lui semblait connaître Fernande depuis toujours. Il la reconnaissait, elle lui dévoilait les traits précis de celle qui dormait au fond de ses sens depuis des années. Elle était devant lui, vivante, qui sentait bon, avec sa bouche rouge, humide, ses grands yeux gris qui tournaient au vert chaque fois que les narines s'ouvraient, frémissantes à la moindre émotion. Et sa peau était si blanche!

— Fernande. Si tu veux bien, nous n'irons pas nous baigner. Le programme est changé. Nous allons à la distribution des prix de Monsieur. Regarde-le bien. C'est le *suisse* le plus sympathique que j'aie jamais vu.

La jeune fille ne semblait pas s'étonner de la décision subite et inexplicable de son compagnon. Elle paraissait même s'y prêter avec la soumission d'une esclave heureuse.

— A tout à l'heure, Monsieur!

Elle sourit timidement et disparut dans la maison. Cette voix sourde, un peu rauque, il la reconnaissait aussi. Une violente tape sur l'épaule tira Pierre de sa contemplation.

— Si tu veux faire un bon abbé, n'examine pas les femmes comme ça. Bon, c'est entendu, nous serons dans la salle des Promotions.

Ce n'est qu'à ce moment que le geste de l'inconnu commença d'émouvoir Pierre. Il tendit la main et remercia avec une froideur apparente ce monsieur qui tout de même l'avait traité de *suisse*. Mais dans sa poitrine, il ne sentait pas la griffe de fer: seulement un bonheur très doux.

Un tumulte sourd grondait dans la salle des Promotions. Un tumulte qui montait du plancher martelé par des centaines de jeunes pieds impatients, du plancher torturé par le glissement des chaises coiffées d'autant de séminaristes nerveux, encadrés par leurs parents aigris ou triomphants, un tumulte où les odeurs de l'adolescence, des odeurs de collège, se choquaient contre le parfum des dames, un tumulte que venaient couper de tons stridents les cuivres heurtés de la fanfare juchée dans la galerie. Toute cette effervescence s'unifiait et se dirigeait comme un regard vers les longues tables couvertes de livres à tranche dorée, les longues tables que le préfet des études avait drapées d'un feutre aussi pourpre que la cape de monseigneur le Recteur, solennellement assis dans le fauteuil d'honneur, à la tête de l'auditoire.

La fanfare du Séminaire avait ouvert la cérémonie avec la *Marche du Colonel Bogey,* au prix d'efforts qui touchaient au martyre. La grosse basse pétait, essoufflée, puis éclatait en un immense pouf, le trombone ronronnait, puis ronflait, et les trompettes, prisonnières d'une longue plainte, se libéraient soudain avec un hurlement strident.

Puis ç'avait été la distribution des prix de classes d'enfants. On reconnaissait le premier de chaque classe par l'amoncellement des livres sous lesquels le torse et la tête disparaissaient parfois presque complètement. Le Recteur présentait majestueusement les prix à la mère du héros, et celle-ci, émue, transmettait l'échafaudage des trophées au fils cramoisi de timidité sous l'avalanche des livres, des baisers et des applaudissements.

Les abbés professeurs titulaires étaient installés en rangée à côté de monseigneur le Recteur; d'autres jeunes ecclésiastiques moins importants allaient et venaient, zélés, dans cette fièvre de fin d'année et suaient autant que le valeureux prêtre directeur de la fanfare qui n'en finissait pas de s'éponger le front.

— Tiens! Qu'est-ce qui se passe? V'là Voltaire!

L'exclamation avait fusé du groupe des « grands » à la vue d'un long abbé, tout sec, tout en nez, en bras et en doigts, portant monocle, et qui s'avançait lentement, l'allure militaire et méprisante, dans l'allée de côté. C'était l'abbé Lippé, professeur de littérature, âgé de cinquante-deux ans. Ancien étudiant à la Sorbonne, misogyne sans savoir pourquoi, il était moralement écrasé sous un amas de petites habitudes acquises en maugréant et par la suite fidèlement entretenues. Une de ses manies caractéristiques consistait à froisser ses confrères en les traitant avec une condescendance qui frisait le mépris, à les scandaliser même (récemment il avait suggéré comme sujet de composition française: « Des crétins et du catholicisme »); son attitude de prêtre à l'européenne choquait la canadienne intransigeance de monseigneur le Recteur, qui trouvait les « vieux pays », surtout la France, bien dégradés, fors le Vatican. De là le surnom de « Voltaire » que lui avaient donné ses élèves. L'abbé Lippé était d'ailleurs flatté par cette appellation dans un séminaire où la lecture de Voltaire était vue d'un mauvais œil. Probablement devenu prêtre par besoin de trancher sur les individus ordinaires, Jérôme Lippé avait en vieillissant désiré se distinguer du commun des abbés, non en devenant monseigneur, mais en se faisant une renommée de prêtre en marge des autres, de prêtre original et presque anticlérical. Au moment où plusieurs prêtres du diocèse s'opposaient à la conscription, ne s'était-il pas enrôlé dans l'armée canadienne? On l'avait secrètement traité d'arriviste, car on jugeait que, par les temps qui courent, il suffit d'être un abbé sympathique à Ottawa pour espérer beaucoup de l'avenir. On connaissait mal Jérôme Lippé. Il ne visait pas plus loin que sa chambre, ses livres, ses habitudes et son besoin d'étonner.

— Voltaire qui va s'asseoir en avant!

Au lieu de s'installer dans la première rangée, parmi les ecclésiastiques surpris qui l'invitaient d'un geste amical à aller les rejoindre, Jérôme Lippé tira à lui une chaise et la poussa contre le mur. Les prêtres lui ménageaient cependant un peu de sympathie à cause d'une de ses manies. L'abbé Lippé possédait une caméra et, consciencieusement, au cours de longues séances, il photographiait plusieurs de ses confrères. L'opération terminée, il concluait avec ravissement: « Maintenant j'aurai un précieux *close-up* de ce quelque chose d'extraordinaire que je trouve à votre physionomie. »

Avant de s'asseoir, il toisa l'auditoire avec la froide arrogance d'un baron allemand, puis ses lèvres minces esquissèrent un sourire amical. Il venait d'apercevoir Pierre, son élève préféré.

Pierre, coincé entre deux dames, chacune flanquée de son fils, lui fit un signe de la main. Pierre était tout bonheur. Il sourit, car même la tête de l'abbé Lippé, si son regard s'y attardait longuement, s'ornait de longs cheveux noirs, au point qu'elle devenait pareille à celle de Fernande. Impossible de se débarrasser de cette vision! Avec quelle voix elle avait dit: « A tout à l'heure, Monsieur. » Etaient-ils arrivés, Fernande et le grand type? Pierre devint songeur. Des promesses en l'air. Nos amis ne tiennent pas leurs promesses, encore moins les inconnus. Le couple ne viendrait pas. Pierre sentit tout son être se ramasser, farouche, tout en boule contre ce cœur confiant qui trahissait son énergie. Qu'il était bête de se laisser dominer par ce sentiment nouveau, par cette amitié dont il n'avait pas voulu, mais qui le saisissait absolument. Depuis cette rencontre, il avait presque oublié le sacerdoce futur, le Christ, l'Amitié incommensurable qui ne se dérobe jamais. Dans les pires moments d'humiliation, de solitude, il s'était réfugié, dans cette pensée du Christ, et contre elle blotti, il y avait toujours retrouvé une calme puissance. Impossible, depuis une heure, d'évoquer la tête du Crucifié de Goya, dont l'image ornait le mur de sa chambre. Cette tête même, ô sacrilège, se fondait dans les traits de Fernande.

La mondaine madame Letellier, à ses côtés, lui jetait souvent des regards furtifs, et quand l'abbé Lippé salua Pierre, elle pinça les lèvres. Elle se décida enfin à lui dire:

— Vous vous ménagez des amitiés en haut lieu, Pierre Boisjoly? C'est fort habile. Continuez. Vous irez loin, dans le clergé, s'entend. Tout à l'heure je dirai à votre mère de ne pas s'inquiéter de votre avenir.

Pierre la regarda fixement, mais il la voyait à travers un brouillard. Il prononça sans réfléchir les paroles qui mûrissaient en lui depuis des années à l'adresse de cette femme:

— Vous lui direz aussi que c'est la dernière fois qu'elle aura travaillé chez vous. Cela vous sera une occasion de moins d'avoir honte de vous-même.

Cette réponse dont il lisait l'écho dans le regard brûlant de haine de cette madame Letellier déclencha en lui une colère sourde. Quelle importante décision nourrissait-il donc pour qu'enfin il parlât de la sorte à celle qui, pourtant, méritait depuis longtemps cette apostrophe? Depuis des années elle s'acharnait à vouloir l'humilier et toujours il avait pu rester indifférent à ses tactiques. Et, méchanceté suprême, elle avait demandé à madame Boisjoly de travailler à sa maison cette journée-là même où Pierre finissait premier du Petit Séminaire. La femme de peine avait accepté avec une sorte de soulagement et Pierre avait immédiatement cicatrisé la blessure de son propre cœur dans une prière.

Un abbé montait sur la scène et annonçait: « Avant la lecture du palmarès des finissants et la prise des rubans, le quatuor Letellier, dirigé par Yvon Letellier, un de nos brillants diplômés d'aujourd'hui, vous interprétera son arrangement de: *M'en revenant de la jolie Rochelle.* »

Yvon Letellier, grand, mince, blond, la tunique de séminariste moulant son buste élégant, se leva le premier en consultant son bracelet-montre d'un coup d'œil nonchalant; et sa mère, pour se dégager de la rage confuse dans laquelle l'avait jetée la réponse de Pierre, tira nerveusement le bas de la tunique de son fils comme pour l'ajuster davantage. Yvon Letellier mobilisa du regard les membres de son quatuor qui se dirigeaient déjà vers la scène aux applaudissements de l'auditoire, se pencha à l'oreille de sa mère et chuchota:

— Patiente. Il va nous payer ce petit mot gentil.

Pierre entendit et ne bougea pas. Letellier, par-dessus la tête de sa mère, lui dit:

— Tu viens, oui ou non, Boisjoly?

Pierre, bouleversé par son indignation, se leva aussi et, moite d'un trac naissant, il rejoignit les quatre séminaristes vers la scène. Qu'est-ce donc qui lui faisait appréhender la vengeance des Letellier? Maintenant qu'il acceptait de se défendre, la méchanceté lui faisait peur. Qu'ils étaient cruels de s'acharner après lui, pauvre jeune studieux, au cœur ardent, et dont le plus cher désir était de devenir un de ces prêtres comme les voulait le bon curé Loupret qui payait ses études. Pour la première fois, il ne leur pardonnait pas.

Pierre Boisjoly possédait une superbe voix de basse dont Yvon Letellier eût bien voulu pouvoir se passer. Ce premier de classe, fils de la femme de peine qui cirait, une fois la semaine, les planchers de la maison maternelle, était la seule ombre sur la vie du jeune et brillant Letellier, neveu de l'honorable Letellier, Procureur général de la province. Trop orgueilleux pour manifester son agacement devant les victoires scolaires que Pierre remportait sur lui depuis des années, avec une aisance, un détachement qui torturaient sa vanité, Yvon Letellier était trop habile pour ne pas accepter dans son quatuor cette voix de basse qui faisait l'admiration de tout le Petit Séminaire. Yvon Letellier n'eût certainement pas été le digne fils de feu l'avocat retors et subtil qui s'était enrichi par les gouvernements quel que fût le parti au pouvoir, et qui avait vécu en disant du bien de tout le monde, surtout de ses ennemis, tout en leur vidant légalement les poches à l'occasion, Yvon n'eût pas été celui-là s'il avait manifesté franchement son dépit. Se venger plus subtilement de Pierre en faisant lever la main, en classe, à tous ceux qui pouvaient souscrire à la caisse du comité des loisirs, ou en soulignant, avec des gestes las, les prétendues fausses notes émises par Pierre quand le quatuor paraissait aux spectacles organisés par les élèves, indiquaient chez Letellier un tempérament d'avenir. Si Pierre avait les jambes molles déjà, c'était un peu à cause de ces tactiques déloyales qu'il pressentait et surtout à l'idée du numéro suivant où il devait chanter en solo: *le Cor*. Pierre savait qu'il triompherait, que les applaudissements éclateraient, qu'il prouverait à tous que Letellier ne pouvait rien contre lui. C'était surtout parce qu'une femme et un ami inconnus seraient témoins de tout cela. Debout devant l'auditoire, les mains derrière le dos, Pierre égrenait les visages, rangée par rangée.

Cette patiente recherche dans l'anonymat d'un auditoire était inutile, car l'inconnu, élégamment vêtu d'un complet gris pâle, accompagné de Fernande, s'avançait en souriant, dans l'allée du côté, vers l'avant, en direction de l'abbé Lippé qui les regardait venir en fronçant des sourcils intrigués. Fernande était vêtue d'un tailleur beige qui moulait sobrement ses lignes; sa chevelure noire, ramassée en un chignon qui s'échappait d'un petit chapeau à voilette, semblait écraser son cou mince, un peu long. Pierre aperçut le sourire timide derrière l'écran de la voilette, et ses mains croisées derrière son dos se serrèrent jusqu'à en craquer. Plusieurs têtes s'étaient tournées vers le couple et le suivaient du regard. On entendait, ici et là, des chuchotements stupéfaits: « C'est le voyou qui nous traite de *suisse!* Quel front! »

L'abbé Lippé sembla soudain trouver sympathique ce couple élégant. Il se leva, arracha deux autres chaises à la première rangée en invitant galamment les nouveaux venus à s'y asseoir. Plusieurs commentaires comme « Voltaire, Des Grieux et Manon! » commençaient à courir de bouche en bouche, mais on dut se taire, car Yvon Letellier donnait le la, levait le bras. La mélodie se déroula, sans trop d'accrocs, avec force gestes ostentatoires de la part de Letellier, mais avec une certaine raideur et une monotonie saccadée de la part des exécutants. L'arrangement se ressentait de l'influence du grégorien et l'exécution manquait d'originalité. Le timbre riche, sonore, de la voix de Pierre, enveloppait soudain celle des trois autres et, mouillé de sueurs, il s'efforçait de la retenir, sous les injonctions exagérées, répétées de Letellier. La pièce terminée, au plus fort des applaudissements, Yvon Letellier exhiba un air courroucé qu'il prit bien soin de faire voir à tous et se pencha à l'oreille de Pierre: « Pas moyen d'empêcher de laisser traîner tes notes après les autres pour montrer que t'as de la voix, non? »

L'ennemi des *suisses*, qui avait observé le manège de Letellier, se tourna vers sa compagne, assise entre l'abbé Lippé et lui:

— Je parie que c'est chez ce morveux que sa mère travaille.

— Est-il possible qu'il existe des gens si méchants! murmura-t-elle.

— Tu en verras bien d'autres. En attendant, je casserais volontiers la gueule à ce Letellier.

L'abbé Lippé, qui avait entendu, se tourna vers son deuxième voisin et lui dit avec douceur:

— Vous ne casseriez pas grand-chose, Monsieur. Ce Letellier a une mâchoire de vaurien. Il faudra que je prenne sa photo.

Etonné, l'homme tendit gaiement la main à l'abbé « Voltaire » qui la serra avec un sérieux tout ecclésiastique, sous les yeux ébahis des élèves. Pierre, livide après la remarque de Letellier, jetait un regard furtif, presque suppliant, vers Fernande qui l'encourageait du sourire et avec de petits coups de tête discrets. L'abbé, après la poignée de main, ajouta:

— D'ailleurs, Pierre va interpréter *le Cor*, au prochain numéro. Quelle voix! Vous verrez. C'est digne du Métropolitain. C'est d'ailleurs exclusivement pour l'entendre que je suis venu cet après-midi.

A la fin des applaudissements, Yvon Letellier prit la parole. Il était à l'aise, esquissait un geste las.

— Merci, merci. J'ai un petit contretemps à vous annoncer. Pierre Boisjoly ne pourra pas vous interpréter *le Cor*. Il m'apprend qu'il n'est pas en voix. On va procéder à la distribution des prix des finissants.

Un murmure de déception parcourut la salle et Pierre, qui ne semblait pas comprendre, quittait la scène à la suite de ses camarades. Au pied de l'escalier, Letellier se retourna vers lui et chuchota du coin de la bouche: « Ça t'apprendra à répondre à ma mère comme un malotru. » A ce moment, Pierre se demanda comment il pouvait tenir encore debout ou ne pas tuer Letellier, ne pas l'étrangler de ses mains puissantes. La griffe s'ouvrait dans ses entrailles, empoignait tout son être, le laissait pantelant. C'est dans ces instants-là qu'il se jetait dans la pensée du Christ et qu'il en sortait libéré, plus grand. Il voulut retrouver ce Christ de qui il s'était tellement éloigné depuis une heure. Impossible, car son regard éperdu buta sur le visage crispé de l'inconnu pour s'enliser ensuite dans la moue attristée de Fernande. Et soudain l'auditoire vit Pierre Boisjoly remonter en courant sur la scène et déclarer d'une voix blanche:

— Je vais vous chanter *le Cor!* Je me sens très bien!

Yvon Letellier s'apprêtait à s'asseoir. Il demeura comme figé. La première seconde après le geste de Pierre, l'auditoire dirigea sur Letellier un regard soupçonneux. Letellier comprit et ses mains furent les premières à battre avec frénésie, pendant que sa figure exprimait une heureuse surprise. Pierre, immobile, ses bras rigides tendus le long de son corps, ne voyait rien, n'entendait rien. Les pieds enthousiastes tapaient le plancher; les mains frénétiques des adolescents s'élevaient, applaudissant, au-dessus des têtes; monseigneur le Recteur croisait maintenant les doigts sur son ventre et les jeunes abbés souriaient avec le ravissement candide de l'enfance.

C'est le grand crucifix au fond de la salle que Pierre voyait avec une netteté extraordinaire, comme si l'atmosphère épaisse ne se fût pas interposée entre ses yeux et la croix lointaine. Sa gorge dut murmurer « Mon Dieu! », mais en lui ce fut comme un éclatement. Que lui importait que Letellier en s'asseyant, vaincu, échangeât un regard de colère avec sa mère? Pensait-il même, en cet instant, à cette Fernande dont tout l'être se tendait vers lui, dans un élan absolu de curiosité et de sympathie, et à cet inconnu qui serrait le bras de son amie en jubilant:

— Je te l'avais dit. C'est un *suisse* extraordinaire. Ma psychologie... Je le sens si semblable à moi. Dis donc... tu m'écoutes, oui ou non!

Et Pierre ne pensait pas non plus à l'abbé Lippé qui, dans son contentement, s'empoignait les genoux de ses doigts secs en disant:

— Il faut absolument que je prenne sa photo pour mon mur numéro un. Et dès ce soir!

Le silence s'était fait, prêt à recevoir la voix de Pierre. Cet instant coïncida en lui avec l'épouvantable doute qui l'envahissait tout à coup, succédait au moment d'exaltation qu'il venait de vivre. Ce doute se traduisait en mots précis qui serpentaient autour de son cœur effrayé: « Tu n'es peut-être pas fait pour être prêtre. Il ne faut pas te tromper. Va donc plutôt battre ce monde méchant sur son propre terrain: la vie laïque. Tu es fort, vas-y donc! » Sa voix s'éleva, grave, ronde, épousant le trouble qui le noyait. *J'aime le son du cor.* Cette pensée affreuse d'abandonner sa vocation lui venait pour la première fois. D'où venait-elle? Il chanta de toute son âme pour fuir l'effroi qui le cernait.

Quand il retourna vers son siège, près de madame Letellier, les applaudissements crépitèrent avec encore plus de force. Toutes les têtes tournées vers lui faisaient des signes d'intelligence. On était fier de Pierre Boisjoly.

Pierre ne souriait pas, regardait droit devant lui. La terrible hantise le gagnait tout entier, brouillait son univers. Les applaudissements redoublaient. Madame Letellier n'y tint plus.

— Vous auriez aussi de l'avenir comme chanteur de cabaret.

— Maman, je t'en supplie, laisse-le, chuchota son fils en lui serrant le bras.

— Chanteur de cabaret? fit Pierre d'une voix distraite. On ne sait jamais.

Interloqués, le fils et la mère s'examinèrent. Tout le corps de Pierre se détendit: « On ne sait jamais », avait-il répondu. C'était bien lui qui avait prononcé ces paroles et son cœur ne se révoltait pas? Son regard chercha Fernande. Elle écoutait l'abbé Lippé qui lui expliquait quelque chose avec beaucoup de solennité. Puis elle jeta un regard furtif en direction de Pierre qui détourna aussitôt les yeux. Le lecteur des notes annonçait: « Nous allons maintenant procéder à la distribution des prix des finissants et à la prise des rubans. »

Yvon Letellier baissa la tête avec dépit. Sa mère remonta nerveusement son sac à main sur ses genoux. Encore de la gloire pour Pierre, ce fils insolent de vulgaire femme de peine, qui avait peut-être joué la comédie de la vocation sacerdotale pour faire payer ses études par son curé. Maintenant, il dévoilait presque son jeu.

Les adolescents de la classe appelée, abandonnaient leur siège auprès de leur mère et prenaient place sur la scène. Pierre regarda l'auditoire avec curiosité comme si un monde nouveau lui fût apparu. Etait-ce possible que l'élan de ferveur qui l'emportait depuis dix ans vers le sacerdoce se ralentît aussi brusquement? Il prenait déjà mieux conscience de l'usure de son vêtement, de ses souliers éculés, de la carrure de ses épaules et de la vigueur avec laquelle il pouvait serrer les poings. Vivait-il un mauvais rêve, ou naissait-il à une nouvelle vie? Le crucifix au fond de la salle semblait si lointain, tout cet auditoire, ses camarades lui paraissaient des étrangers. Seuls Fernande et son compagnon étaient près de lui. Pierre pâlit.

Un vieux prêtre, aux cheveux blancs, le chapeau à la main, s'avançait dans l'allée centrale, guidé par l'abbé professeur de philosophie. Le curé Loupret! Le curé Loupret qui payait ses études, le traitait avec la sollicitude d'un père aimant, venait assister au triomphe de son Pierre, cet enfant qui deviendrait un prêtre d'élite. On fit asseoir le vieil ecclésiastique derrière le Recteur. On voulut lui enlever son chapeau, mais il le tenait obstinément, en souriant à Pierre de sa bouche édentée.

Le lecteur des notes s'installait à l'avant-scène: « Premier prix d'excellence, premier prix de philosophie, premier prix de dissertation, premier prix d'apologétique... »

Le professeur de la classe de philosophie se dirigea vers la longue table, s'empara d'une énorme pile de volumes reliés par un ruban rouge, revint vers le vieux curé qui se dressait, et lui remit les prix. Les applaudissements semblaient faire gonfler la salle des Promotions. Pierre, glacé, descendit l'escalier central et se dirigea vers le vieux prêtre qui venait à sa rencontre, lui présentait les prix. Les hourras et les bravos accompagnaient maintenant les applaudissements. Une larme perlait aux cils du vieux curé, ses mains tremblaient. Il murmura:

— Merci, mon enfant, merci, c'est le plus beau jour de ma vie.

Pierre ne dit rien; son regard terrifié ne pouvait se détacher du ravissement qui transfigurait le visage du prêtre. Comme un automate il regagna sa place aux côtés de madame Letellier. Les acclamations s'élevaient de plus belle.

Dans le tumulte, madame Letellier jeta à Pierre, étourdi par son trouble:

— Vous n'avez pas honte, hypocrite, de berner ce vieux prêtre? Vous n'avez pas honte de l'avoir volé? Allez, allez, dites-leur que vous ne serez pas prêtre et vous verrez si l'on continuera de vous applaudir.

Il la regarda avec des yeux affolés, mais ne put rien répondre. Ses poings se crispaient. La griffe n'était plus dans ses entrailles. Il la sentait maintenant dans sa gorge, dans ses muscles, dans tout son sang. Quelle puissance de haine, quel désir de tuer, de détruire l'envahissait? Un désir de pleurer, aussi, contre l'épaule d'une mère aimante.

« Yvon Letellier, deuxième prix d'excellence... »

La cérémonie était finie. Les élèves se précipitaient les uns vers les autres, comparaient leurs prix. Des mères se félicitaient entre elles, d'autres demandaient des explications aux prêtres professeurs. Le vieux curé Loupret parvint enfin à rejoindre Pierre, entouré de camarades. Pierre put alors se dégager. Il froissait au fond de sa poche le ruban violet qui annonçait sa vocation religieuse, le ruban qu'il avait choisi dans le plateau d'argent, devant tous, devant les Letellier au sourire méprisant, devant le curé Loupret extasié. Et il lui avait semblé qu'il commettait un geste sacrilège. Le curé Loupret s'exclama d'une voix affectueusement autoritaire:

— Pierre, tu reviens avec moi. J'ai un petit vin rouge au presbytère. Il faut fêter ça.

— Je ne peux pas, Monsieur le curé. Il faut absolument que je me rende dans la Grande-Allée. Il faut que je voie ma mère.

— Bon! je comprends, soupira le curé, qui le regarda avec dépit s'éloigner.

Pourquoi Pierre était-il si pâle? Avec quel ton de détresse il avait dit: « Je ne peux pas! » Au moment où il allait sortir, presque en courant, les prix sous son bras, Pierre fut happé par l'inconnu:

— Holà, premier de classe! On t'emmène au restaurant! Nous te trouvons de plus en plus intéressant.

Fernande levait sur lui des yeux rieurs et elle disait:

— Acceptez, acceptez, je vous en prie!

Pierre leur jeta un regard étrange. Comme ils semblaient tous heureux! Ne savaient-ils pas que tout l'après-midi, il avait foncé, selon son habitude, tête baissée contre le pire et qu'il n'avait pas fini? Il fit un non saccadé.

— Pas maintenant, impossible. Je vous reverrai.

Il allait s'enfuir à nouveau quand l'abbé « Voltaire » le prit par la manche et le tira à l'écart.

— Je veux absolument te voir, ce soir, à huit heures et demie. Compris? Et voici un petit cadeau sincère, du meilleur de tes amis.

Ce n'est qu'au dehors, sur le trottoir, que Pierre reconnut le billet de cinq dollars que l'abbé « Voltaire » avait glissé dans sa main.

La Buick de madame Letellier démarrait nerveusement. Pierre courut vers le Château Frontenac et s'engouffra dans un taxi. C'est d'une voix blanche qu'il ordonna:

— Grande-Allée! Je vous dirai quand arrêter.

Il contempla avec hébétude les volumes tombés pêle-mêle sur la banquette.

II

Pierre fit stopper la voiture derrière la Buick des Letellier, demanda au chauffeur de l'attendre et sauta sur le trottoir. Il s'engagea d'un pas rapide dans l'allée de béton qui traversait la pelouse et conduisait à l'imposante maison de brique des Letellier, sise en retrait de la Grande-Allée. Puis, près de l'escalier, il ralentit. Son regard venait de se poser sur la porte de service entrebâillée, tout à côté du garage.

La porte de service, les portes de service de son enfance! Que de fois, accompagnant sa mère chez ses employeurs, il en avait traversé le seuil, si bien qu'aujourd'hui, homme, il lui fallait s'accrocher à son orgueil blessé pour en détourner ses pas, naturellement attirés vers elles. Par les portes de service, enfant, il avait accès aux caves où il découvrait des livres de contes délaissés, qu'il reprenait avec passion et lisait près de la fournaise jusqu'à ce que sa mère, l'après-midi fini, vînt le chercher, ou c'était le tricycle mis au rancart sur lequel il pédalait pendant une heure, à en perdre haleine, à en perdre le désir d'en avoir un à lui.

Pierre ferma les yeux, puis s'élança dans l'escalier. Allait-il sonner? La cuisinière, ou la domestique viendrait ouvrir, et il lui faudrait se perdre en explications qui useraient sa colère. La porte était entrouverte. Il la poussa doucement et se retrouva sur le tapis épais du hall. C'est la hauteur du plafond qui le frappa d'abord, puis le large escalier tournant qui prenait, à lui seul, tout l'espace d'un logement de pauvres. Dos tourné à Pierre, debout sur la deuxième marche de l'escalier, le manteau à peine enlevé sur son bras, l'élégante madame Letellier disait à son fils Yvon qui grimpait dans sa chambre d'un pas rageur:

— Tu me boudes maintenant? Réponds...

Le plancher supérieur résonnait sous le va-et-vient nerveux du fils gâté. La figure angoissée de la veuve Letellier, se tendait toute, comme si chaque pas eût porté en lui la promesse d'une parole douce. Rien.

Dans le boudoir, à la droite de Pierre, installée près d'un guéridon d'acajou, une vieille dame aux cheveux blancs brodait, et ses hochements de tête attristés indiquaient qu'elle suivait l'altercation. C'était la grand-mère maternelle d'Yvon. Soudain elle aperçut Pierre immobile. Elle déposa sa broderie et marcha vers lui.

— Monsieur?

Il sursauta, l'examinant d'un air désemparé. Il bafouilla:

— Je suis Pierre Boisjoly. Je viens chercher ma mère.

Le visage rosé, strié de bleu de la vieille s'illumina. Ses rides riaient. C'est la façon des vieux de rougir. Car la grand-mère d'Yvon était à la fois ravie de rencontrer ce jeune homme plein de talents à propos de qui elle faisait tant de reproches à sa fille, et honteuse d'être la mère d'une femme jalouse qui recourait à des moyens vils pour se venger de succès qui la vexaient. « Je viens chercher ma mère » répéta Pierre, en regardant partout, afin d'échapper à la demande de pardon silencieuse que tout le visage de l'aïeule exprimait.

— Pierre! Mon Dieu! T'es pas entré par la porte de service?

La mère de Pierre avait surgi du salon et le contemplait avec effroi. Courte, grassouillette, un peu échevelée, le visage luisant d'une sueur grise de poussière, elle crispait un torchon entre ses gros doigts nerveux. Puis elle leva un visage suppliant vers madame Letellier qui s'était retournée en se croisant les bras:

— Monsieur ne se gêne pas, pour un fils de domestique!

Le cri que lâcha Pierre en ce moment ressemblait à un hurlement:

— Maman, viens-t'en, habille-toi! Je ne veux pas que tu restes une minute de plus chez ces salauds!

Des pas rapides ébranlèrent le plancher supérieur et Yvon

Letellier apparut au tournant de l'escalier où il s'immobilisa en voyant Pierre. Celui-ci serra les poings et ce fut le seul geste esquissé pendant les quelques secondes de silence qui suivirent. Madame Boisjoly, consternée, cherchait une échappée:

— Madame Letellier, j'ai trouvé un billet de dix piastres, par terre, dans la chambre de madame...

— Merci, ma fille, vous êtes honnête, vous, au moins. J'aime bien, de temps à autre, éprouver l'honnêteté de mes domestiques.

— Maman! Viens-t'en! rugit Pierre à nouveau. Jamais tu ne remettras les pieds ici!

La mère Boisjoly jeta un regard éperdu à la maîtresse de la maison, un regard qui voulait dire: « Excusez-le, c'est pas de ma faute. Vous m'enlèverez pas votre clientèle, hein? » Puis elle courut chercher son manteau.

Yvon Letellier, au sommet de l'escalier, ne bougeait pas. Il eût voulu, devant sa mère, fouetter Pierre d'une phrase cinglante, mais il sentait qu'au moindre geste, Pierre eût bondi sur lui en le frappant sauvagement. La porte de service claqua en arrière. Pierre comprit. Sa mère était partie. Il sortit.

— Nous l'avons bien mérité, conclut Yvon.

Yvon, en pantalon et chemise sport, dégringolait l'escalier en évitant de regarder sa mère. Celle-ci, quand elle vit Yvon se diriger vers la porte, sans se retourner, sans ajouter un mot, laissa échapper un appel de détresse:

— Yvon!

Il s'immobilisa, regarda fixement l'image de sa mère qui se reflétait dans la vitre de la porte, puis dit sèchement:

— Oui.

C'est elle qui s'avança sur lui et qui interrogea, angoissée:

— Ma foi on dirait que tu approuves ce polisson contre moi? Mais parle donc!

— Oui ma très chère maman, je l'approuve de se défendre.

Et sa voix se fit tranchante:

— Qu'il soit le fils d'un voyou m'importe peu. Il faut tout de même y mettre des formes. C'est un garçon très fort, très intelligent. Je ne l'aime pas. Tu m'as toujours éperonné et poussé à le battre, à le dépasser, à l'humilier même. J'ai usé dans mon émulation avec lui de tactiques dont je ne suis pas trop fier. Je ne les regrette pas, car j'aime gagner et tous les moyens habiles sont bons. Mais admets que ce que tu lui as dit aujourd'hui est un peu fort. Il a raison d'être furieux. Enfin...

Sa mauvaise humeur le quitta un moment et ses yeux bleus se teintèrent d'indécision. N'avait-il pas été le complice de sa mère en annonçant tout à l'heure que Pierre ne pourrait pas chanter? Et son impatience contre sa mère ne venait-elle pas de ce que Pierre avait déjoué ses plans et l'avait même fait paraître ridicule aux yeux de l'auditoire? Yvon se sentit las soudain écœuré de tout. Il saisit la poignée de la porte, évitant les yeux fixes, exorbités de sa mère. Elle balbutiait des mots entrecoupés:

— C'est à moi que tu viens raconter cela? Tout l'amour, les sacrifices, l'esclavage même...

Huguette Letellier n'avait pas besoin d'en dire si long. Yvon connaissait très bien le sens de cette détresse qui, en ce moment, vieillissait sa mère de dix ans. A quarante-quatre ans, elle était encore belle. Veuve et riche à trente-cinq ans, mère d'un garçonnet qui par sa beauté et par ses dons était le petit roi de la Grande-Allée, elle s'était refermée sur lui comme une coquille. Repoussant les prétendants nombreux, les aventures galantes, elle s'était toute donnée à cet enfant dont, un jour, elle partagerait la gloire. Il ne deviendrait pas seulement un homme supérieur, il prouverait à cette population québécoise qu'il était de la race des grands hommes. Dès ses premières classes au Petit Séminaire, les professeurs ne s'étaient-ils pas accordés à lui reconnaître du génie? Puis ce Pierre Boisjoly, le fils de sa femme de peine, ce garçon aux traits brutaux (grossiers selon son optique de mère), était tombé soudain en avant d'Yvon, dans le sentier qui conduit au succès. Mois par mois, année par année, il avait défait Yvon dans la course à la première place, il avait graduellement noirci l'étoile d'or pour laquelle Huguette Letellier avait sacrifié sa beauté, l'étoile d'or à laquelle elle avait accroché tout son avenir. Et cet Yvon qui s'en allait, en chemise sport, jouer au tennis avec les filles du voisin, le Conseiller législatif, cet Yvon l'accusait maintenant de fourberie! Elle se tordait les mains, commençait à sangloter. Yvon secoua la tête avec impatience:

— Maman je t'en prie. Le règne de tes jupes est terminé. Et puis n'en parlons plus. Ta colère m'humilie, à la fin!

Il se préparait à refermer la porte derrière lui quand il revint pour lâcher une dernière phrase:

— Je suppose que tu pars pour Montréal, comme d'habitude, quand tu veux bouder?

Huguette Letellier, après avoir contemplé la porte refermée pendant de longues secondes d'hébétude, se mit à arpenter le hall à pas saccadés en murmurant entre ses dents: « Oui, je pars, je pars! Il ne vaut pas la peine que je reste. Et dire que j'avais fait préparer un souper fin pour nous deux au Château, ce soir! Je pars! »

La vieille dame, pendant cette scène, avait repris sa broderie, fébrilement. Elle jeta un coup d'œil triste sur sa fille, puis elle osa:

— Pauvre enfant! Je t'ai souvent mise en garde. Tu l'as trop gâté.

Comme si elle n'eût pas entendu sa mère, Huguette persifla:

— Et dire que tout cela survient à cause de ce petit arriviste qui s'est inventé une vocation de prêtre pour se faire payer ses études par son curé! Un petit fourbe...

La septuagénaire déposa sa broderie et s'avança vers sa fille:

— Tu dis que le jeune Boisjoly ne deviendra pas prêtre?

Huguette, surprise par l'intervention de sa mère, répondit d'un ton agressif:

— Oui, il me l'a laissé entendre. Et vous auriez dû voir avec quelle arrogance! Moi, naturellement, je devinais son jeu depuis des années.

La vieille ne répondait pas, regardait fixement sa fille avec des yeux qui s'emplissaient d'une terreur croissante. C'est d'une voix presque éteinte qu'elle put enfin formuler son angoisse:

— Huguette. Es-tu sûre que ton attitude envers lui n'a pas faussé sa vocation, que du bon prêtre qu'il aurait pu devenir, il ne tournera pas, par ta faute, en garçon haineux et méchant?

Le visage d'Huguette se durcit, elle laissa retomber ses bras le long de son corps.

— Comment? Vous aussi? Je ne suis plus d'âge à me faire faire la morale, maman, je vous en avertis.

La vieille femme baissa la tête et retourna à sa broderie. Veuve d'un modeste fonctionnaire, elle avait deux filles richement mariées. En s'asseyant près du guéridon, elle dit avec lassitude:

— Je crois que tu fais bien d'aller passer la fin de semaine chez ta sœur Yvonne à Montréal. Vous vous entendez bien ensemble. Ça te fera du bien.

Et elle ajouta tout bas, pour elle-même, dans un murmure chevrotant:

— Il faut que j'écrive à ce jeune homme, que je le voie. Il le faut!

Il sembla à Pierre que le ronronnement du moteur de ce taxi fût le seul bruit qu'il eût entendu depuis des heures. Non qu'il se sentît enfin délivré de cette crise qui bouleversait sa vie, le poussant dans l'inconnu comme la feuille charriée par un vent furieux: chaque minute qui s'écoulait resserrait davantage son engagement dans la destinée qu'une force mystérieuse l'incitait à poursuivre. Il était déjà si bien entré dans cette destinée que maintenant la lucidité lui revenait. Pierre tourna enfin la tête vers sa mère, séparée de lui par les prix épars et affaissée dans le coin de la banquette, ses grosses mains durcies par l'eau et le travail, tenant sur ses genoux le grand sac à provisions, vide, que d'habitude elle rapportait triomphalement à la maison, rempli des dons de ses employeurs. Elle contemplait Pierre avec des yeux las, gonflés en ce moment par l'étonnement, la détresse et le reproche.

— Pierre, qu'est-ce qui t'a pris?

Il ne répondit pas tout de suite, baissa les yeux sur les volumes, puis examina sa mère à nouveau. Le taxi roulait vite et derrière la tête de sa mère, à l'arrière-plan, les poteaux, les maisons s'enfuyaient furtivement, honteux et rapides comme les pensées qui se déroulaient dans son cerveau en fièvre. C'était sa mère, cette femme de cinquante ans, bornée, ne comprenant rien à l'idéal, heureuse devant un plancher luisant à cause d'elle, dont la seule ambition apparente était d'être assurée jusqu'à sa mort de trois repas par jour et des quelques dollars qui lui permettaient, deux soirs par semaine, de se joindre à de bavardes commères aux parties de bingo paroissiales? Cette étrangère, c'était sa mère, et n'eût été le logement commun qui les attendait, il n'eût su où la déposer, en silence. D'où venait qu'une heure auparavant il eût pu tuer pour elle? Il s'était donc trompé sur la véritable nature de ses impulsions? Pierre crut sentir une sueur froide à la racine de ses cheveux. Le professeur avait raison: seul le chemin de la prêtrise est échelonné de points de repère immuables qui ne trompent jamais. Il avait laissé cette route pour la forêt vierge et déjà il s'égarait. Mais il y avait aussi cette tête de Fernande, qui penchait sous le lent coup de peigne, et madame Letellier qui l'avait harcelé et qui, pour l'humilier, avait le jour même fait travailler sa mère. Pierre, de nouveau, se sentit devenir immense, prêt à tout briser comme ces héros invincibles qui, au cinéma, renversent les pires obstacles.

La femme de peine pliait nerveusement le sac à provisions.

— Maintenant c'est fini; je la connais, elle va faire accroire à ses amies que je l'ai volée. Je pense qu'après-midi j'ai perdu toutes mes pratiques.

— Tu le regrettes?

— Bien... je suis veuve, j'ai besoin de gagner. Oh! j'sais bien qu'elle m'a fait travailler aujourd'hui pour m'empêcher d'aller à la distribution des prix. J'suis pas si folle que ça, tu sais. D'abord, j'serais pas allée, à la distribution des prix. C'est comme si j'avais eu honte pour toi. Plusieurs de mes pratiques étaient là, vois-tu, et elles aussi auraient peut-être pensé que je les narguais. Ça fait que ça me faisait rien de travailler pareil, au fond. J'aurais dû y aller, à c't' heure que je suis pas plus avancée.

— Maman!

La femme de peine n'avait pas entendu l'appel de détresse que Pierre avait à peine pu murmurer. Les gros yeux au regard perdu suivaient le difficile cheminement d'une réflexion:

— Mais puisque t'es venu me chercher. T'as donc décidé que c'était assez. Faudrait à c'te heure que je me place au lavage des bureaux au Parlement. Mais ça prend pas mal d'influence. C'est ce qui m'inquiète. Tu sais que c'est pas ton frère Joseph qui va me faire vivre. Il est pompier, entendu, mais ça joue tout son argent aux cartes. Pis toi, tu vas te faire prêtre: c'est beau mais c'est pas payant pour une mère veuve. J'ai jamais entendu parler que l'archevêché nous payait des pensions. Dis donc, ça va au moins nous coûter une piastre de taxi!

Pierre s'approcha d'un bond près de sa mère, lui saisit fébrilement les mains:

— Maman! Ne t'inquiète plus pour l'avenir. Je ne serai pas prêtre!

III

La mère Boisjoly, dans sa cuisine exiguë, mettait la table et préparait le souper avec une hâte gênée, comme si elle eût voulu se faire pardonner de ne pouvoir offrir à ses deux fils la longue mise en scène d'un repas familial cérémonieux. Et cette nouvelle que Pierre venait de lui apprendre!

La femme de peine n'avait presque pas réagi dans le taxi, quand il lui avait fait part de sa décision. Elle était si fatiguée de sa journée à ce moment-là. L'entrée théâtrale de Pierre chez les Letellier avait seulement agité cette fatigue, comme on agite de l'eau sale. « Maman, je ne serai pas prêtre! » De prime abord, cela lui était apparu, au fond de sa lassitude, comme un incident banal. Puis, à mesure que les secondes s'étaient écoulées, elle s'était sentie envahie par une grande quiétude, la quiétude que donne le solide compte en banque. Toute la vie de madame Boisjoly expliquait cette banale réaction devant le drame dans lequel se débattait son fils.

A quatorze ans, elle commençait à travailler dans une manufacture, douze heures pas jour. Son père lui enlevait avidement sa paye, lui laissant quelques sous. Puis elle s'était mariée à un pompier ivrogne, tué dans un accident, onze ans après son mariage, et la laissant avec deux enfants: Joseph et Pierre. Pour régler le loyer, elle avait dû commencer cette vie de femme de peine alors que son mari vivait, et elle la continuait depuis ce temps, puisque Joseph, devenu pompier à son tour, perdait ses payes aux cartes, comme son père les avait dépensées à la taverne. Eva Boisjoly n'avait jamais eu le temps d'être heureuse, excepté à ces parties de bingo où elle trouvait une furtive détente à l'angoisse du lendemain. Les yeux rivés constamment sur les dates d'échéance, elle n'avait pas éprouvé le contentement des mères qui voient leur fils choisir la vocation sacerdotale. Et ce soir, pendant que Pierre, son bras musclé gauchement replié sur sa joue droite, se rasait nerveusement devant le miroir suspendu au-dessus de l'évier de tôle, Eva Boisjoly avait envie de chanter, tant les chiffres du budget familial s'alignaient avec assurance sur la rudimentaire machine à calculer qu'était devenu son cerveau.

C'est en rêvant à ces additions que le souvenir de la chambre de madame Letellier lui revint.

— Pierre. Si on pouvait devenir aussi riches que les Letellier, penses-tu qu'on serait bien! Je me paierais quelques petits voyages à Montréal, moi aussi. Tu sais, dans sa chambre, y avait un dix piastre par terre, mais... laisse-moi te dire qu'y en avait un paquet d'autres dans la petite cassette sur la commode. C'était beau à voir. S'y a pas mille piastres là-dedans...

Elle examinait en souriant le dos large, le cou puissant de Pierre, émergeant de la camisole de coton. Le portrait de son père. Mais Pierre ne buvait pas, ne jouait pas et il était le garçon le plus intelligent du Petit Séminaire. Elle ne se blessa pas du silence de Pierre, qui ne se retournait même pas. Dans leur milieu populaire, les enfants, souvent, ne répondent pas à leur mère. Elle n'avait pas remarqué que dans le dos de son fils, des muscles avaient frémi à la mention de l'argent.

Comme il était désemparé, étranger auprès de sa mère, dans cette maison! Il avait espéré, un moment, dans le taxi, qu'elle comprendrait sa fièvre, ou qu'au moins, elle tenterait de la ressentir. Rien, seulement quelques petits calculs animaient la figure ravagée. Il était seul avec son désir de se jeter dans les bras de quelqu'un pour y pleurer. Pourquoi se rasait-il? Sa barbe naissante, il l'avait coupée ce midi. Machinalement, il s'était emparé du rasoir tout à l'heure, comme s'il eût voulu arracher de sa figure les derniers vestiges du masque qu'il avait porté sans le savoir pendant des années. Ne l'avait-il pas enfin proclamée cette décision qui le hantait depuis l'après-midi? Qu'il était méprisable ! Il était de ceux qui, dès l'enfance, ont besoin d'une raison de vivre, et il s'était accroché à celle qui frappe le mieux l'imagination des enfants : la mystique d'une vocation religieuse. Et maintenant qu'était venu le moment d'affronter sa vie d'homme, il abandonnait le commode idéal qui lui avait permis de traverser le désert de l'adolescence. Il secoua la tête nerveusement : non, il ne s'était pas joué la comédie de la vocation religieuse, avec les arrière-pensées dont sont capables les enfants. Il avait été absolu.

Madame Boisjoly cessa soudain de sourire et se gratta le front :

— C'est le bon curé Loupret qui va être désappointé. Ça fait bien mille piastres de cours qu'il te paye.

Dans le miroir, Pierre vit ses pupilles s'agrandir. Il jeta brusquement la serviette sur son épaule et se réfugia dans sa chambre, séparée de la cuisine par une portière de drap. Il voulait se jeter sur son lit, les poings sur les genoux, la face sur les poings, mais la vue de son costume de séminariste soigneusement étendu sur le matelas le retint. Le large ceinturon vert, l'uniforme bleu marine, usé, luisant, sur lequel était posée la casquette, le glaça, lui rappelant le képi qu'il avait vu sur un cercueil, à des funérailles militaires.

Pierre jeta l'uniforme et les prix dans un vestiaire de fortune, fait d'une caisse d'emballage recouverte de cretonne. Fait d'une caisse d'emballage aussi, le petit pupitre taché d'encre, près de la fenêtre. Il regarda le linoléum usé du plancher, le papier peint en rose pâle des murs craquelés. Jusqu'à ce moment, ses yeux avaient évité la figure sanglante du Christ de Goya, épinglé au-dessus de son pupitre. Il marcha subitement vers elle, saisit le pupitre à deux mains et la regarda avec véhémence :

— Mon Dieu, j'ai toujours été franc avec vous ! Vous le savez ! Je continue d'être franc !

Son exclamation s'était terminée en un murmure, car il lui semblait que la tête du Christ s'estompait, disparaissait dans le mur et que sa propre voix sonnait faux. Madame Boisjoly cria, de la cuisine:

— Tu m'as parlé, Pierre?

Il ne répondit pas. En effet, le curé Loupret avait bien payé mille dollars depuis quelques années. Cette pensée était intolérable. Il fallait courir chez le bon curé, immédiatement, tout lui dire, d'une seule traite. Pierre se reconnaissait: une souffrance à subir apparaissait-elle à l'horizon qu'il bondissait vers elle pour l'enlacer dans un baiser de possession. Il avait toujours cru que cette soif de foncer sur l'épreuve lui venait de sa vocation religieuse. C'est aussi cette vocation qui lui avait fait considérer comme appartenant à un autre monde, le besoin où sa mère se débattait d'un soutien pécuniaire. Pierre ne s'était jamais senti ingrat pourtant. L'idée d'être prêtre l'avait possédé, absolument, pendant des années et, au-delà des œillères de son projet d'apostolat, il n'avait rien vu, rien senti.

Pierre revint dans la cuisine en ajustant sa chemise. Il expliquait rapidement, avec une sollicitude soudaine:

— Oui, je te disais de ne pas faire ma soupe trop chaude. Je suis pressé.

La boîte de conserve vidée gisait près de l'assiettée de Pierre, sur la nappe à demi dépliée. A ce moment, Joseph, le frère pompier âgé de vingt-sept ans, entra. En uniforme bleu, une boîte à lunch sous le bras, il reluquait la cuisine d'un œil goguenard. Joseph était dodu comme une oie. Détestant les incendies, l'agitation, il avait attrapé deux maladies dans les chaises berçantes du poste des pompiers: l'obésité et la passion du jeu de cartes. Il lança sa boîte dans un coin et s'installa à table.

— Vivent les vacances! On dérangera plus monsieur.

Pierre regarda l'uniforme de son frère, puis laissa retomber sa cuiller. En ce moment, la figure éclairée de joie du curé Loupret revenait devant ses yeux. Quand il était seul avec Pierre, le bon prêtre, d'ordinaire distant avec ses paroissiens, devenait gai comme un enfant, s'exclamait avec puérilité: « Toi, Pierre, tu seras un prêtre comme il faut que nous en ayons au vingtième siècle! »

Pierre se leva de table, endossa son veston en sortant.

— Je n'ai pas faim.

Et madame Boisjoly annonça à Joseph la grande nouvelle, et Joseph fit quelques plaisanteries vulgaires à propos de cet événement.

— Monsieur le curé. Y a les femmes de la chorale qui voudraient vous parler, rapport à la nouvelle organiste.

— Au dia...

De sa main libre, le curé Loupret renvoyait son bedeau qui l'avait relancé jusqu'à la salle de bain, où il était en train de se raser.

— Dites-leur que c'est impossible ce soir. J'attends quelqu'un de très important. Remettez-les à demain.

Le curé, son collet enlevé, le dos ployé, essuyait sa lame garnie de savon et de poils gris sur un bout de feuille d'annales pieuses. Il haussa les épaules. Avait-on idée de gâcher un jour comme celui-ci par une stupide discussion avec ces dames de la chorale? Son bras s'éleva à nouveau et le rasoir s'immobilisa à deux pouces de la figure, comme si la main eût préparé un plan d'attaque permettant à la lame de contourner les replis qui sillonnaient la figure du vieillard. Aristide Loupret ne préparait rien. Il contemplait sa figure heureuse, recouverte d'une mousse blanche et gaie. Les yeux riaient. Le curé articula: « Tu es en train de préparer un cardinal. » Et la bouche édentée reproduite dans le miroir allait plus loin: « C'est toi, Aristide, qui l'auras fait de tes propres mains, ce cardinal. Hé! »

Il remit son collet et redressa fièrement les épaules. « Que chaque curé, dans le monde entier, pensa-t-il, découvre son Pierre Boisjoly, et l'avenir spirituel de la chrétienté ne m'inquiète pas. » Hélas, selon lui, le christianisme semblait se contenter de milliers d'enfants de chœur adultes que les événements allaient balayer comme des fantoches. Le prêtre consulta impatiemment sa grosse montre. Sept heures. Pierre devait être à la veille d'arriver. Il sourit. Quel garçon! Le veillard s'étendit dans son fauteuil, saisit un cigare et, avant de l'allumer, se mit à fredonner: *Notre-Dame du Canada.*

Le curé tirait de larges bouffées et son regard suivait la fumée, sombrant avec elle dans le vague. Aristide Loupret avait toujours fait preuve d'une étonnante clairvoyance. Quarante ans auparavant, alors qu'il se préparait à la prêtrise, le clergé du Québec semblait prendre pour acquis que l'apostolat de ses prêtres devait s'exercer et s'orienter en fonction de l'avenir agricole qu'on envisageait pour la province. Chaque jeune abbé n'entrevoyait pas d'autre champ d'action qu'une cure minable dans un poste avancé de colonisation, une vie en butte à des difficultés exactement prévues. Les postes des villes étaient réservés aux prêtres ayant des relations influentes, et leur rôle consistait surtout à transiger avec le gouvernement. Le jeune abbé Loupret avait été l'un des premiers à dénoncer la fausseté de cette orientation et à comprendre que l'apostolat le plus important devait se poursuivre dans les villes, vers lesquelles affluait déjà une grande partie de la classe agricole. Le cultivateur devenu ouvrier, la surpopulation des grands centres, soulevaient de nouveaux problèmes pour lesquels le clergé n'était pas assez préparé. Aristide Loupret s'attaqua immédiatement au cœur de ces problèmes et pendant plusieurs années, il dépensa son infatigable énergie à ouvrir les yeux de ses confrères et de ses supérieurs, à établir les prises de contact entre les prêtres et la classe industrielle. Le danger qui guette les hommes compétents, travaillant au sein d'une institution qu'ils améliorent par leur zèle et leur initiative, ne l'avait pas épargné. On l'avait récompensé en le nommant administrateur, c'est-à-dire curé d'une grande paroisse de Québec. La vibrante aventure se terminait dans de plates discussions avec des marguilliers obtus, dans un amas de comptes à payer et à recevoir.

Son ministère spirituel? Sa paroisse était si incurablement bigote, qu'il s'y sentait aussi inutile que le cardiologue installé à demeurer parmi cinq mille personnes dont les pires maladies consistent en rhumes de cerveau.

Au cours de ces fades années, le curé Loupret avait profité, pour approfondir ses réflexions, de toutes les échappées que pouvait lui laisser l'envahissante routine de son rôle d'administrateur. Malgré tout, il gardait les yeux ouverts. Jusqu'à quel point ce danger croissant du communisme menaçait-il le monde? Jusqu'où iraient ces courants de libre pensée qu'il voyait se développer dans le peuple, amenant celui-ci à considérer de plus en plus le clergé comme un immense réseau de fonctionnaires de la religion, en majorité comptables, sachant exactement équilibrer le détail et la somme des comptes que les âmes ont à payer à Dieu, avec le chiffre exact de la proportion généreuse que l'Eglise doit en recevoir? Le clergé de la province de Québec, en particulier, n'appréhendait pas assez l'orage qui se dessinait, pensait Aristide Loupret. On se contentait de produire, à la douzaine, des prêtres quiets, qui choisissaient le sacerdoce comme d'autres choisissent le notariat, quand il était temps ou jamais de former des apôtres capables, par leur intelligence, leur culture et leur foi, d'irradier assez de lumière pour dominer les courants de la pensée contemporaine et spiritualiser les rouages de la machine catholique. « Ce n'est pas mille hommes ordinaires qu'il nous faut, c'est quelques grands hommes, et tout est sauf! » répétait le curé Loupret à tout prêtre qui voulait l'entendre.

C'est alors qu'il s'était mis à observer les enfants les plus brillants de sa paroisse. La plupart des recrues qu'il réussit à diriger vers le Petit Séminaire étaient issues de familles pauvres, et le brave curé devait payer leurs études. Que de discussions avec les marguilliers, que de prodiges financiers il avait dû exécuter pour rencontrer ces dépenses! L'expérience de M. Loupret fut presque un échec. Des enfants qui, à treize ans avaient montré un zèle ardent, une intelligence vive, s'affadissaient à la puberté, devenaient discoureurs dès leur classe de philosophie et atteignaient le diaconat avec un tel bagage d'habiletés laïques qu'il leur restait tout juste assez de zèle pour dire leur messe et lire leur bréviaire. Quant à ces brillants garçons qui lui avaient coûté si cher, ces premiers de classe qui, à la fin de leur cours classique l'avisaient par lettre que la prêtrise n'était pas leur vocation, le curé Loupret aimait mieux ne plus y penser. D'ailleurs, qu'importaient ces déceptions: il avait Pierre Boisjoly. Pierre! Pierre! Son futur cardinal.

Il l'avait observé durant quelque temps, cet enfant de dix ans qui accompagnait sa mère à son travail de femme de peine. Un jour, il s'était approché du garçonnet, assis sur le bord du trottoir, absorbé dans la lecture d'un livre maculé de taches d'encre.

— Que lis-tu là, mon enfant?

Pierre avait sursauté, s'était à demi relevé et avait reculé d'un pas, dans un geste de timidité farouche. Le curé avait souri avec bienveillance, avait renouvelé sa question. Le petit bégaya, puis, d'un ton où le défi se mêlait à la crainte:

— Les *Fables* de La Fontaine!

Aristide Loupret prit doucement le livre des mains de l'enfant, le feuilletant avec intérêt.

— Les savants disent que c'est le livre le plus intéressant qui soit. Tu veux devenir un savant?... Tu n'es pas bavard. Dis-moi, sais-tu une de ces fables par cœur?

Le curé Loupret n'oubliera jamais cet instant où la flamme soudaine et merveilleuse illumina le regard farouche du gamin, qui s'était mis à lui réciter pendant un quart d'heure, sans hésitation, les fables qui avaient frappé son cerveau d'enfant. Le vieil homme était resté ébahi. Quoi! Il avait en vain cherché de l'or pendant des années parmi les rocailles de sa grande paroisse, et il le trouvait soudain dans le regard de ce gamin sauvage, assis au bord du trottoir? Agité par l'émotion, il lui avait demandé son nom.

C'est à partir de ce moment que Pierre était entré dans les voies lumineuses du prêtre. Le vieux curé réussit sans peine à peupler ce cœur vierge de la vibrante imagerie religieuse, à l'enflammer du zèle divin. Il fit inscrire l'enfant au Petit Séminaire. Quelle intelligence! Il balayait tout sur son chemin. Quelle pureté, quelle droiture! Même le difficile passage de la puberté n'avait pas terni son cœur. Au contraire, la force morale et intellectuelle de l'adolescent en avait semblé décuplée. Philosophie, littérature, mathématiques, Pierre dominait ses études. Sa personnalité les devançait. Depuis la découverte de Pierre, le curé Loupret connaissait le bonheur de celui qui a mené à bien une œuvre gigantesque.

Le moment attendu approchait. Pierre entrerait au Grand Séminaire l'an prochain. Le vieux prêtre joignit les mains dans une prière ardente:« Mon Dieu, faites que je vive jusqu'à son ordination! » La cendre du cigare s'était détachée et se répandit sur sa soutane. Puis il se dressa vivement. La sonnette avait retenti!

Pierre, tous les muscles de son corps tendus, trépignait presque devant la porte du presbytère. Ah! qu'elle s'ouvre, cette porte, qu'il arrive, le curé Loupret et qu'enfin cette souffrance soit dépassée. A la maison, tout à l'heure, près de sa mère, sa fièvre s'était presque changée en lassitude. La crise reprenait maintenant plus aiguë. Dans le désert, les tourments de l'âme se changent en ennui. Au contact des êtres susceptibles de les comprendre, les peines s'attisent.

Le curé ouvrit la porte furtivement au complice de son bonheur, mais ne se perdit pas en exclamations. Il avait attendu Pierre d'une façon trop certaine, trop impatiente. Il prit à peine le temps de jeter un « Ah! c'est toi, viens! » rapide, contenu, conventionnel, puis il trottina dans le couloir, suivi du jeune homme, sans remarquer sa mine tragique. Une grande photographie de Pie XII faisait face au pupitre du curé. Celui-ci leva la tête vers elle, prit Pierre par le bras et s'immobilisa, ému, devant la noble figure, en murmurant avec ferveur:

— Dieu merci! Au moins nous avons le pape qu'il faut à notre époque. Quel homme! Quel saint! Et quelle culture!

Son menton s'enfonça à nouveau dans sa poitrine. Les yeux éclairés par les discours exaltés qu'il se tenait, Aristide Loupret ferma soigneusement la porte du bureau derrière Pierre, poussa un soupir qui eût pu être un hourra et dirigea son protégé vers un fauteuil de cuir, comme si ce grand garçon eût été un objet d'art qu'il installait sur un socle en pensant à autre chose. Aristide Loupret dénichait machinalement la bouteille de Bordeaux cachée dans le tiroir supérieur d'un classeur d'acier, derrière une pile de registres. Dos tourné à Pierre, le curé Loupret ouvrait le tiroir lentement, savourant chaque seconde, les coupant même en quatre pour jouir plus intensément de ce grand jour. Son Pierre approchait du sacerdoce dans une poussée triomphale, il s'en approchait de la façon qu'il avait voulue, organisée, lui Aristide Loupret, petit curé sincère. Et même, la fameuse phrase revenait à son esprit: « Aristide, tu le tiens, ton cardinal! »

C'est cette phrase que le prêtre laissait fondre sur sa langue, les yeux baissés malicieusement sur les verres qu'il remplissait, quand le cri presque rauque, affolé, de Pierre le glaça:

— Je n'ai pas soif!
— Tu n'as pas soif?

Monsieur Loupret avait soudain aperçu la mine égarée de Pierre; en un éclair il vit le moment terrible fondre sur lui et il tenta de s'en garer avec des tactiques naïves d'autruche. Il répétait, d'une voix douce, gentille, en complet désaccord avec l'affolement de Pierre:

— C'est vrai, tu n'as pas soif?

Pierre s'était élancé vers le bureau (juste en face de la bouteille de Bordeaux, pensa le curé); puis, immobile, livide, les deux poings serrés le long de ses hanches, Pierre prit les devants, d'une voix exaspérée, coincée entre les sanglots et la honte:

— J'ai été franc, je ne vous ai jamais menti. Je ne sais pas ce que j'ai eu. Ça m'est venu, cet après-midi, en un éclair. Je vous remettrai tout cet argent, sou pour sou! Dites-moi votre mépris, tout de suite, je le veux, n'attendez pas à tout à l'heure quand je serai parti. Vite, dépêchez-vous, monsieur le curé!...

Il éclata en petits sanglots secs et ridicules, puis il retourna à son fauteuil. Le vieux prêtre continuait de se protéger contre l'écroulement de ses rêves en s'adonnant à de menus gestes automatiques. Il revida les verres dans la bouteille, qu'il remit à sa place, sans se hâter, puis referma le tiroir du classeur soigneusement. Ses doigts avaient touché la bouteille, le classeur, et ses doigts n'avaient ni senti le verre ni senti l'acier. Il avait mordu sa lèvre inférieure, et il ne l'avait pas sentie. Il s'assit devant son bureau, regarda la photo du pape et murmura sur un ton égal:

— C'est fini! Au moins, tu ne m'as pas averti par lettre.

Puis il frissonna d'un grand frisson de vieillard, et sembla se recroqueviller. Dans le prisme du regard brouillé de Pierre, cette dépouille ensoutanée, que venait d'abandonner un rêve lumineux, apparut comme un habit fripé qui s'abat doucement dans le coin où l'on vient de le jeter. Il dit:

— J'aimerais mieux que vous soyez mon père. Ce serait moins dur de vous faire cette peine.

La phrase de Pierre n'atteignit pas le vieux prêtre, pas plus que ne franchirent ses lèvres les arguments pour inciter Pierre à changer sa décision. Ce n'était pas une partie que le curé perdait, c'était l'absolu d'un bonheur. Il esquissa un sourire pâle, qui soulignait son regard vaincu:

— A qui maintenant vas-tu réciter les *Fables* de La Fontaine?

Pierre s'était dressé, le regard farouche, comme si la véhémence eût pu le débarrasser de cette attitude écrasante de son bienfaiteur.

— A tous ceux qui me le demanderont et en qui je croirai.

— Veux-tu faire un avocat? Comment paieras-tu tes cours?

Pierre soupira presque de satisfaction. Enfin M. Loupret s'éveillait de sa torpeur; le prêtre, probablement, l'accablerait d'une juste indignation? Pierre, inconsciemment, s'empressa de recourir aux mots, aux phrases qui font jaillir le mépris.

— Je vous l'ai dit tout à l'heure. Tout votre argent sera remboursé, sou pour sou, et même davantage. Je gagnerai mes cours, à la sueur de mon front! Vous me connaissez?

Le vieux prêtre, tout son être agité d'une douleur indignée, contourna rapidement le bureau, saisit Pierre par les bras et se mit à le secouer comme il faisait aux enfants dissipés pendant le catéchisme. Les phrases tombaient sur Pierre, saccadées, comme des coups de fouet courts, secs et méprisants:

— C'est toi, Pierre, qui parles ainsi, tout comme un garçon d'épicerie repentant qui a volé son patron? Il s'agit bien d'argent! cette chose à la portée de tous les imbéciles!

Livide, le prêtre respirait rapidement. C'est Pierre maintenant qui tremblait. Ses genoux plièrent, puis il s'abattit aux pieds de M. Loupret en sanglotant, en suppliant d'une voix étouffée: « Ne dites pas ça! Je n'en pense pas un mot. Je suis malheureux, et j'éprouve le besoin de me salir, de consommer ma honte. »

Le vieux prêtre promena lentement sa main courte et ridée sur le front de Pierre et murmura d'une voix que celui-ci n'avait jamais entendue, une voix de père aimant:

— Je sais tout ça, mon Pierrot. Je suis bien puni de mon orgueil. J'avais décidé de faire de toi un prêtre et parce que tu as une grande âme, tu as accepté de vivre et de sentir comme je le voulais. Mais c'est fini, je le comprends. C'est Dieu qui intervient au bon moment. Tu veux te battre, corps à corps, contre les hommes? Oh! je sais toute l'histoire Letellier. C'est Dieu qui les a mis en travers de mon projet et j'ouvre les yeux enfin. Pierre je continuerai à payer tes cours.

— Non!

— Chut! Tu deviendras célèbre, très certainement. Mais tu verras, dans la vie, que rien n'atteint la joie d'être consacré à la Sainte Vierge et au Christ.

— Eh bien! oui! oubliez tout. J'ai été fou! Je serai prêtre!

Pierre s'était dressé, les yeux en feu. La fièvre de l'apostolat le reprenait soudain, dans une bouffée d'allégresse. Aristide Loupret se faisait violence:

— Non, ce serait profiter d'un moment de noblesse. Demain tes doutes te reprendraient. Il faut arriver au Grand Séminaire plein d'amour et de quiétude.

— Je ne veux plus vous faire de peine!

Le vieux prêtre poussa Pierre un peu brusquement dans la porte entrouverte.

— Va, te dis-je, et passe de bonnes vacances. Peut-être guériras-tu? Quant aux peines des vieux prêtres, je suppose qu'elles sont nécessaires; va, Pierre.

Aristide Loupret avait fermé rapidement la porte sur Pierre. Il s'assit devant son bureau, où il enfouit sa tête sur ses bras repliés. Puis, au bout de quelques instants, il releva un visage ravagé, dans lequel stagnait un regard mort. Il prit son chapelet, se mit à genoux et le récita. Ensuite, il sonna le bedeau:

Ces dames sont-elles encore à l'orgue? Et bien! c'est entendu, dites-leur qu'elles peuvent me voir ce soir.

IV

Sans savoir au juste pourquoi, Pierre, dès qu'il eut franchi la clôture grillagée qui entourait le presbytère, se mit à courir à toutes jambes. Transporté, à mesure que ses pas l'éloignaient du presbytère, par l'exaltation d'une fuite bien réussie, et fouetté tout à la fois par la force mystérieuse qui le précipitait dans sa course vers l'inconnu, il put s'étonner, malgré le tumulte de ses pensées, d'en être rendu à désirer la mort du vieux curé Loupret afin que celui-ci souffrît moins longtemps. Puis sa droiture le fit se révolter contre une telle pensée et l'incita à reconsidérer la douleur dans laquelle il venait de plonger son bienfaiteur. Mais Pierre était déjà loin du presbytère, il avait dix-neuf ans, sa course l'avait à peine essoufflé, et il était en plein cœur de cette ville chérie qu'il voulait conquérir. Le chagrin du curé Loupret, intolérable à son cœur pur d'adolescent quelques minutes auparavant, se noyait dans la joie de l'alentour, comme le crucifix, cet après-midi dans le fond de la salle des Promotions, s'était soustrait à la tension de son regard. Pierre hocha la tête, perplexe, puis il respira profondément en défaisant le nœud de sa cravate.

La place d'Youville trépidait d'une activité heureuse. Les autobus multicolores, si nerveux d'habitude, semblait ce soir s'échanger leurs passagers dans un flirt mécanique que soulignaient les phares clignotants, que coloraient les robes et les habits clairs et qu'orchestraient les conversations joyeuses. Les autos, les piétons semblaient venir déposer leur provision de bruit dans cette place, pour aller ensuite, quelque direction qu'ils prissent, jouir, dans le silence, d'un de ces premiers soirs d'été. Tout près c'était la porte St-Jean qui découpait, dans la brunante, son arc crénelé; à gauche, le théâtre Capitol dont les affiches lumineuses arrêtaient les badauds; à droite, le Palais Montcalm et plus loin dans le ciel, des clochers et des nuages. Derrière les fortifications, le vieux Québec, tout en angles, en toits penchés, faisait chanter sa poésie colorée d'ombres et de demi-teintes, et condescendait à laisser emporter par la rue St-Jean vers l'ouest de la ville, au-delà des grandes portes, un peu du parfum et du charme du Quartier Latin. C'est une bouffée d'air printanier, venu du fleuve, qui, avec la nostalgie du Quartier Latin, s'engouffrait dans le canal tortueux de la rue St-Jean et venait caresser le visage de Pierre, immobile et médusé devant la place d'Youville. Il n'osait pas encore se dire « A moi la vie! », mais il sentait monter en lui une telle force, une telle volonté de se battre, de vaincre et de vivre, que ses bras esquissèrent presque le geste d'enlacer le spectacle. Deux jeunes filles, en robes de coton, jambes nues et chaussées de sandales, passaient près de lui en chantonnant: *Quand les beaux jours seront là, nous irons*... Leur voix se perdit.

Au fait, où allait-il, vers quoi avait-il couru ainsi? Car s'il avait fui le presbytère, il avait aussi couru vers quelque chose. Sa vie, jusqu'aujourd'hui, s'en était tenue à un seul parcours: le presbytère, le foyer et le Petit Séminaire. Pour avoir abandonné un instant ce sentier, il voyait son destin bouleversé. Tout avait commencé avec cet inconnu et cette Fernande, ses yeux, ses cheveux, son peignoir, sa voix. Fernande! Son cœur battit. Pourquoi se posait-il des questions, jouait-il à l'étonné vis-à-vis l'inexorable mécanique des événements, depuis cet après-midi? Cette course, elle l'emportait vers le Quartier Latin. Chez l'inconnu? Non, pas tout de suite. Chez l'abbé Lippé d'abord. Ne savait-il pas exactement que (il se le rappelait clairement en cette minute), au moment où le curé Loupret l'avait prié de l'accompagner au presbytère après la distribution des prix et où l'abbé Lippé et l'inconnu l'avaient invité, il avait déjà consciemment réglé la suite des événements qui se déroulaient maintenant? La visite chez les Letellier avait consacré une colère, préparé le coup à porter au curé

Loupret. Pour accueillir le coupable et dissiper ses derniers remords, l'abbé Lippé avait été ensuite désigné, qui finalement laisserait tomber au milieu du couple inconnu, un homme neuf prêt à empoigner la vie.

Pierre secoua la tête. Ce n'était pas vrai, il n'était pas cet infâme calculateur, c'est le démon qui venait le punir, donner un sens caché et monstrueux à des actes qu'il avait accomplis dans une crise terrible. Il se dirigea vers le Petit Séminaire.

En atteignant le Quartier Latin, il hésita devant cette rue qui, depuis tant d'années, l'avait vu machinalement marcher vers le Petit Séminaire. Dans l'obscurité tombante, il la voyait pour la première fois pourtant, cette rue où vivait Fernande. Le pavé était légèrement en pente, et le tracé titubait au gré des maisons vieillottes, si drôlement disposées et coiffées, qu'elles avaient l'air en goguette avec leur toit pointu rabattu sur la façade ou rejeté en arrière. « Non! se dit Pierre, je prends la rue des Remparts. » L'énergie qu'il mit à adopter cette décision l'enflamma à nouveau de cette fièvre qui le brûlait depuis l'après-midi et que l'allégresse estivale avait un instant fait s'assoupir. Pendant qu'il courait le long des canons qui bordent la rue des Remparts, il pensait que peut-être l'abbé Lippé le guérirait de sa folie, ferait à nouveau jaillir en son cœur la source qui l'avait jusqu'à ce jour abreuvé. Alors victorieux, Pierre n'irait pas chez l'inconnu, l'oublierait à jamais et finirait la soirée sur le traversier de Québec-Lévis, dont les lumières scintillaient en bas, sur le fleuve. Ensuite, il irait trouver le curé Loupret en lui disant: « Je n'étais pas sérieux. » Il serait alors si heureux, le cher vieil homme.

C'est en courant qu'il traversa la cour du Petit Séminaire, et ses pas lui parurent déclencher des sonorités assourdissantes. Elles sont écrasées d'un si lourd silence, dès le premier jour des vacances, les cours des écoles; elles sont bordées de longues galeries que des religieux tout en noir arpentent, les mains derrière le dos. Pierre s'engouffra par la vieille porte, se dirigea rapidement, à travers la demi-obscurité, dans les couloirs et les escaliers dont il connaissait par cœur le bois usé. Il marmottait, sans s'en rendre compte, le nom des classes devant lesquelles il passait et se plaisait à respirer les odeurs d'encre et de renfermé, parce qu'elles étaient les odeurs de ses triomphes scolaires.

Il eut vite fait d'atteindre l'étage réservé aux chambres des prêtres enseignants, et comme il n'était jamais entré chez les professeurs, il dut chercher quelques instants le nom de l'abbé Lippé au linteau des multiples portes. Soudain il dressa l'oreille. Le bruit d'une voix, qu'il reconnut être celle de l'abbé Lippé, arrivait du fond du couloir. Plus Pierre approchait, plus la préoccupation qui contractait son visage se détendait pour faire place à l'étonnement.

L'abbé Lippé récitait les premiers vers de l'Enéïde, et de quelle étrange façon? La voix lui arrivait distinctement, maintenant, scandée comme par un métronome, terminant chaque vers par le mot *un* ou *deux*:

Ille ego qui quondam gracili modulatus avenâ (un!)
Carmen, et, egressus silvis, vicina coëgi (deux!)
Ut quanvis avido parerent arva colono, (un!)
Gratum opus agricolis; at nunc horentia Martis (deux!)[1]

Pierre, intrigué, osa enfin frapper. D'une voix égale, l'abbé Lippé cria:

— *Intra, Petre!*

Arma virumque cano Trojæ qui primus ab oris (un!)[2]

---

1. Moi qui jadis assis sous l'ombrage des hêtres
Essayai quelques airs sur mes pipeaux champêtres,
Qui depuis, pour les champs désertant les forêts,
Et soumettant la terre aux enfants de Cérès,
La forçai de répondre à leur avide attente,
Désormais, entonnant la trompette éclatante,

2. Je chante les combats et ce guerrier pieux qui, le premier, partit des rives de Troie.

Pierre, en voyant le spectacle qui se présentait à lui, fit les mêmes yeux qu'à la femme à deux têtes, lorsque pour la première fois sa mère l'avait emmené à la foire de l'exposition. L'abbé Lippé, nu-pieds, vêtu d'une culotte et d'un chandail sport, exécutait, avec un sang-froid de fakir, des mouvements de gymnastique qu'il scandait par des vers latins. Au moment où Pierre entra, le prêtre, les orteils sur le parquet, ses longues jambes pliées, tendait les bras. Solennel, et sans regarder Pierre, il reprit sa position normale en récitant un autre vers:

Italiam, fato profugus, Lavinaque venit (deux!)[3]

— *Petre,* bon élève, dis-moi les deux autres vers, ils sont très beaux. Bouche bée, Pierre les bafouilla:

Littora: multùm ille et terris jactatus et alto,

Vi Superum, sœvœ memorem Junonis ob iram;[4]

— Parfait mon fils.

L'abbé Jérôme Lippé prit deux longues respirations, fit jouer ses maigres épaules plantées en pieu aux extrémités de son torse maigre, vérifia l'élasticité de ses jambes par quelques mouvements brefs puis, souriant, se dirigea, la main tendue, vers le jeune homme éberlué. Il le fit asseoir comme un malade, dans un fauteuil recouvert d'une peluche brune usée, et lui tint ce discours:

— J'adore la gymnastique, je la trouve indispensable au bon fonctionnement de l'esprit. Tout comme le latin, je voudrais bien qu'elle nous vînt des Romains, mais hélas, ils n'y croyaient pas, allaient tuer ou se faire tuer tout de go à la guerre, ou vivaient et mouraient patriciens sous l'amas de leur bedaine. C'est aux païens de la Grèce que nous devons la tradition des exercices physiques, et le sage Solon en comprit l'importance, puisqu'il fit construire dans

---

3. Banni de sa patrie par le sort, vint en Italie et aux rivages de Lavinie.

4. Après avoir été rejeté par cent climats et par la mer, par suite de la puissance des destins et à cause de la haine implacable de Junon.

Athènes, Ephèse et Hiérapolis, des gymnases où se trouvaient, à côté des emplacements destinés aux exercices corporels, des bains, ainsi que des salles pour les philosophes et les rhéteurs. Pendant que la fine fleur de la jeunesse hellène embellissait l'harmonie de ses lignes, les intellectuels chantaient Horace et parfois se joignaient aux jeunes gens dans leurs exercices de lutte, de danse à la corde, ou avec eux lançaient le disque et le javelot. Sobre en tout, je m'imagine mal lançant le disque ou le javelot, seul dans la cour du Petit Séminaire, et je me contente, entre les quatre murs de ma chambre, d'entretenir l'élasticité discrète de mes muscles par des exercices dont le modeste Aristote n'eût pas rougi. Pourquoi je récite des vers latins? Pour quatre raisons fort simples:

a) Comme exercice de respiration.
b) Parce que l'harmonie du vers latin donne encore plus de noblesse au mouvement.
c) Parce qu'en m'adonnant à une pratique d'origine païenne, j'éprouve un sentiment de culpabilité que mes dispositions au jésuitisme m'incitent à alléger par la récitation de la langue dans laquelle je dis la messe (tout comme on irait jeter de l'eau bénite sur la faucille et le marteau), et
d) Pour faire croire à mon voisin de chambre, ce tendre gras abbé Benoît qui a tendance à se plaindre de mon tapage, que je lis tout haut mon bréviaire. Amen.

L'abbé Lippé, d'un pas sautillant, alla fermer sa fenêtre, toute grande ouverte sur le spectacle du port. Un lit de camp au-dessus duquel était accrochée sa photographie le représentant vêtu en aumônier militaire, s'alignait entre son bureau et sa bibliothèque. Au milieu de la pièce, juste en face de Pierre, un appareil photographique était perché sur un trépied. Malgré le déconcertement qui l'empêchait presque de réfléchir, Pierre ne put se retenir de jeter un regard étonné sur deux murs couverts de photographies, les unes représentant des prêtres, les autres de jeunes soldats. Toujours d'un pas élastique, l'abbé Lippé vint se pencher au-dessus de l'appareil qu'il braqua sur Pierre.

— Et voilà, dit-il en s'asseyant, la lumière sera parfaite, et ça me fera un bon close-up. Cigarette? Ah! c'est vrai, tu ne fumes pas encore! Ne parlons pas trop fort, ce bon abbé Benoît, tu comprends. Il pousserait les hauts cris s'il m'entendait ainsi discourir, lui qui du fond de ses épaisseurs de suif voit le catholicisme à travers un nuage rose nanan. Il voudrait bien savoir ce qui se passe dans cette chambre, ce mystérieux laboratoire d'incantations loufoques et de pratiques originales.

L'abbé Lippé, en disant ces mots, avait chaussé ses pantoufles et croisé ses jambes. Il était en verve ce soir, l'abbé « Voltaire ». Ce jeune homme intelligent, aux yeux ébahis, n'était-il pas la plus belle proie que son besoin d'étonner eût rencontrée depuis longtemps? Etonner les autres était le sport favori de l'abbé « Voltaire » et il semblait que ses exercices physiques l'eussent particulièrement mis en forme. Il se leva, étendit un bras prophétique:

— Regarde! dit-il. La photographie est un grand art. On me trouve un peu fou ici, de m'y adonner avec tant de ferveur, mais approche-toi et examine ces photos de mon mur A. Viens voir. Le mur A, c'est celui des binettes qui ne veulent rien dire. Regarde ce soldat. Je l'ai connu dans un camp près de Londres. Il est devenu lieutenant-colonel. N'est-ce pas qu'il a une physionomie de souffleur de balounes? Et ces cinq jeunes abbés! Pierre, secret de la confession, n'est-ce pas? Mais vois-moi ces figures! C'est mou, morne, fade. A trente-cinq ans, ils auront des plis de graisse aux aisselles et aux doigts; et quand on pense que nous en produisons des douzaines comme ça, et qu'on s'appuiera sur eux comme sur des *leaders* dans les années difficiles qui viennent, je frissonne. Tu ne frissonnes pas, toi? Et quand je les photographie, ils me font des coquetteries, ils tiennent à se peigner à l'eau, à se faire des toupets et des mines gentilles, et eux, qui pincent le bec sur mes excentricités, ils me trouvent alors épatant, me demandent de recommencer quand la photo ne les avantage pas assez, puis m'en réclament des copies sans me les payer. Edifiant, n'est-ce pas? Et voici un monseigneur. Tu ne l'as pas connu. Cette photo se passe de commentaires.

Pierre commençait à s'insurger contre ce prêtre en pantalon sport qui semblait prendre un plaisir féroce à détruire les sentiments de respect qu'il nourissait envers les membres du clergé. L'abbé Lippé devina cette réaction, et sauta à l'autre mur:

— Rougis, Pierre, tu as raison. Tu me penses anticlérical, n'est-ce pas? Non, je suis photographe et je vois. Maintenant, au mur B! C'est là que je veux fixer ton portrait. Tu vois ce garçon aux yeux de feu, aux lèvres minces, au menton décidé? On l'a fusillé, au camp, parce qu'il s'est défendu contre un sergent qui en faisait son souffre-douleurs. C'est vrai qu'il a battu le sergent à mort. Et cette noble figure de prêtre ! Vois la vigueur lumineuse de son regard, ce beau front. Et quel port de tête! Il a le cou d'un Grec. On devait le nommer Recteur d'une de nos universités, mais il a projeté quelques réformes drastiques dans l'enseignement et on l'a nommé curé dans une paroisse de colonisation. Pierre, assieds-toi là, je suis prêt, je te photographie et pour une fois, j'espère inaugurer une longue série de belles figures.

L'abbé, les yeux brillants d'enthousiasme, s'approcha de Pierre et lui releva le menton.

— Etrange! Si je voile la bouche et n'examine que le haut du visage, je lis une expression de détermination sauvage, et si je regarde la bouche, bouche sensuelle, dois-je dire, je suis frappé par sa tristesse et son désenchantement. Je suppose que c'est cet alliage inusité qui rend le visage si frappant.

L'abbé recula et, le menton dans la main, se mit à examiner Pierre longuement. Le pouls de Pierre battait plus vite, comme si un médecin l'eût ausculté. Sur son embarras, commençait de se greffer une colère qu'il ne pouvait s'expliquer. Peut-être l'abbé Lippé, vêtu de cet accoutrement bizarre, traitait-il trop cavalièrement une vocation à laquelle Pierre renonçait avec tant de déchirement? Pierre désira s'en aller, sans rien dire.

— Oui, conclut l'abbé Lippé. Tu auras, une figure extraordinaire de prêtre.

— Monsieur l'abbé, je ne ferai pas un prêtre, corrigea Pierre d'une voix brève.

Il retint son souffle. L'abbé Lippé pâlit, ne répondit rien, puis disparut prestement dans la garde-robe attenante à sa chambre. Il revint vêtu de sa soutane. Le visage de l'abbé, tout à l'heure pétillant d'une malice sportive, était maintenant empreint de gravité et de noblesse. Une minute auparavant Pierre l'avait presque méprisé et maintenant, il se sentait tout petit et coupable devant cet homme drapé de dignité. Pierre se hâta d'ajouter:

— Je ne sais pas ce qui m'a pris. Ç'a commencé cet après-midi, à la distribution des prix. J'essayais de m'accrocher au crucifix et il m'échappait. Puis j'ai senti comme un grand coup dans mon cœur et des voix ont crié dans toute ma tête: « C'est fini, tu ne feras pas un prêtre! » J'ai compris que c'était vrai.

L'abbé Lippé s'assit à ses côtés et lui dit avec douceur:

— Et ce bon curé Loupret, qu'en dit-il?

— J'ai été l'avertir tout de suite. J'en arrive. C'est terrible, pour lui.

L'intensité de la torture qu'il venait d'éprouver au presbytère l'empoigna à nouveau, bouleversa son visage et amena des larmes à ses yeux.

— Oui, j'imagine que ce doit être un dur coup pour cet excellent prêtre. C'est un dur coup pour tout le monde, murmura l'abbé Lippé, songeur.

Pierre se levait à demi, s'enflammait:

— Peut-être suis-je victime d'une folie passagère? Peut-être est-ce la fatigue des études? Empêchez-moi de m'égarer, dites les mots qu'il faut. Sauvez-moi!

La figure de l'abbé Lippé restait impassible. Il croisa ses doigts, en fit craquer les jointures.

— Dis-moi, ce couple qui assistait à la distribution des prix, tu le connais depuis longtemps? Réponds.

Pierre avait rougi, retombait à nouveau dans son fauteuil.

— Non, depuis cet après-midi seulement.

— Ah!

L'abbé Lippé s'était levé comme poussé par un ressort. Il se mit à arpenter la chambre de long en large, d'un pas nerveux. Puis il commença à parler d'une voix exaltée:

— J'avais espéré en effet que cette décision c'était un coup de tête, déclenché à la fin par ces intolérables Letellier. Je sais tout, leur conduite méprisable à ton endroit, à l'endroit de ta mère. Peut-être ignores-tu que cette chère dame Letellier a fait pression, via son beau-frère le procureur général, pour qu'on te change de séminaire, qu'on t'envoie à Rimouski, par exemple?

— Elle a fait ça? cria Pierre.

— Laisse-moi continuer. Tu vois bien que tu n'es plus le Pierre d'hier, qui subissait ces humiliations avec un courage digne des premiers apôtres. C'est bien autre chose et bien plus terrible, ce qui t'arrive, et contre quoi tu ne peux, je ne peux rien, et tu le sais; et dans ton désarroi, dans ton inconscience, tu viens me demander d'arracher tes derniers scrupules?

— Monsieur l'abbé!

— Comme tu comprends vite! Une femme se découpe maintenant dans l'horizon de ta pureté, et qui, maintenant, pourra chasser son image? Oh! je sais bien qu'avec un autre, un de ceux dont tu vois la photo sur le mur, une petite cure d'éloignement et de prière arrangerait tout, préserverait la vocation. Mais tu es Pierre Boisjoly, le haut de ton visage est celui d'un féroce gladiateur, et ta bouche a des moues d'ange triste. Tu es bien celui que j'avais craint ou espéré, je ne sais pas. Tu as l'âme d'un Thésée, tu as entendu l'appel du Minotaure et rien ne pourra t'empêcher d'aller combattre le monstre. La droiture de ton cœur sera ton seul fil d'Ariane, et ce fil devra être si long que je me demande... Mon Dieu! Tu es de la race de ceux qui se convertissent. Etre né catholique, sans avoir passé par le calvaire du doute, un jour, cela ne te suffira pas. Cette confortable habitude d'être chrétien, sans heurts, par tradition, c'est pour les médiocres, te diras-tu. Sans le savoir, tu veux être cette brebis égarée qui « gagnera » son bercail près du Christ. Ne sens-tu pas que le Minotaure que tu cherches n'est pas le vrai? Tu le vois divers, ondoyant; il s'appelle amour et ambition. Mais non, Pierre, le vrai Minotaure, il est au sein du catholicisme même, il le ronge comme un immense cancer, il s'appelle la tiédeur, la médiocrité. C'est, je crois, Dioclétien qui disait des chrétiens: « Quand ils seront tous convertis, il n'y en aura plus. » Pierre, je pense à Charles de Foucauld. Ce serait tellement plus terrible que tu ne partes pas pour l'aventure qui te hante, et que pantelant, malheureux, aigri, tu attendes sans le savoir le prochain bateau pour t'y embarquer avec le bagage d'une vocation manquée.

Pierre respirait rapidement, tandis qu'il écoutait avidement la parole du prêtre qui lisait si bien entre les lignes de son cœur. C'est vrai, il avait hâte de voir Fernande, de voir ses longs cheveux. L'abbé Lippé ouvrit à nouveau toute grande la fenêtre. Une brise douce, venant du large embauma la chambre. L'abbé Lippé tendit les deux bras au spectacle du port et murmura:

— Va, nouveau Rastignac, à toi Québec. Tu vaincras et alors, après ton triomphe, tu seras malheureux et tu rencontreras en toi le vrai Minotaure à vaincre.

Un nom battait aux tempes de Pierre. « Fernande! » Il se dirigea vers la porte.

— Un instant! Ma photo.

Pierre posa machinalement, et il lui sembla que l'abbé Lippé enregistrait une figure que Pierre verrait pour la première fois tout à l'heure, dans le miroir. L'abbé Lippé ne referma pas immédiatement sa porte sur Pierre. Il dit:

— Cela nous a bien émus, tous les deux, n'est-ce pas? Dans une semaine, quand nous serons habitués à cela, reviens me voir, puisqu'il te faut quand même choisir une autre route.

Pierre acquiesçait, mais entendait peu, tant il se sentait léger, plein de bonds et d'élans, par suite de l'absolution qu'il venait de recevoir. L'abbé Lippé, comme le curé Loupret, referma la porte doucement. La tête entre les mains, il s'agenouilla près de son lit de camp.

V

— Tu peux entrer, Pierre Boisjoly!

Le poing fermé dont Pierre avait peureusement heurté la porte s'ouvrit le long de sa hanche et sa main moite se colla au drap de son habit. Ici aussi on l'attendait! Une étrange frayeur resserra l'étau qui étreignait sa gorge. En ce moment il sembla à Pierre que seuls jouaient ce soir les acteurs de son destin et que l'univers attendait en spectateur la fin de cette journée extraordinaire. Comment tout cela allait-il tourner? La porte s'ouvrit toute grande.

— Bonjour, Monsieur Boisjoly!

Fernande dut le prendre par le bras pour le faire entrer, il n'en fut pas sûr. Deux seules images purent percer le voile dans lequel son regard était enlisé: le sourire plein de questions de Fernande, puis un livre et une tête, sous un abat-jour. La tête de l'inconnu étendu sur un divan. Sans lever les yeux de son livre, il dit:

— Voyons, galant homme, fais un mot d'esprit, un compliment. Mademoiselle ne cesse de me parler de toi.

Pierre était déjà assis entre cet homme couché et Fernande qui s'était approchée du mur et redressait la reproduction d'un Vlaminck, en disant:

— Ne faites pas attention à lui. Il veut nous faire rougir. Tenons-lui tête.

L'homme eut un petit gloussement joyeux, presque enfantin. Pierre sourit. Il était heureux, déchargé soudain de tout souvenir, de toute angoisse. Cette petite pièce encombrée de livres, de bibelots, de reproductions de peintures célèbres, lui apparaissait comme l'antichambre de ce monde magique dont lui avait parlé l'abbé Lippé tout à l'heure. Pierre se sentit merveilleusement disponible, tel cet homme rêvé par Descartes, qui réussirait à faire table rase de toute connaissance. Pierre éprouva une folle envie de dire: « Posez-moi des questions, vous êtes mes deux seuls grands amis », mais il ne dit rien, car son regard ne pouvait plus se détacher de la main de Fernande qui ajustait le cadre. L'homme se releva et s'assit sur le divan en déposant le livre à ses côtés.

— Mon cher Pierre... tu permets? Je n'invite pas ici les gens à qui je dis « vous ». Ils m'embêtent. Mon cher Pierre, je... je devrais dire nous, n'est-ce pas Fernande? — ne dis pas non, enfant! — car elle est très curieuse à ton sujet, même je suis inquiet, mon cher Pierre... nous t'attendions avec impatience.

— Soyons alliés, Monsieur, ses taquineries ne nous atteignent pas. C'est vrai, je vous l'avoue, je vous attendais avec autant d'impatience que lui.

Pierre s'entremêla les doigts, croisa et décroisa ses jambes:

— Auriez-vous un verre d'eau?

C'est la seule parole qui lui vint, parce qu'il était trop heureux et que probablement il avait soif. Il se crut ridicule et attendit, les mâchoires serrées, leur éclat de rire énorme. Mais Fernande, empressée, se relevait:

— Je suis impardonnable. C'était à moi de vous offrir quelque chose d'abord. Il fait si chaud. Vous ne préféreriez pas un verre de bière?

Pierre fit mine de hocher la tête, puis il dirigea un regard hésitant sur l'inconnu.

— Entendu, entendu, mon vieux. La bière ne damne pas son homme, et elle désaltère. D'ailleurs, lorsque tu seras un prêtre à succès, tu auras à boire, à certaines occasions. Aussi bien commencer tout de suite.

L'homme fronça les sourcils et il jeta un coup d'œil vers le livre ouvert sur le divan.

— Tu as lu *le Rouge et le Noir?*

— Non.

— On t'a dit d'attendre? Je comprends.

Fernande revenait, tendait les verres. A la mention du *Rouge et le Noir*, une inquiétude avait soudain tiré son visage; elle grondait l'homme:

— Ne dis pas de bêtises, voyons. Il a bien assez de ses études. Levons plutôt nos verres à ses succès!

Pierre prit une gorgée et ne put se retenir d'esquisser une grimace qu'il dissimula derrière son verre, au souvenir de la terreur que sa mère avait essayé de lui inculquer contre la bière. L'homme avait vidé son verre d'un trait. Il haussa les épaules:

— Fernande, Pierre n'est pas de ceux qu'on félicite, tu le sais bien. Vois ce regard farouche. Il est un peu comme moi, il ira loin ou nulle part.

— Non je ne suis pas comme vous! dit Pierre vivement.

Il attendit, peiné d'avoir laissé échapper cette phrase. L'homme baissa la tête et resta un instant songeur. Fernande examinait Pierre avec de grands yeux ravis de gamine solitaire qui découvre soudain un compagnon de jeu.

— Vous avez une très belle voix, dit-elle.

— Merci beaucoup, Mademoiselle.

Il avait une belle voix, bien entendu, et un regard farouche. Il se sentit un peu idiot et il prit une autre gorgée furtive. Cet inconnu ressemblait un peu à l'abbé Lippé. Il aimait les phrases pompeuses, déclamatoires. Comme l'abbé Lippé l'eût fait, Pierre se mit à examiner les yeux, la bouche de ces gens. Le regard de Fernande était vaste et pur, malgré la lumière assoiffée dont il brûlait. Mais sa bouche, en dépit de son dessin régulier, semblait plus prête à mordre qu'à sourire. Le front de l'homme était bas, large, couvert de cheveux châtains abondants et courts. Ses paupières paraissaient alourdies par le cynisme résigné de son regard, mais sa bouche était belle et triste. Pierre se crut responsable du silence qui s'établissait:

— C'est beau chez vous.

— Ça t'étonne?

Tout le visage de l'inconnu riait de malice, et ses longues

main nerveuses crispaient ses genoux. Puis ses traits se durcirent et sa voix se fit coupante:

— Tu as des réactions de *suisse*. Dès qu'un séminariste voit un homme en chemise, les mains aux poches, le dos appuyé à une maison dans une rue misérable de ce Quartier Latin, il se dit: « Voilà un voyou, un débauché qui ignore tout des lettres et de la philosophie, un voyou qui vit dans un bouge. » Et tu es étonné, tu trouves ici des livres, des bibelots, toute une atmosphère, et tu conclus: « C'est plus beau que je ne le pensais! »

Ce ton arrogant souffleta Pierre. La griffe connue serrait son cœur. C'était toujours comme ça: il ne traduisait jamais son embarras que par un geste de défi, une insulte. Il éperonna son malaise, le fouetta jusqu'à la colère:

— Vous avez menti, Monsieur! Ces détails-là ne m'intéressent pas.

Le corps tendu prêt à s'élancer, Pierre dévisageait l'inconnu. Cette bataille n'avait pas été prévue, mais Pierre la souhaitait soudain. De quel droit cet homme cynique vivait-il avec une jeune fille au regard si pur, dans cette chambre? Mais au cri de défi de Pierre, la figure de l'inconnu, un moment décontenancée, s'éclaira:

— Ta réponse me fait du bien.

Pierre eut honte. Fernande devait le trouver « collégien ». L'homme se mit à parler avec une ardeur contenue qui intimidait Pierre, emplissait la chambre d'une atmosphère tendue, dans laquelle la fièvre de celui-ci trouvait son habitat.

— Au fait oui, comment peut-il être question entre nous, ce soir, de meubles, de gentillesses et de considérations médiocres, quand un premier de classe, dont la mère est femme de peine, a foncé sur un voyou pour le mettre à raison, et ce voyou met ses habits du dimanche et assiste à la distribution des prix? Comment peut-il en être question, quand ce jeune homme s'est sauvé comme un fou, en taxi, sans remercier personne! Comment peut-il être question de cela, quand nous t'avons invité et que tu es venu!

Pierre frissonna. Les minutes extraordinaires qu'il avait

vécues depuis cet après midi s'écoulaient maintenant à un rythme plus rapide, leur résonance sur sa destinée était plus intense. Il se demanda à nouveau « comment cela va-t-il finir? »

L'homme passa sa main lentement dans ses cheveux, jusqu'à sa nuque, puis il saisit machinalement le *Rouge et le Noir*.

— Je me demande à quoi viserait Julien Sorel, à Québec, de nos jours? Plus que jamais, je crois, il choisirait la prêtrise pour abreuver son ambition effrénée. C'est le seul état aujourd'hui qui revête et continue les splendeurs du Moyen Age. Ce qu'il y a d'épatant dans l'Eglise, c'est qu'elle a place pour tous: pour les saints et les ambitieux, les héros et les lâches. Il ne nous reste qu'Elle de grand: le reste, la démocratie, les affaires, tout est sur le même plancher, dans une usine à un étage. Vivent les cathédrales! Sans elles nos héros d'aujourd'hui ne seraient plus que des millionnaires. L'héroïsme gratuit, si magnifiquement idiot, n'existe plus. Sans blague, quand je t'ai parlé cet après-midi, j'ai pensé à Julien Sorel. Je suis content que tu deviennes prêtre; sans ambition, peut-être, avec beaucoup de foi, probablement. Mais si tout à coup, l'héroïsme gratuit consistait pour toi à abandonner ta foi, ta vocation, pour une femme que tu n'aimerais pas, le ferais-tu?

— Je ferais n'importe quoi pour être grand!

Les yeux hagards, Pierre se mit à songer au cri qui venait de lui échapper. L'abbé Lippé avait parlé de Thésée, du Minotaure. Fernande, qui jusque-là avait écouté la conversation avec inquiétude, puis avec passion, dit d'une voix amère:

— Ne pose donc pas cette sorte de questions. Ce n'est pas juste. D'abord, ce Julien Sorel m'exaspère. Il est bien l'homme de son siècle, l'homme de tous les siècles. Il a accaparé toutes les bravoures, toutes les cruautés et tous les héroïsmes, pour ne laisser à la femme que la douceur, la résignation, l'amour et la jalousie. Le mot « héroïne », à vos yeux, c'est presque une concession de la grammaire.

L'homme tourna vers elle des yeux agrandis par l'étonnement:

— Tiens, tiens, Fernande, je ne te savais pas féministe. Cachottière! Tu fais un numéro spécial pour notre invité? Nous avons soif, Antigone.

Pierre crut qu'elle allait se fâcher, mais à son regard inquiet, Fernande sourit subitement avec beaucoup de douceur et se dirigea vers l'armoire d'un pas lent, qui faisait onduler ses hanches avec tant d'harmonie qu'une mélodie vint aux lèvres de Pierre. Il était heureux. L'inconnu décrocha une guitare pendue au mur et se mit à en pincer les cordes distraitement. *Stardust*. Pierre reconnaissait le célèbre jazz. Fernande emplissait le verre de Pierre. Il dit:

— Très peu, Mademoiselle!

L'homme pinça une corde si fort qu'elle parut se rompre. Il raccrocha brusquement la guitare au mur et se mit à rire.

— Pierre Boisjoly, cette dame n'est pas mademoiselle, elle est ma maîtresse. Nous couchons ensemble, nous faisons l'amour et nous ne sommes pas mariés.

— Tu perds la tête, je crois!

Pâle, les narines frémissantes, Fernande s'était retournée et avait laissé échapper cette phrase frissonnante d'effroi et de honte. L'homme durcissait ses mâchoires, tout son corps semblait tendu vers une lutte proche, car il voyait Pierre qui se dressait, rouge de colère.

— Je veux seulement savoir comment il peut encaisser les paroles scandaleuses.

Il sembla à Pierre que ses pieds s'enlisaient dans le tapis usé comme dans du ciment humide. Que faisait-il ici? Le démon l'avait bien attiré dans son antre. Maintenant les murs, les tableaux, les meubles tournaient dans une ronde diabolique autour du visage méchant de ce voyou, car c'était un voyou. Il avait bien valu la peine de trahir sa vocation, de briser le cœur du curé Loupret pour aboutir ici et sombrer sous l'immense éclat de rire que toute cette chambre déversait sur lui. La poigne bien connue de la douleur le saisit au ventre. Son regard affolé s'arrêta soudain sur le visage immobile et angoissé de Fernande et elle baissa les yeux. Il cria:

— N'ayez pas honte, je crois que vous êtes pure!

Sa colère lui donna conscience de ses muscles et il se vit très grand et très fort. Mais l'inconnu souriait maintenant avec lassitude et restait immobile:

— J'aimerais me battre avec toi. Mais j'en ai assez de me battre avec mes amis.

— Je ne suis pas votre ami! Vous voulez rire de moi, jouer avec mes réactions. Ce n'est pas très chic. C'est vrai, je ne connais pas ces choses, mais même si je les connaissais, je ne crois pas que je leur donnerais ce genre d'importance qui sert à épicer vos conversations. Quand la question de l'impureté se posera pour moi, c'est avec ma conscience que j'en discuterai, je pense.

Sa colère tomba tout à coup. Il lui semblait que ses paroles mouraient sur le visage ravi de l'inconnu qui dit:

— Je répète que tu feras un excellent curé.

— Je ne serai pas prêtre!

Pierre avait crié cette phrase comme un défi. Et alors il eut l'impression d'avoir blasphémé. Il recula, atterré, vers la porte. Puis il s'arrêta. A cette phrase: « Je ne serai pas prêtre! », Fernande avait murmuré « Mon Dieu! », et l'homme s'était avancé, toute sa figure tirée par l'angoisse. Il dit d'une voix sourde, suppliante:

— C'est arrivé cet après-midi, n'est-ce pas?

Pierre acquiesça.

— C'est à cause de nous?

Une telle émotion, une terreur telle vibrait dans la voix de l'homme que Pierre sentit fondre sa colère. Cet individu lui était antipathique, mais de le voir si inquiet tout à coup le rendait confus. Il revint vers sa chaise et s'y laissa tomber.

— Vous n'y êtes pour rien.

L'homme s'assit et se prit la tête entre les mains en murmurant: « Maudite vie. » Etait-ce la bière, était-ce la douceur de l'atmosphère, la chaude complicité qui le liait à Fernande ou l'épuisement de cette journée qui grisait Pierre et ouvrait toutes les avenues de son cœur?

— Je suis un enfant pauvre, qu'on s'acharne à humilier depuis huit ans. Tout à coup, j'en ai eu assez et j'ai décidé de me battre et de me venger.

D'une voix âpre, saccadée, il leur raconta son enfance de fils de femme de peine, son goût de la connaissance, sa rencontre avec le curé Loupret et l'histoire de sa vocation religieuse. Il leur parla de sa mère, de son frère, des humiliations que lui avait fait subir Yvon Letellier et toute la scène qui s'était déroulée chez les Letellier cet après-midi. Quand il raconta son entrevue avec le curé Loupret, il se mit à pleurer soudain et s'interrompit. Fernande s'approcha et lui caressa les cheveux doucement en disant: « Pauvre petit. »

L'homme pigea une cigarette. Il regarda longuement sa maîtresse qui caressait la tête de Pierre. Elle s'assit sur le divan. L'homme se mit à marcher de long en large.

— Pierre, je vais aussi te raconter mon histoire. Je m'appelle Denis Boucher. Ça ne te dit rien, je sais. Je m'appelle Denis Boucher et j'ai eu trente ans la semaine dernière. C'est vieux, trente ans, n'est-ce pas? Je suis né et j'ai vécu dans le quartier ouvrier de Québec, et ma famille était tout aussi pauvre que la tienne. J'ai eu une enfance révoltée. D'abord j'ai été révolté par la misère et l'ignorance de ceux qui m'entouraient. Mon enfance s'est passée à chercher des ennemis, des gens à qui dire « non ». L'autorité: le curé de ma paroisse, l'échevin de mon quartier, le député de mon comté, le maire, le premier ministre, je les méprisais. A l'école j'étais comme toi, désespérément brillant. Tout était facile. Puis, à dix-huit ans, j'ai cru que les femmes étaient responsables de l'enlisement des hommes dans la médiocrité. Un soir j'ai embrassé une jeune fille. Quand, après mon étreinte brutale, elle a ouvert les yeux, je l'ai souffletée et je suis parti.

Instinctivement Pierre examina Fernande. Les jambes repliées sous elle, très pâle, elle gardait les yeux baissés tout en enroulant une mèche de cheveux autour d'un index distrait. La voix de Denis Boucher continuait, sourde, et il sembla à Pierre que les cordes de la guitare résonnaient plaintivement.

— Je n'étais pas religieux du tout, continuait-il. Mais il m'est arrivé, certains soirs qu'il faisait très beau, de tomber à genoux près de mon lit et de crier: « Mon Dieu je Vous aime et Vous seul comptez! » J'ai toujours été tendu comme un tigre prêt à bondir sur la vie et je n'ai bondi sur rien. Seuls mes poings ont frappé et il me semblait que les coups que je donnais soulignaient mon impuissance. Puis il a fallu que j'abandonne l'école, que je gagne ma vie. Les heures fixes, un patron, le salaire le vendredi pesaient sur moi comme une honte. La guerre, je le crus, m'apporterait la délivrance; ses orgies de violence et de sacrifices inutiles seraient peut-être à la mesure de ma soif. Pour éviter la servitude de la discipline, je choisis d'être correspondant de guerre pour un journal du pays. J'ai vu des champs de bataille, j'ai connu l'exaltation de la douleur devant toutes ces jeunes victimes, mortes pour rien, sans orgueil, effacées et oubliées comme des mots superflus. Je les aimais.

A ce moment la voix de Denis se durcit avec une telle férocité que Pierre esquissa un geste de recul. Il pensa à l'abbé Lippé qui apprécierait fort une photo de cet homme. Denis Boucher criait:

— Mais elle est laide cette armée, avec ses galons, ses colonels, ses capitaines et ses sergents qui, pour justifier notre renommée de bravoure nationale, entraînent dans leurs exploits et dans la mort de jeunes soldats effrayés et sans ambition! Un soir en Italie, alors qu'un de nos brillants officiers nous annonçait les plans d'une attaque pour le lendemain matin, attaque d'une position qui à mes yeux ne justifiait pas le massacre probable d'une cinquantaine de nos hommes, je le traitai de crétin meurtrier. Il sortit son revolver et m'ordonna de me taire. Je bondis sur lui, j'entendis une détonation et sentis cuire mon épaule. Quand je perdis connaissance, il était presque étranglé. Les autorités militaires, dès ma guérison, me déportèrent au Canada. Je perdis ma situation au journal, naturellement. Depuis, je vis d'expédients.

Un court silence suivit. Denis Boucher alluma une autre cigarette, puis sembla se parler à lui seul:

— Je ne regrette pas d'être né avec cette révolte contre la société et ses petitesses. C'est une souffrance splendide que je ne trahirai pas pour me ranger dans le troupeau, sous l'étendard d'une profession et dans un but de réussite matérielle. La vie est trop courte pour sacrifier mes goûts d'infini à quelques années d'ambition et de succès. Tant qu'on est disponible, on garde ses chances d'évasion. La sécurité est le pire ennemi de l'homme, a dit Shakespeare. Quand on se marie, quand on devient avocat, notaire, médecin ou qu'on est étiqueté, c'est fini, on est forcé de jouer le jeu, on renonce et on meurt petit. Je ne veux pas être traître à ma haine du monde tel qu'il est. Je suis une brute, bien entendu, mais c'est plus noble que d'être un lâche qui cache sa peur sous le couvert du savoir-vivre, cette invention d'un monde en pourriture.

Denis Boucher vint se planter devant Pierre, l'examina longuement.

— Pierre, quoi que tu en dises, je pense que Fernande et moi, nous sommes pour quelque chose dans l'abandon de ta vocation. Je n'aime pas cela. Il se peut que ta décision soit une erreur épouvantable, et je pense que tu ne la changeras pas. Au cas où nous serions les responsables de ce malheur, je veux participer à le réparer. Ces Letellier, il faudrait bien qu'ils paient leur part, aussi. Car tes études, tu dois les continuer: la culture est une bonne arme dans la bataille que tu veux entreprendre. Si je suis une brute du genre contemplatif, toi tu es une brute toujours prête à foncer vers ton but et qui tiens à savoir exactement où aller. C'est là notre grande différence.

Denis Boucher se rendit près du téléphone et consulta le bottin en souriant étrangement.

— Letellier, je l'ai. Grande-Allée.

Il composa le numéro. Pierre, atterré, se dressait:

— Ne faites pas ça!

Denis Boucher souriait toujours et tenait patiemment l'écouteur. Personne ne répondait. Il raccrocha avec un air satisfait et Pierre se rassit en poussant un soupir de soulagement.

— Moi, dit Denis Boucher, je vais aller respirer un peu.

Il se dirigea vers la porte et Pierre le suivit. Denis Boucher se retourna.

— Tu n'es guère poli. Tiens compagnie à « mademoiselle ». Je suis sûr que vous ne vous ennuierez pas.

Il cligna de l'œil et ferma la porte. Fernande qui, depuis la tentative du téléphone, examinait Denis avec inquiétude, se rendit à la fenêtre et jeta un coup d'œil dans la rue. Denis Boucher, appuyé au poteau du téléphone, tirait de larges bouffées et contemplait le ciel. Elle revint à Pierre et, soucieuse:

— Il est comme ça. Quand il est bouleversé, il sort, va s'appuyer contre le poteau du téléphone et fume. Il dit que c'est une habitude qu'il a contractée dans son quartier ouvrier.

Pierre s'assit timidement sur le bord du fauteuil. Depuis qu'il était seul avec Fernande, il lui semblait être transporté dans une autre pièce dont l'atmosphère tendue par la présence d'une femme troublante retenait son exaltation au bord de sa gorge d'adolescent. Son cœur battait très vite. Fernande, sentant cet émoi, s'en faisait inconsciemment complice par des gestes plus lents, presque étudiés. Elle était arrêtée devant le miroir et ses bras levés vers sa chevelure accentuaient la cambrure de sa taille et la féminité de sa silhouette. Même sa voix s'imprégnait de coquetterie:

— C'est quelqu'un, Denis, n'est-ce pas? Il est même effrayant, parfois.

Pierre l'examinait toute; ce n'étaient pas les jambes, ou la taille, ou les épaules de Fernande que son œil angoissé détaillait, c'était cet être féerique, auréolé, magnifique et exaltant dont l'image pesait sur tout son corps depuis l'après-midi. Etait-ce possible? Il était seul avec elle déjà. Fernande se tenait devant lui dans sa robe blanche, fleurie de brun, d'où le cou gracile, les bras et les jambes nus, à peine hâlés par le soleil, s'échappaient avec une grâce qui faisait battre le sang aux tempes de Pierre. Toute l'histoire dramatique de Denis Boucher, qui remplissait la chambre un instant auparavant, Pierre l'avait oubliée, pour n'écouter que la colère qui montait en lui à la pensée que Fernande pouvait être la maîtresse de Denis. Et elle n'avait pas démenti celui-ci. Elle était si belle et il se l'était imaginée si pure! Ces jambes, ces bras, cette bouche s'étaient donc donnés, en des gestes nocturnes qu'il n'osait se représenter, à cet homme de trente ans! Fernande disait: « Il est même effrayant, parfois. » Il dut faire un effort pour s'expliquer le sens du mot « effrayant? »

— Ça dépend. Moi, je n'ai pas peur de lui, dit-il.

Les deux bras de Fernande retombaient le long de son corps et elle se retournait avec étonnement, examinant Pierre comme si elle ne l'avait jamais vu. Elle secouait la tête, s'approchait, s'asseyait devant lui, croisait les mains et parlait avec ferveur:

— Vous ne le connaissez pas. Il est supérieurement intelligent, il est très fort, très noble. Il est franc, il est terrible. Et il est tellement seul, tellement malheureux.

Quand elle dit: « Il est très intelligent », Pierre, machinalement, pensa aux *Fables* de La Fontaine. Ridicule! Il se ressaisit:

— Peut-être est-il fort. Mais sa révolte est négative. Moi je gagnerai, je réussirai à être magnifique!

Pierre vit les yeux de Fernande qui passaient du vert au gris, et il lui parut que cette bouche projetait, meurtris, les mots qu'elle avait mordus.

— Comment osez-vous parler ainsi de lui qui en ce moment se ferait volontiers tuer pour vous? Je ne l'ai jamais vu dans cet état. Il vous aime comme un frère. Vous devriez avoir honte!

Pierre rougit au point que ses yeux se brouillèrent. Les

veines de ses mains se gonflaient et ses genoux se heurtaient. Pourquoi cette violence?

— Je n'accepterai pas que personne se fasse tuer pour moi. Je n'ai pas demandé d'aide et je n'en veux pas. Je ne désire pas recommencer l'expérience du curé Loupret. Et puis il vous a accusée d'être sa maîtresse, il vous a salie!

Pierre avait crié cette dernière phrase. Maintenant son sang coulait, tiède et calme dans ses veines, l'air était bon, facile à respirer. Toute dureté disparaissait du visage de Fernande pour faire place à une tendresse, un émoi reconnaissant. Elle murmura simplement:

— Je vous remercie.

— Il n'est pas digne de vous. Qu'est-ce qu'il vous a donc fait?

Cet adolescent aux mains fortes, à l'encolure d'athlète, au visage d'enfant ardent, était-il amoureux d'elle? Fernande éprouva un désir soudain et violent de l'enlacer, d'écraser ses lèvres contre ces lèvres vierges, de le faire se pâmer et balbutier des excuses à cette vie qu'il ne connaissait pas et qu'il défiait avec tant d'arrogance.

Puis devant la franchise du regard de Pierre, elle eut envie de pleurer.

— Pierre, je vous en prie, ne croyez pas que je sois une de ces filles impures comme celles à qui vous avez dû me comparer. Moi, je n'ai pas eu de curé Loupret pour me protéger. Denis Boucher est le premier véritable ami que j'aie rencontré. Comme vous, j'ai voulu me défendre contre lui, et j'ai perdu.

Les yeux de Pierre luisaient méchamment. Fernande s'en aperçut et une supplication se glissa dans sa voix:

— Pourquoi, vous autres, les hommes, croyez-vous toujours qu'une femme vit avec un homme en dehors du mariage à seule fin de satisfaire à des appétits sensuels?

Puis sa voix devint amère:

— On vous éduque à croire qu'en dehors des sentiers battus, nous sommes des bêtes à plaisir dont les ébats sont tous marqués de luxure. Il y a de la splendeur partout, surtout quand cet homme avec qui l'on vit s'appelle Denis Boucher. Mais passons.

Elle le contempla longuement puis ajouta d'un ton voilé:

— Nous n'aurions pas dû vous connaître. Vous êtes un enfant de cœur pur, un enfant qui ce matin encore se vouait à la prêtrise. C'est Denis qui déclenche tout; sa soif d'infini, son angoisse intellectuelle nous transforment, nous forcent à tout remettre en question, à ne nous occuper que de l'essentiel et à faire des aveux. Dès qu'il vous tient, c'est fini, il faut partager malgré vous sa folie.

« C'est vrai, se dit Pierre, je suis un enfant. » Toutes ces choses qu'on lui avait racontées ici lui étaient tellement étrangères, il avait fourni un tel effort pour les comprendre et les sentir, que maintenant il était extrêmement las. Il avait besoin d'être seul pour fermer les yeux et dormir. Comme Fernande était vieille et lourde d'expérience!

A ce moment, un grincement de freins arriva du dehors, et la voix de Denis leur parvint: « Taxi! »

Fernande courut à la fenêtre, suivie de Pierre. Denis s'engouffrait dans l'auto en disant: « Grande-Allée. » Fernande pâlit et en se retournant elle donna contre la poitrine de Pierre. Elle s'y blottit dans un geste effrayé.

— J'ai peur.

Pierre rougit et recula. Son menton avait touché aux cheveux de Fernande. Denis prenait un taxi et se dirigeait vers la Grande-Allée! Qu'importait. Mais Fernande avait vraiment peur, au point qu'elle n'avait pas remarqué le recul de Pierre. Elle parlait vite, les deux poings remontés sur sa gorge:

— Quand vous lui avez parlé des mille dollars que votre mère a vus dans la chambre de cette dame Letellier, vous n'avez pas remarqué l'éclat de ses yeux à ce moment. Un éclat diabolique. Et ce téléphone qu'il a tenté de faire! Tel que je le connais, j'ai senti le raisonnement qu'il ébauchait; j'ai peur qu'il veuille vous venger des Letellier en payant vos études avec leur argent. Je suis vraiment inquiète.

Pierre regarda à droite, à gauche. Ce Boucher était un fou dangereux. Puis il sourit de défi.

— Moi, je n'ai pas peur. Et il n'en fera rien. Ne soyez pas inquiète.

Il bondit dans l'escalier, s'engouffra à son tour dans un taxi. De la fenêtre, Fernande le suivait d'un regard anxieux.

Pierre avait dit au chauffeur de rouler vite. Il ne se demanda pas: « Comment cela finira-t-il? » Les minutes qui s'écoulaient enflaient toujours, faisant gonfler de plus en plus l'abcès qui avait surgi dans son destin. Il fallait se hâter, rejoindre Denis Boucher au plus vite, et pourtant Pierre n'y songeait pas. Il revivait cet instant où Fernande avait caressé ses cheveux en murmurant avec tendresse: « Pauvre petit. » Son front se plissa. Mais il y avait aussi cet homme de trente ans, ce d'Artagnan sans épée qui faisait vieillir Fernande et salissait l'image que lui, Pierre, s'en faisait. Il la subjuguait, la gardait certainement prisonnière. Dégagée de l'orbe de cet énergumène, Fernande, Pierre en était sûr, oublierait son aventure, redeviendrait la petite fille pure qu'il avait vue en elle d'abord. Car elle était malléable et faible. Son âme devait onduler comme son corps. Son corps! Denis Boucher. Une haine subite, sauvage, contre cet homme, secoua Pierre. Pourtant Fernande avait dit: « N'avez-vous pas honte? Il est prêt à se faire tuer pour vous en ce moment. » Avoir une telle dette, à dix-neuf ans, envers quelqu'un! « Non! » gronda Pierre. « Surtout pas envers lui. »

— Quoi, Monsieur? dit le chauffeur.

« Continuez, continuez, marmotta Pierre, c'est à deux rues d'ici. » Pierre crut apercevoir un taxi au loin, qui démarrait, aux environs de la demeure des Letellier.

Pierre sauta sur le trottoir et examina la maison silencieuse. Aucune lumière. Il s'engagea timidement dans l'allée. Denis Boucher avait dû marcher plus vite, et avec plus de courage. Pierre tourna la tête. Pas un piéton sur le trottoir. Seules les lueurs furtives des autos dans l'obscurité. Si Denis avait pénétré chez les Letellier, il n'était certainement pas passé par la porte principale. L'entrée de service? Pierre contourna la maison, s'aventura sur le gazon. Son cœur battait à grands coups. La fenêtre de la cuisine était soulevée! Plus de doute possible. Denis était entré! D'un élan, Pierre se hissa jusqu'à l'ouverture et se glissa à l'intérieur. Une odeur forte de cire à plancher flottait dans l'obscurité. L'image furtive de sa mère, son torchon sous le bras, passa dans son esprit. Il tendit l'oreille afin de saisir d'autre bruit que ces battements sourds qui résonnaient à ses tempes. Il crut entendre des craquements qui arrivaient de l'étage au-dessus. Sur le bout des pieds il grimpa rapidement l'escalier. Heureusement, il y avait des tapis partout dans cette maison. Les yeux de Pierre s'habituaient peu à peu à l'obscurité. Prudemment il glissa sa tête dans la chambre. Le miroir reflétait une grande ombre penchée sur une commode. C'était lui. Pierre s'avança. Denis Boucher s'était retourné, prêt à la lutte.

— Ne touchez pas à ça!

Les deux poings de Denis retombèrent et, avec un gloussement moqueur, il chuchota:

— T'aurais dû t'annoncer. Tu m'as énervé pour rien. Va-t'en, vite, ne t'occupe pas des affaires des grandes personnes.

— Je ne veux pas que vous voliez pour moi. Je suis capable de me venger tout seul et par d'autres moyens.

Le ton des chuchotements montait, leur rythme s'accélérait.

— Tu ne deviendras pas un grand homme à coup de gentillesses. Ce sera une vengeance d'envergure, exaltante pour l'imagination. Nous paierons tes études avec l'argent des Letellier.

Denis avait enfin découvert la liasse des billets. Avec un petit rire gourmand, il tendit la main pour les prendre. Pierre lui saisit le poignet et ordonna sauvagement:

« Laissez ça là, je vous dis, ou je vous assomme! » « Essaie, idiot! », ricana Denis Boucher. D'égale grandeur, d'égale force, les deux hommes s'enlacèrent dans une lutte silencieuse. Retenus par la crainte de rouler sur le sol, chacun tentait de maîtriser l'autre par la seule force de ses mains. Une minute s'écoula et le silence n'était traversé que par le souffle de leur respiration saccadée.

— Qui est là?

Au son de cette voix chevrotante, qui venait de la porte, les deux combattants se lâchèrent et retinrent leur souffle. « La grand-mère Letellier! » pensa Pierre avec terreur. La petite vieille, en robe de nuit, pénétrait d'un pas hésitant dans la chambre, ne les apercevait pas encore. D'un commun élan, Pierre et Denis s'élancèrent vers la porte, mais dans leur hâte, ils accrochèrent la vieille dame qui tomba sur le plancher. Sa tête avait heurté le coin de la boiserie. Elle n'avait pas eu une plainte, ne bougeait pas. Denis, qui s'était immobilisé le premier, revint sur ses pas, enjamba le corps de la vieille femme et referma le tiroir de la commode, sans prendre l'argent.

— Au cas où... murmura-t-il avec angoisse.

Les deux hommes purent enfin atteindre le trottoir. Ils se firent face pendant un long moment, et Pierre opposa un regard chargé de haine au regard de pitié dont Denis l'enveloppa.

— Vous êtes content? dit Pierre dans un sanglot sec.

— Tu n'es pas venu ici ce soir, murmura Denis. Je ne te connais pas et c'est moi seul que ça regarde. Et va-t'en et que je ne te revoie plus!

Il se quittèrent comme des automates, dans des directions opposées. Le soir n'avait jamais été si beau, mais pour Pierre, seule flottait devant ses yeux la silhouette d'une vieille femme étendue sur le plancher. Il courut à sa chambre, se jeta tout habillé sur son lit et s'endormit d'un sommeil lourd, sans rêves.

A neuf heures du matin, c'est sa mère qui l'éveilla. Le facteur avait apporté une lettre pour Pierre. « Mon cher enfant, venez me voir cet après-midi, je veux absolument vous parler. Yvon sera parti chez des amis à la campagne, et ma fille, madame Letellier, est à Montréal. Je vous veux beaucoup de bien. La grand-mère d'Yvon.

— Pierre froissa la lettre. Il ne pourrait jamais parler à la vieille dame. Elle était morte, il en était sûr. Il s'habilla sans hâte, marcha vers la Grande-Allée d'un pas mesuré comme s'il s'était rendu à un rendez-vous. Quand, de loin, il aperçut le fourgon funéraire à la porte de la maison des Letellier, il n'éprouva aucun choc. Son front était froid, sa bouche était sèche et ses mains étaient moites. Il retourna sur ses pas, acheta le journal du matin. « Madame Isabelle Boisseau, décédée subitement à la demeure de sa fille, madame Huguette Letellier, etc. »

Il fallait quitter cette ville maudite. Pierre se dirigea vers le bureau d'embauchage d'une compagnie forestière.

DEUXIÈME PARTIE

I

C'était mars. Le soleil trouait, rongeait la neige lourde dans un murmure d'allégresse qui se mêlait aux craquements joyeux des sapins emmitouflés et des bouleaux squelettiques. Evidemment la forêt bruissait de joie à l'approche du printemps, mais elle semblait heureuse aussi de ce que les bûcherons de la Compagnie Savard, installés dans son sein, fussent en grève.

Dans le grand camp, des groupes d'hommes hirsutes jouaient aux cartes. A la cuisine, le Grec Sam Alexakis grommelait contre les inventeurs du syndicalisme. Depuis les quelques mois que les quatre-vingt-dix hommes du chantier faisaient partie de cette *Union des Bûcherons,* ils trouvaient à redire aux meilleures de ses tartes.

A quelques centaines de pieds du camp, installé sur un amoncellement de billes de bouleau fraîchement abattues, Pierre Boisjoly lisait un épais volume en langue anglaise, dont le titre en hautes lettres blanches se découpait étrangement entre ses longs doigts hâlés par le soleil: *THE CAPITAL.* Il referma brusquement le volume et sa bouche esquissa une moue désabusée. Une seule année avait suffi pour souligner les traits essentiels de sa figure: les pommettes saillaient, hautes, et accentuaient les éclairs de défi que ses yeux lançaient au passage de quelque pensée: les mâchoires traçaient deux longues lignes obliques du menton aux oreilles. La bouche, cependant, offrait toujours cette mollesse triste et soulignait encore davantage le contraste avec le reste du visage, comme l'avait remarqué l'abbé Lippé. Une année de durs travaux avait complété la musculature puissante de son grand corps, et ce jeune homme de vingt ans, nonchalamment allongé, chaussé de fortes bottes, vêtu d'un pantalon kaki et d'une chemise à carreaux, ressemblait beaucoup plus à un athlète qu'à un ancien séminariste.

Pierre, les coudes sur les genoux, se mit à regarder le vague de l'horizon, vers Québec. Soudain, ses sourcils se froncèrent puis il sauta au bas des billes de bouleau et courut en s'enfonçant dans la neige jusqu'aux genoux, à chaque enjambée qui l'emportait vers l'orée de la forêt, où émergeaient du sol les quatre tiges étranges qui l'avaient alerté. Il s'immobilisa près d'elles et son regard se voila. Le cadavre de la vieille madame Boisseau apparaissait à ses yeux, évoqué par les pattes raidies de ce chevreuil tué à l'automne et perdu par quelque chasseur. Maintenant, la neige qui fondait restituait la carcasse intacte et la trace rousse du sang. Le printemps, la fonte des neiges rendaient à nouveau omniprésent, suprêmement déchirant dans l'âme de Pierre, ce jour de juin affreux où il avait contribué à tuer une vieille femme. L'automne, l'hiver avaient graduellement engourdi et enterré sa frayeur, ses remords et son désespoir. Même le visage de Fernande s'était estompé avec sa haine pour Denis Boucher et Yvon Letellier. Les débris de son désir féroce de combattre le monde méchant, d'arriver au sommet de l'échelle sociale, effrités lors de sa fuite, avaient été enfouis dans le calme et l'ennui épais d'une vie avec des hommes qui ne l'intéressaient pas. Devant ces pattes mortes et gelées qui mollissaient déjà aux premiers rayons du soleil, il se retrouvait au même point où, bête traquée, il avait cherché refuge dans les camps forestiers.

Pierre jeta un regard affolé aux quatre coins de l'horizon, comme aux premiers jours de son arrivée quand, même sous l'uniforme des gardes-feux du gouvernement, il appréhendait un policier à sa recherche. Tout le monde, la famille, les journaux avaient cru à une mort naturelle, Pierre se l'était dit. Mais l'enfant qui a peur dans l'obscurité se répète en vain les mots rassurants: ils attisent sa frayeur. A son arrivée en forêt, Pierre s'était mis au travail pour une compagnie de bois de pulpe, et le contremaître du camp, qui riait de son air effarouché (il le croyait un peu fou), l'avait assigné à l'écorçage des billes d'épinette. Pierre, qui trouvait les camps trop près du village, s'était enfoncé plus avant dans la forêt, l'automne venu, et s'était engagé comme bûcheron pour la Compagnie Savard qui faisait couper le bouleau et le merisier en vue d'alimenter les usines de bois de placage.

Au début d'août, Pierre reçut une lettre de l'abbé Lippé et une du curé Loupret (qui avaient trouvé son adresse au moyen des enveloppes qui apportaient à sa mère un bon de poste mensuel), le suppliant de revenir et de s'inscrire à l'Université. Pierre n'avait pas répondu. « Qu'on m'oublie! s'écriait-il, les larmes aux yeux, que je sois effacé de leur mémoire! » Tenace, l'abbé Lippé lui avait de nouveau écrit au début de septembre: « Je te l'ai déjà dit. Tu as l'âme d'un Thésée et tu veux plonger au plus profond de l'abîme pour saisir les plus mystérieuses racines du monstre. A ton aise. Mais n'oublie pas d'aiguiser ta hache, en l'occurrence le savoir. Fais quelque chose. Reviens, inscris-toi en Droit, en Médecine, comme tu voudras. Nous trouverons bien l'argent nécessaire. En attendant, je photographie toujours des têtes intéressantes. Les candidats se multiplient. »

Pierre, malgré la fatigue des longues journées, se réfugiait, le soir venu, dans la cabine du cuisinier, le Grec Alexakis, qui s'était pris d'amitié pour lui. Ce Grec, né sur les bords de la mer Egée, avait émigré au Canada vers la vingtaine, et malgré un bagage de culture assez considérable, avait échoué, Dieu sait comment et pour quelles raisons, dans cette cuisine de camp forestier. Avec lui, Pierre avait appris à parler presque couramment le grec et l'anglais.

Un autre homme, dans le camp, observait, étudiait Pierre encore plus attentivement que Sam. C'était un Québécois d'origine irlandaise, nommé Dick O'Riley. Engagé au mois d'octobre, il semblait porter peu d'intérêt à son travail de bûcheron. L'Irlandais, le soir, à la cuisine et à la salle à manger, expliquait nonchalamment aux bûcherons que le prix qu'ils recevaient à la corde était dérisoire comparé aux profits monstres que la compagnie réalisait. Puis il ouvrait une valise bourrée de documents et se plongeait dans une lecture attentive ou écrivait de nombreuses lettres. Un soir il s'approcha de Pierre et lui dit:

— Ma foi, je me demande pourquoi un philosophe comme toi est rendu ici? As-tu fait un mauvais coup en ville?

Pierre avait blêmi, mais le grand Irlandais avait ri et lui avait prêté un livre sur les éléments du marxisme. Puis ç'avaient été des œuvres de Lénine, que Pierre, d'abord confondu et émerveillé devant le solide univers matérialiste, dévorait. Le but de celui qu'on surnommait le Grand Dick se précisa assez rapidement. Il était un des dirigeants de *L'Union des Bûcherons*, d'inspiration communiste, seule union qui eût jamais percé la cuirasse de l'empire forestier que quelques compagnies puissantes ont érigé sur les forêts québécoises avec la tolérance du gouvernement. Les Syndicats catholiques avaient auparavant tenté de syndiquer les bûcherons, mais les compagnies, défendant leurs fiefs, avaient empêché les délégués de l'union d'y pénétrer. Plus réalistes, les officiers de l'union communiste se déguisaient en bûcherons, se glissaient au cœur même des opérations forestières, éduquaient les hommes, leur distribuaient des pamphlets, organisaient une grève quand les esprits étaient suffisamment préparés et surtout tentaient de recruter et d'éduquer des têtes fortes capables de se joindre au noyau grossissant des organisateurs. Le Grand Dick avait presque mené son plan à terme: la grève était déclarée depuis cinq jours par suite d'une demande d'augmentation de trois dollars la corde, que l'employeur ne pouvait donner sans renoncer à tout profit possible; il restait à obtenir l'adhésion de Pierre, que la lecture du *Capital* de Marx devrait emporter, pensait le Grand Dick.

Mais Pierre était très loin du *Capital*, abandonné sur les billes de bouleau. Le jeune homme hébété, tremblant, contemplait les pattes d'un chevreuil mort. Pierre avait la bouche sensuelle et triste: les acrobaties de l'esprit, les plaisirs de la connaissance, tout sombrait chez lui dans la moindre émotion. Un bruit de neige cassée le fit se retourner rapidement dans un geste de défense.

— Pierre, qu'est-ce que c'est ça?

Noiraud Labourdette, un Gaspésien qui faisait équipe avec Pierre dans l'abattage des arbres, le rejoignait gaiement et empoignait les pattes du chevreuil mort pour l'extraire de la neige.

— Laisse-le là, fit Pierre en le repoussant brusquement.

Il se mit à tasser la neige avec ses pieds rageurs pour cacher les pattes. Il contempla fixement le tertre qu'il avait formé puis, devinant l'ébahissement de Noiraud, qui se grattait l'oreille, il tenta d'expliquer:

— Ce n'est pas toi qui l'as tué. Ça te dégoûte pas, toi, les vieux cadavres de chevreuil, même gelés?

La neige éblouissante faisait plisser les petits yeux de Noiraud, qui brillaient de malice:

— Sont drôles les bûcherons qui nous viennent des villes. Dis donc, je venais te dire que le père Savard s'en vient au camp. Sera ici dans une quinzaine de minutes. C'est le commis qui vient d'apprendre ça au téléphone. J'ai hâte de voir ce que le Grand Dick va y dire. Moi, j'en ai assez de c'te grève. Nous autres les Gaspésiens, quand le salaire fait pas notre affaire, on s'en va. Ça me fait drôle de dire non en même temps qu'une quarantaine d'autres. Me semble que je me sens moins important.

Pierre examina Noiraud avec un intérêt plus aigu. Noiraud parlait peu, à l'ouvrage, accaparant les tâches les plus dures, marquant ainsi pour Pierre un respect silencieux. Aux repas, Noiraud mangeait beaucoup et, après souper, quand le violoneux du camp empoignait son violon, il tapait religieusement du pied. Il faisait sa prière à genoux aux côtés de son grabat et s'endormait sans tarder, en ronflant bruyamment. Et simplement, tout à coup, Noiraud résumait son individualisme: « Me semble que je me sens moins important », indiquant par là qu'il était bien de la race de ces bûcherons gaspésiens, ces vagabonds de nos forêts, qui quittent l'ouvrage ou changent d'employeurs au gré de leur fantaisie, parfois pour un salaire moins élevé.

Noiraud regardait fixement le tertre, mais pensait à autre chose.

— Ça t'intéresserait, toi, de t'associer avec moi? On partirait un petit moulin à scie dans mon village. On pourrait prendre notre bois dans les lots de la Couronne. C'est beau dans mon village. Toi, t'es instruit, tu pourrais vendre notre bois aux Américains. Tu serais, à la longue, comme le père Savard: un vrai homme d'affaires. Moi je parlerais pas aux clients, je m'occuperais du moulin. On serait bien.

Noiraud toussa et commença à se rouler une cigarette, calmement, comme s'il eût parlé de la température quand, en vérité, il proposait à Pierre de l'aider à réaliser un rêve vieux de plusieurs années. A cette proposition, toute l'âme de Pierre se détourna. Que lui importaient ces sortes de projets, auxquels tant d'hommes donnent toute leur vie, qui est si courte. Une seule ambition comptait à ses yeux, une ambition indéfinissable qui l'avait d'abord poussé à se diriger vers la prêtrise et qui en un jour s'était transformée en une rage féroce contre un monde méchant et qu'il s'était juré de battre sur son propre terrain. Et cette mort de la vieille dame avait tout rompu. Que devenait ce monde de Québec? Et les Letellier? Satisfaits d'être débarrassés de lui? Pierre regarda vers Québec et son pied poussa machinalement un peu de neige vers le tertre.

— Tout s'enterre, après tout, murmura-t-il.

Il prit le paquet de tabac des mains de Noiraud, trop tourmenté par son idée pour chercher un sens à ces phrases de Pierre qui ne parlaient pas de son moulin et de son village. Noiraud avait un autre argument en réserve pour Pierre:

— On a des belles filles, chez nous. On peut les voir tous les jours quand on veut. Même elles viennent nous voir travailler. Icitte les gars se contentent de portraits d'Américaines toutes nues, accrochées à la tête du lit. Sont belles, mais on les a pas.

Pierre remit brusquement le tabac à Noiraud et laissa échapper la cigarette qu'il avait commencé de rouler. Et Fernande? Ses yeux suppliants du fameux soir, les longs cheveux qu'elle lissait avec un petit peigne? Etait-elle restée avec ce Denis Boucher qui voulait la salir? Il avait dit qu'il couchait avec elle et qu'ils se caressaient longuement? Pierre ne pensait plus à cette pureté dans laquelle il avait promis de la replonger.

— Excuse-moi, Noiraud!

Presque au pas de course, il se dirigea vers les camps et saisit le *Capital*, en passant près des billes de bouleau. Une ardeur étrange le secouait et Noiraud, immobile près du chevreuil mort, le suivit d'un regard perplexe.

Des groupes d'hommes, à la porte des camps, discutaient nerveusement l'arrivée prochaine du Père Savard. Pierre entra dans la cuisine. Le Grec Alexakis mettait au feu une énorme chaudronnée de soupe aux pois. Le Grand Dick, assis sur le bord de l'évier, grignotait des biscuits. Pierre lui tendit le volume d'un geste brusque:

— Voici votre *Capital*. J'en ai fini. Merci.

Le Grand Dick déposa sa poignée de biscuits et se leva:

— Et puis!

— C'est non.

Le Grec se retourna, le visage contracté par une curiosité avide et réjouie. Le Grand Dick planta ses poings dans ses hanches:

— Tu trouves que Marx n'a pas raison?

Il sembla à Pierre qu'il avait attendu toute sa vie après cette question qui ouvrait une libre avenue à la véhémence qui bouillait en lui depuis tout à l'heure:

— Oui, il a raison à toutes les pages. Et c'est harassant. Il semble vouloir tracer un cercle, tout y enfermer, tout y expliquer. Mais c'est quand on a trouvé une réponse à toutes les questions qu'il en surgit alors d'autres, plus mystérieuses, plus angoissantes. Et cet horizon impénétrable, vous le niez, quand pour moi il n'y a que cela qui existe. Vous rapetissez l'existence à des dimensions économiques, vous simplifiez tout comme dans les règles de trois. L'homme, pour vous, c'est un anonyme piquet d'une interminable clôture. Vous avez beaucoup de succès parce que la plupart des hommes songent d'abord à gagner leur vie matérielle. Je sais que, dans le monde, des ouvriers souffrent et sont exploités. C'est une sorte de marché de Méphisto que vous leur proposez: nous mettrons fin à votre misère, mais nous tuerons votre personne humaine.

— Petit *menshevik*, murmura l'Irlandais dans un sourire méprisant.

— Oui parlons-en! s'indignait Pierre. Vous êtes un petit groupe de pâles prosélytes d'une révolution qui a éclaté il y a trente ans dans une Russie lointaine. Et vous essayez de transplanter ici le vocabulaire désuet d'un dialecte déjà mort. Nous avons un mot bien français pour les types comme vous: imbécile.

L'Irlandais, le visage rose de colère, sauta sur ses pieds, mais Pierre ne bougea pas. Le Grec, court et gras, s'était déjà interposé entre les deux. Il dit:

— Pierre, quand notre maître Socrate s'emportait, ses paroles ne dépassaient jamais sa pensée. Tu as tort quand tu dis au Grand Dick qu'il est un imbécile. Je le trouve très habile. Vois comme il a patiemment élaboré toute cette grève. Les problèmes ouvriers, collectifs, sont très importants. L'idéalisme est très important aussi. Ce qui est grave, je pense, c'est d'atteler ces problèmes au char d'une doctrine, comme le Grand Dick le fait. C'est très prétentieux. Et là où j'apprécie ton individualisme, Pierre, c'est dans sa gratuité, dans son aveuglement. Ça te plaît de marcher dans les ténèbres, avec exaltation, sur une corde tendue vers nulle part. Je trouve ça très poétique. Il y a une vieille légende de mon pays qui dit que ceux qui voulaient explorer l'irrationnel, l'expliquer, étaient condamnés à mourir dans un naufrage. Vous mourrez noyés, Messieurs, s'il faut en croire cette légende, vous le Grand Dick pour vouloir prévoir l'imprévisible et vous Pierre, pour ce plaisir que vous prenez à vivre dans l'impondérable. Excusez-moi, mon poêle s'éteint.

Le Grand Dick et Pierre se faisaient face à nouveau et chacun trouvait à l'autre l'air stupide.

— Il n'y a qu'une chose belle, c'est Dieu, dit Pierre. Et

immédiatement il eut honte, sans savoir pourquoi. Le Grand Dick s'était calmé. Il avait allumé une cigarette comme pour rendre son sourire encore plus méprisant.

— Dieu? fit-il en glissant un petit rire dans une bouffée. T'aurais fait un bon séminariste. C'est vous autres, les Grecs, ensuite les Romains, puis les catholiques, qui avez inventé la bourgeoisie. Vous vous grisez de mots à résonance littéraire. D'ailleurs, la plupart de vos soi-disant grands livres ont été écrits dans des périodes de prospérité bourgeoise. Et puis, c'est assez. Je ne veux pas parler votre langage creux. Je n'ai qu'une chose à vous dire. Si jamais nous avions ici un Grand Soir, ce sont les types dans votre genre qui sauteraient d'abord.

— Grand Dick!

Un bûcheron faisait irruption dans la cuisine:

— Grand Dick! Le père Savard vient d'arriver dans sa Buick. Il est entré dans le camp des hommes. Ça m'a l'air qu'il en a bu un coup. Il branle.

L'Irlandais éteignit sa cigarette sous son pied et dit à Pierre:

— Si le cœur t'en dit, viens voir comment un imbécile de communiste irlandais organise un bourgeois.

Il n'eut pas le temps de sortir. Monsieur Savard, à moitié ivre et gesticulant avec une bonhomie exagérée, faisait irruption dans la cuisine, suivi de tous les bûcherons du camp. Il criait presque:

— Dans la *cookerie* les gars, ça sent les bonnes *beans*, on va être mieux pour discuter. C'est moi qui vais faire le président. Sam, apporte-moi le pot d'eau, je suis l'orateur.

Des rires gauches et gras répondirent à ce langage familier aux bûcherons. Monsieur Savard connaissait ses hommes. Bûcheron lui-même dans sa jeunesse, il avait réussi seul, dans son commerce, en dépit de l'écrasante concurrence des richissimes corporations forestières, grâce à sa connaissance intime des problèmes et des hommes de la forêt. Petit, gros, avec une tête chauve énorme, Monsieur Savard, dont les yeux gris à l'éclat perçant jaillissaient littéralement du visage, donnait moins l'impression d'un obèse que d'un homme de soixante ans prêt à livrer bataille à son gérant de banque ou à réussir une transaction avantageuse. Reconnu comme l'un des plus extraordinaires buveurs canadiens-français — il buvait pendant des semaines, jour et nuit, s'adonnant à ses orgies avec une endurance dont notre époque donne peu d'exemples, dépensant des sommes considérables avec une prodigalité inouïe —, il mettait soudainement fin à ses débauches, comme averti par un obscur instinct qu'il touchait aux frontières de la folie. Alors amaigri, le système nerveux détraqué, il se remettait au travail avec une sorte de rage, mangeant du chocolat, menant une existence de petit bourgeois sobre, économe et exemplaire. Cela durait des mois, jusqu'au moment où, pour un rien, la grande crise recommençait. C'est alors qu'il réussissait ses plus remarquables exploits d'homme d'affaires, au moment où sa prudence tatillonne se métamorphosait en une habileté et une audace extraordinaires.

Le père Savard alla se placer à l'extrémité de la cuisine, près du poêle, où le Grec Alexakis continuait d'agiter philosophiquement, à deux mains, une énorme cuiller de granit dans le chaudron de soupe aux pois. Les bûcherons, nerveux, s'étaient installés de guingois à leur place habituelle, de chaque côté des longues tables à tréteaux, regardant tantôt en direction du père Savard, resté debout sur ses courtes jambes emprisonnées dans des bottes de cuir, tantôt vers le Grand Dick, appuyé, les bras croisés, le long du mur. Pierre s'était assis sur une bûche dans un coin et cassait nerveusement des cure-dents entre ses doigts. Il y eut un court silence, puis M. Savard fouilla dans l'énorme poche intérieure de sa canadienne et en sortit une bouteille de whisky. Il toussa:

— Au fond, l'orateur aime mieux ça que de l'eau. Excusez les gars, c'est l'heure de mon boire.

Les rires gras fusèrent pendant que M. Savard, la tête rejetée en arrière, avalait une longue lampée. Pierre remarqua que ses mains tremblaient légèrement. Le Grand Dick fronçait les sourcils : le bonhomme était habile. Il faudrait lutter. Monsieur Savard déposa la bouteille sur le poêle :

— Y a un violoneux dans la *gang?*

Un vieux bûcheron levait la main, la mine réjouie.

— Sors ton violon. Je suis en air de vous en danser une. Je pense que je suis encore bon.

Les bûcherons, d'abord tendus, maintenant déridés, s'agitaient de plaisir à la perspective d'une danse exécutée par le grand patron. Fils d'une race qui, malgré sa constance au travail, a toujours donné une importance première aux danses, au vin et aux chansons, ces bûcherons, arrivés au point décisif d'une grève de plusieurs jours, oubliaient l'importance du moment pour frémir de joie aux premières notes de l'instrument que le violoneux accordait. Le Grand Dick eut un mouvement en avant comme pour intervenir, mais se ravisa et recroisa patiemment les bras. Le violoneux était prêt. Monsieur Savard lança sa canadienne sur le plancher.

— T'es prêt? Donne-moi une gigue.

La sauterie commença. Jamais les bûcherons présents n'avaient vu un tel danseur. Endiablé par le whisky, le père Savard retrouvait cette extraordinaire agilité de sa jeunesse, alors qu'il était le meilleur gigueur de la province et que sa seule présence dans une fête de village en faisait un événement commenté pendant les longues soirées d'hiver. Les hommes se mirent inconsciemment à l'accompagner en scandant du pied. Le bonhomme Savard criait, lançait des exclamations pour souligner le rythme, son gros corps ballottait comme une bouée perchée sur deux piquets trépidants, et sous la pétarade de ses bottes cloutées, le camp tremblait, les assiettes de granit vibraient sur les tables tandis que, comme la fumée de la soupe aux pois du Grec Alexakis, la rumeur des ronronnements heureux qui s'exhalait des poitrines montait vers le toit.

Pierre glissa un regard moqueur vers le Grand Dick. Celui-ci, d'un bond, fut en face du père Savard dont la figure cramoisie sembla se vider de tout son sang. Le violon s'arrêta. Les pieds magiques de M. Savard semblèrent s'ancrer au plancher. On entendait seulement le mijotement de la soupe aux pois. L'Irlandais prenait son attitude favorite : les poings sur les hanches, les jambes écartées. Il se dandinait légèrement :

— *Okay*, la farce est finie ? On peut discuter de la grève, maintenant ?

Essoufflé mais immobile, M. Savard fouilla longuement l'Irlandais de son regard gris, puis son menton gras frémit :

— Très bien. Tu t'appelles Dick O'Riley et tu t'es faufilé à travers mes bûcherons pour leur retourner la tête. Tu veux parler de la grève ? Correct ! Je réglerai ton cas après.

Il se retourna rapidement vers les bûcherons silencieux. Ses mains courtes, accrochées par le pouce à sa large ceinture de cuir, tremblaient.

— Les gars ! J'ai passé par toutes sortes de difficultés dans ma vie. J'ai fait la drave, j'ai failli me noyer, comme la plupart d'entre vous autres. J'ai tout fait ce que vous avez fait. J'ai même et surtout fondé une compagnie de bois. Des fois je gagne de l'argent, des fois j'en perds. Vous autres et moi, on s'est pas toujours entendus à propos des prix, mais ça s'arrangeait. Vous avez voulu la douche et l'eau chaude dans les camps, les draps de lit : ça m'a coûté cher, mais vous les avez eus. Votre augmentation de trois piastres la corde, je peux simplement pas vous la donner parce que je perdrais trop d'argent. Je suis pas un missionnaire des opérations forestières, moi ! Je vous fais couper du bois, c'est pour le revendre avec au moins un profit. Si vous me détruisez mon but, j'abandonne le commerce, c'est tout. Et v'là que vous déclarez la grève. Je pensais jamais que ça pourrait m'arriver à moi, Willie Savard. Mes bûcherons me faire ça, c'est pas croyable ! Je me suis bien douté tout de suite que quelqu'un vous avait monté la tête, parce qu'avec votre gros bon sens, vous savez bien qu'une augmentation de trois piastres la corde, c'est pas juste, je peux pas arriver. Votre Dick O'Riley, j'ai toute son histoire. Il a passé un an en Russie à suivre des cours pour semer la discorde entre les patrons et les ouvriers au Canada. C'est un communiste !

Les bûcherons, aux mots *Russie* et *communiste*, froncèrent les sourcils en direction de Dick O'Riley. Celui-ci impatienté, esquissa le geste d'interrompre M. Savard qui enchaîna plus brusquement:

— Ça fait six mois que tu parles, ici, toi, mon gars, laisse-moi finir. Quand j'ai appris que la grève commençait, je me suis dit: « Faut que je monte au camp sans faute. » J'ai pas pu. C'est comme si j'avais peur de rencontrer de vieux amis qui venaient me trahir. Fallait bien que je vienne. Alors j'ai pris la bouteille. Ça fait six jours que je bois, pour avoir le courage de vous voir et de vous parler.

L'Irlandais lui coupa la parole de sa voix sèche, habituée à intervenir pour détruire l'adversaire, au moment où celui-ci semblait prendre l'avantage d'une discussion.

— Je suis allé en Russie, c'est vrai, et j'y ai appris beaucoup de choses. J'ai appris qu'une foule de petits capitalistes dans votre genre, qui jouent depuis des années la comédie du sentiment, font croire à leurs employés qu'ils font partie d'une famille dont ils sont les fils fidèles. Seulement, le patron garde tout, et le bilan truqué qui démontre au fisc une perte, lui sert en même temps à dire à ses employés: « Vous voyez, je perds de l'argent, je me ruine à cause de vos bons gages. » Vous leur dansez une gigue, vous parlez de l'ancien temps, vous pleurez un peu et le tour est joué. Mais vous continuez à faire des affaires. Malgré vos sacrifices, vous vous portez mieux que jamais, vous dépensez en whisky des centaines de piastres que vous pourriez donner à vos employés. Prenez pas les gars du camp pour des enfants. Ça fait assez longtemps que vous les roulez. C'est trois piastres la corde ou rien. Vous vendrez votre bois en conséquence, c'est votre problème. Si votre système capitaliste ne peut pas résister aux demandes justes des ouvriers, eh bien! qu'il disparaisse!

Décontenancé devant cette élémentaire dialectique marxiste enveloppée de gros bon sens, le père Savard, impuissant à exprimer ses opinions confuses sur le capitalisme et à démêler le vrai du faux dans les accusations du Grand Dick, roulait de gros yeux éperdus à droite et à gauche.

— Les gars! cria-t-il, c'est pas vrai!

Pierre le sentit perdu et un sentiment de pitié le fit se lever, comme dans un geste inconscient pour porter secours à Willie Savard. Les hommes restaient silencieux et le Grand Dick, au cri de « c'est pas vrai! » éclata d'un gros rire.

— Je te sacre dehors! maudit communiste! hurla le père Savard. Sors du camp!

— Ces trucs-là, ça ne marche plus avec les unions, réussit à dire le Grand Dick à travers son long rire bon enfant. Trois piastres la corde, c'est oui ou c'est non?

Ecarlate, les yeux fous, Willie Savard, se rua sur l'Irlandais qui, de son seul poing étendu le fit rebondir contre le mur.

— Grand Dick!

Pierre, blême, frémissant, faisait face à l'Irlandais.

— Il est sincère! Ne le touchez pas! Il est vieux et malheureux. Imaginez! Il a soixante ans et il veut se battre. A cet âge, nous ne nous battrons plus.

Le rire du Grand Dick recommença de plus belle. Il se pliait en deux et se frappait les genoux.

— Sam! cria-t-il, apportez un grand pot de lait au petit Pierrot; il va pleurer.

Personne ne riait. Pierre vit les silhouettes tendues des hommes comme dans un nuage:

— Répétez-le!

— Deux autres pots de lait pour Pierrot qui va sangloter. Vite, Sam!...

Il ne put achever sa phrase. Pierre avait bondi sur lui mais vivement l'Irlandais avait esquissé un pas de côté et étendu sa longue jambe. Pierre plongea de tout son long sous un banc et le Grand Dick, qui avait recommencé à rire de plus belle, accompagné cette fois par les gloussements des bûcherons, le saisit par la cheville et le tira vers le poêle. Pierre ne sentait pas la piqûre des échardes qui s'enfonçaient dans ses mains. Ses yeux agrandis par la rage dévoraient la vision de ses longs doigts brunis qui glissaient, impuissamment crispés sur le plancher. Ses hanches, puis sa tête, heurtèrent une poutre. Cette poutre glissa le long de ses bras puis, quand d'une main il put s'y agripper, il poussa un cri rauque, car instantanément, son corps s'était détendu comme un ressort qui fit reculer l'Irlandais en trébuchant contre le poêle. Pierre, sur ses pieds à nouveau, sauta sur lui, et quand son poing atteignit le menton du Grand Dick, Pierre ferma les yeux et laissa tomber ses bras le long de son corps, car il savait la bataille terminée et le Grand Dick assommé; il avait frappé cette figure à la mesure de sa colère et au moment du coup, une étrange et forte volupté était montée de son poing jusqu'à son cœur. Pas un bruit. Il rouvrit les yeux. Personne ne relevait le Grand Dick étendu le long du poêle où Sam brassait toujours sa soupe. Monsieur Savard contemplait Pierre d'un air hébété et les bûcherons semblaient figés. Une reminiscence de cinéma fit pencher Pierre sur le corps du Grand Dick, le soulever, ouvrir la porte et jeter l'Irlandais sur un banc de neige. Il rentra tranquillement dans le camp en refermant soigneusement la porte derrière lui. Toujours le silence. Il semblait devenu le maître absolu de la situation et seul il avait droit à la parole, au geste suivant. Il tressaillit comme un enfant qui se voit soudain le point de mire de toute la classe. Comme un enfant, il eût voulu être ailleurs en ce moment, peut-être à écouter sagement le Grand Dick, qui devait savoir tant de choses tout de même et par qui il était méprisé, le Grand Dick pour qui il n'éprouvait plus de colère. Son regard furtif s'accrocha aux yeux de Noiraud Labourdette qui le contemplait avec admiration. Pierre blêmit. Son cœur s'arrêta de battre. Les pattes du chevreuil! Madame Boisseau qui était tombée ainsi et qui ne s'était pas relevée! Un sanglot de terreur souleva sa lèvre supérieure en une grimace carrée au-dessus de laquelle ses narines blanches de peur palpitaient. Il articula: « Je l'ai tué! » D'un bond, il fut dehors à nouveau, saisissant la tête de l'Irlandais dans ses bras et lui frottant le visage avec de la neige. Un filet de sang coulait aux coins de la bouche du Grand Dick. Puis ses paupières s'entr'ouvrirent sur un regard bleu brouillé qui s'éclaircit soudain à la vue de Pierre. Celui-ci saisit les bras de l'Irlandais et dans sa joie il le secoua violemment:

— Ça va mieux?

L'homme se dégagea avec brusquerie et regarda vers le camp; puis il baissa la tête en soupirant:

— Ils ne m'ont pas défendu?

— Non.

— Alors c'est raté.

Il se leva en se frottant le menton, sans s'occuper de Pierre qui se sentit humilié. N'était-ce pas par jalousie devant la calme assurance du Grand Dick, qu'il avait voulu l'empêcher de réussir? Il prit un ton presque suppliant qui lui faisait honte:

— Grand Dick, vous n'auriez pas dû m'humilier. Toute ma vie j'ai été bafoué. Vous êtes le premier que je frappe.

— Idiot! fit l'Irlandais.

Il toisa longuement Pierre, avec mépris:

— Ton sentimentalisme de bourgeois, tu peux le garder pour toi, bien au chaud. Pour nous du Parti, les humiliations, les coups de poing, les défaites ne comptent pas. Car là où nous perdons aujourd'hui, nous gagnerons demain. Notre affaire est sûre. Nous savons où nous allons. Toi, ton affaire n'est pas sûre, tu es tout mêlé, et tu te fâches comme une petite putain. Il y a au moins une leçon qui se dégage de toute cette scène: il faut balancer les mystiques d'un individualisme vieux jeu, comme toi, quand ils se présentent sur notre route. J'aurais dû régler ton compte dès le début. Mais je suis un Irlandais; je suis trop porté à vouloir convertir les gens. Faudra que je me corrige. Et je viens aussi de vérifier que nous opérons toujours d'une façon plus certaine contre les corporations dont le patron est un bureau de direction, ces pieuvres qui étouffent le prolétariat. Il est difficile d'opérer au sein de ces petites compagnies où les employés ont un contact direct avec un seul patron. Mais je compte beaucoup sur votre système capitaliste. Avec l'aide des banques, le jour viendra où tous les petits patrons seront étranglés par les pieuvres. Oh! A propos. Pour t'enlever l'illusion que ton coup de poing a changé quelque chose, je perdais quand même. Le bonhomme les avait eus avec sa danse et son larmoiement.

L'Irlandais boutonna sa veste à carreaux et se dirigea d'un pas lent vers le camp des hommes en jetant à Pierre:

— On se retrouvera peut-être. Pense à Marx. Il ressemble à votre Dieu le Père: plus il vieillit, plus il prend de la force. Seulement Marx est plus réaliste.

Pierre frissonna. Il avait froid maintenant. Le Grand Dick était très fort, il savait où il allait. Pierre, un instant affolé à la pensée qu'il était en train de devenir une sorte de Denis Boucher, spadassin déclamatoire sabrant les moulins à vent, rentra dans le camp et marcha directement vers Willie Savard qui semblait avoir fait une bonne blague, puisque tous les bûcherons riaient aux éclats et que sa tête renversée en arrière paraissait vouloir engloutir la bouteille de whisky enfoncée dans sa bouche.

Monsieur Savard retira la bouteille de whisky et fit à Pierre une révérence respectueuse.

— Comment va la grève dehors?

— Le Grand Dick est parti et ne reviendra plus.

Au lieu de pousser une exclamation de joie, Willie Savard regardait Pierre avec appréhension, car le ton de cette voix avait été tranchant et les yeux de Pierre brillaient étrangement.

— Maintenant il faut régler la grève, dit Pierre.

Il se retourna vers les bûcherons:

— Une piastre et demie d'augmentation, ça vous va?

Des « oui! » de bonne entente avaient fusé çà et là. Le bonhomme Savard s'avança sur Pierre et l'examina avec curiosité. Pierre se crut le plus fort:

— Et vous, ça va, une piastre et demie?

— Correct. Ça vaut bien ça pour un bon *knock-out* sur un communiste, cria le patron en élevant la bouteille au bout de son bras.

Le tumulte était déclenché. Les bûcherons, debout sur les

bancs, hurlaient en se servant des assiettes de granit comme cymbales. Le Grec souriait, énigmatique, et continuait à faire tourner sa cuiller dans l'immense chaudron de soupe. Willie Savard fit un signe de la main au violoneux et il recommença sa gigue endiablée, scandée par le tintamarre des pieds, des assiettes et des cris, au travers duquel la crécelle du violon zigzaguait. Pierre se sentit las et honteux et une phrase accusatrice tournait dans son cerveau au même rythme que les pieds frappant le plancher:

— Coupeur de prix, coupeur de prix, coupeur de prix...

La fête se continua tard dans la soirée. Monsieur Savard, de plus en plus ivre, tenait à peine sur ses jambes. Pas une fois il n'avait adressé la parole à Pierre, qui était resté assis dans un coin, suivant la scène avec impatience et dégoût. Il n'avait pas quitté la cuisine malgré son désir de fuir tous ces gens, de peur de rencontrer le Grand Dick qui probablement ne dirait rien et le toiserait d'un regard narquois. « Briseur de grève », « défenseur des exploiteurs », devait se dire l'Irlandais avec mépris. A cette seule pensée, tout l'être de Pierre se révoltait et ses lèvres contenaient un cri: « Ce n'est pas vrai! » Il avait simplement été fidèle à son désir d'être magnifique, de défendre le perdant, même si celui-ci le dégoûtait. Tout ce que le Grand Dick faisait, disait, même ses colères avaient un but. Dans le cerveau du jeune homme, les images se bousculaient, poussées par l'indignation. Par exemple, Pierre compara le Grand Dick à un ingénieur qui conduit sa vie comme une locomotive vers une gare indiquée sur son horaire. Cette mécanisation de l'existence rétrécissait un horizon que le cœur de Pierre sentait et voulait sans limites. L'important, essayait de se convaincre Pierre, c'est d'obéir sans réfléchir à tous les mouvements généreux de son âme avec une gratuité absolue. Il avait senti M. Savard malheureux et sans armes devant le Grand Dick et il l'avait défendu. Pierre avait aussi obtenu un dollar et demi d'augmentation à la corde. C'est surtout le souvenir de ce geste qui le torturait de honte, pendant que M. Savard giguait et criait. La confusion intérieure dans laquelle il se débattait ne permettait pas à Pierre de juger lequel des deux remords primait l'autre: celui d'avoir volé la grève à l'Irlandais ou celui d'avoir fait une concession au matérialisme marxiste exécré.

La dernière bouteille du bonhomme Savard était vide. Il remonta sa ceinture et endossa sa canadienne en titubant, puis il marcha directement sur Pierre.

— Tu sais conduire?

Pierre ne répondit pas. Bien sûr, il conduisait les camions du chantier.

— Je te trouve de mon goût. Va chercher ton petit bagage. Tu vas me ramener à Québec.

— Vous, vous n'êtes pas de mon goût, fit Pierre, arrogant, avec l'inconsciente espérance qu'on rapporterait ses paroles à l'Irlandais.

Monsieur Savard ferma les yeux et sa grosse tête se pencha patiemment vers le jeune homme accroupi. Il parlait d'une voix très douce d'homme ivre:

— Peut-être as-tu raison. Mais ça ne t'empêche pas de me rendre service. Je suis malade, malade de whisky, si tu veux, mais je suis malade. Et il faut que je retourne à Québec ce soir. Viens-tu me reconduire?

— Oui! Je serai prêt dans cinq minutes.

Son « oui! » c'était l'éclatement des visions soudaines du Séminaire de Québec, des chères rues tortueuses et de la bataille sans pitié qu'il avait juré de livrer à ce monde décadent, qui s'étaient soudainement pressées sous son front enfiévré. C'était aussi le visage de Fernande, du curé Loupret, de l'abbé Lippé, du cimetière où madame Boisseau reposait, c'était surtout le visage ravagé de sa mère et son cœur battait à la seule pensée de la revoir. Ce retour à Québec tant redouté, il le désirait soudain de toutes ses forces.

Quand il s'installa au volant de la Buick, deux hommes le regardèrent mettre l'auto en marche. Noiraud Labourdette, qui ne disait rien, dont le regard morne se vidait d'un long rêve. Pierre relâcha le frein et lui serra le bras:

— A bientôt.
— Tu reviendras plus, voyons, murmura le bûcheron en hochant la tête.

Le Grec Alexakis, couvert d'un long paletot jaune qui faisait bien rire les bûcherons, disait:

— Ça se peut que je te revoie, si tu ne reviens pas. Le goût du changement me prend. Il y a des restaurants à Québec, n'est-ce pas?

—Décollons, coupa Willie Savard, sa tête énorme enfoncée dans un cou qui paraissait capitonné. Moi je suis écœuré d'être ici.

Dans la nuit sans lune, à travers les bouleaux grisâtres, la Buick verte glissait sans bruit, comme hypocritement, dans les chemins forestiers bordés de bancs de neige à moitié fondus. A chaque courbe, les phares puissants violaient les flancs mystérieux de la montagne. Puis la grand-route apparut.

II

Dès que Pierre sentit le roulement confortable des pneus sur le macadam lavé par les vents de mars, son corps s'abandonna dans une demi-détente. Ce macadam, n'était-ce pas enfin le tapis que Québec lui tendait pour y faire une entrée triomphale? D'un coup d'œil rapide, Pierre vérifia les cadrans. Soixante-dix milles à l'heure. Le Grand Dick et sa grève étaient loin maintenant. Et ce père Savard à ses côtés, qui n'avait pas dit un mot, sur qui il n'avait même pas jeté un regard et dont le souffle asthmatique empestait d'alcool l'intérieur de la voiture, sa tête énorme devait osciller de droite à gauche sur son socle de graisse! Pierre risqua un coup d'œil oblique. Monsieur Savard, les yeux grands ouverts, immobile, regardait fixement la route avec une expression de tristesse que soulignait un pli railleur de sa bouche. Il devina le mouvement de Pierre:

— Quel âge as-tu?

— Vingt ans.

— Fallait que je sois soûl.

— Pourquoi?

— Parce que ça paraît que t'as vingt ans. Tu n'as pas conduit souvent. Tu roules trop vite.

Pierre, sans trop s'expliquer son mouvement de bravade, accéléra. Monsieur Savard trouva son paquet de cigarettes et lui en offrit une. Pierre refusa. Il fronça les sourcils. Monsieur Savard n'était plus ce patron déguisé en bûcheron qui se mettait au niveau de ses employés. Il parlait à Pierre comme à un enfant qu'on veut rouler. Pierre avait accéléré, parce qu'à travers ce geste, il se dressait contre cette lourde expérience de la vie qui émanait soudain de ce vieil homme et sous laquelle il ne voulait pas se laisser écraser. Pierre se débattit contre le sentiment de soumission timide qui tentait de s'installer en son cœur. Il dit:

— Monsieur Savard, je ne suis pas le Grand Dick. Je conduis trop vite pour pouvoir discuter. Répondez à ma question. Vous avez dit « Fallait que je sois soûl », et je vous ai demandé pourquoi.

Le rire gras de Willie Savard retentit. Puis il s'arrêta brusquement.

— Il me reste trois mille cordes à couper. A un dollar et demi la corde, ça me fait quatre mille cinq cents dollars. Ce soir tu m'as coûté quatre mille cinq cents dollars.

— Ah! fit Pierre de bonne humeur. Vous êtes étrange. Je croyais vous savoir sauvé ce montant.

— Tu m'as dit quel âge, déjà?

— Vingt ans.

— T'as un bel avenir. Veux-tu devenir mon secrétaire à cent dollars par semaine?

— Non!

Pierre était profondément heureux. La luxueuse voiture dévorait les villages échelonnés le long de la route avec une rapidité qui tenait de la magie. Les bras tendus de Québec ne tarderaient pas à s'ouvrir, dans lesquels il se jetterait avec allégresse en disant « non » à beaucoup de gens. Quelle belle soirée! Monsieur Savard toussa:

— Si tu n'étais pas intervenu, je réglais la grève, sans augmentation aucune. Je connais mes bûcherons. Toute cette savante argumentation de l'Irlandais commençait à les fatiguer. Ma petite scène de colère allait bien. T'as tout gâché. Ensuite j'aurais chanté une couple de bonnes chansons à répondre. Je peux dire que j'ai un chauffeur dispendieux.

Et le bonhomme recommenca à rire. La joie de Pierre tomba. Il n'avait vaincu personne, ni le Grand Dick, ni le père Savard qui lui avait fait la charité de lui donner raison contre l'Irlandais.

— Alors quelle sorte d'homme êtes-vous quand vous n'êtes pas soûl?

Le père Savard ne répondit pas. Il examinait l'horizon.

— Arrête à l'hôtel au toit rouge, à droite du chemin. J'ai soif.

Les deux hommes entrèrent dans le bar de l'hôtel. Ils y étaient seuls, près d'une colonne, entourés de tables rouges dont les pattes chromées luisaient d'ennui, reflétant la lueur triste des tubes de néon.

— Un *John Dewar* double, ordonna M. Savard au garçon qui semblait le connaître et était accouru avec un empressement servile. Et pour monsieur, un verre de lait.

Le garçon s'esclaffa. Pierre l'interrompit d'une voix sèche:

— On vous a dit: un verre de lait. C'est compris?

Monsieur Savard ne toucha pas immédiatement à son verre. Il observait gravement la lueur d'or du *John Dewar* qui défiait gaillardement la blancheur bleutée du verre de lait que Pierre avait aussi déposé sur la table. Pierre réprima un bâillement et M. Savard sourit après un long silence.

— J'ai dit oui tout à l'heure pour le dollar et demi, pour la même raison qui me pousse à commander pour toi, et très sérieusement, un verre de lait, quand je ne pense qu'au *John Dewar*.

— Et cette raison?

— Parce que je suis soûl.

Puis il prit sa tête énorme entre ses mains courtes et se mit à contempler stupidement son verre.

— Moi je me soûle pour me venger de tout ce que je fais quand je suis Monsieur Savard gros comme le bras de la paroisse. A jeun, je t'aurais tiré les oreilles, sans même essayer de te comprendre. C'est drôle à dire, quand je bois, je pense à toutes sortes de choses, je me pose des questions, j'ai l'impression de me réveiller d'un long sommeil. Crois-moi ou non, dans ces moments-là, je pense au bon Dieu pas mal sérieusement; de penser au bon Dieu pas mal sérieusement, on dirait que ça me pousse à me lancer dans la débauche avec une vraie rage. Oui tu me plais: tantôt au camp, t'as dit quelque chose qui m'a presque assommé: « Il est vieux et il est malheureux. » Sais-tu à quoi ton verre de lait me fait penser? Il nous faudrait des femmes pour finir la nuit.

Pierre, qui avait suivi avec curiosité les élucubrations de l'industriel, tressaillit soudain d'inquiétude. Il souhaita ardemment que M. Savard tombât endormi, pour le reconduire au plus vite chez lui, car il sentait, qu'éveillé, le bonhomme le tenait prisonnier et l'entraînerait où il le voudrait. Etaient-ce les quatre mille cinq cents dollars que M. Savard avait perdus à cause de lui, ou était-ce pour ne pas paraître lâche devant le mystère de l'aventure que Pierre ne répondit rien à la suggestion de l'ivrogne d'obtenir des femmes pour la nuit et se contenta d'avaler son verre de lait d'un long trait?

— Toi, dit l'ivrogne, t'as fait ton cours. J'en suis certain. Veux-tu me dire ce que t'es allé foutre dans mes chantiers?

Dans l'œil distrait de Pierre, les pattes du chevreuil mort parurent se dessiner. Il examina M. Savard avec inquiétude, puis expliqua lentement:

— J'ai terminé mes études classiques l'an passé, au Petit Séminaire. Et tout d'un coup, je me suis senti écœuré du monde de Québec. Je suis parti. Et puis, à quoi bon vous expliquer, ma mère est veuve. Je suis pauvre. C'est mon curé qui a payé mon cours.

Pierre s'écoutait et ne se reconnaissait plus. Il frôlait le mensonge, il prenait ce petit ton blasé qu'avait le père Savard, quelques minutes auparavant, au moment où Pierre souriait d'amour et de joie devant les bras ouverts de Québec.

— J'aime ça, dit le bonhomme dans un hoquet. Veux-tu devenir mon secrétaire?

— Non.

Pierre se sentit immédiatement soulagé. Le lait faisait aussi du bien à ses nerfs.

— T'as de la suite dans les idées. Tu dis non pour la même raison qui te fait boire du lait à mon nez. T'aurais du plaisir pourtant, comme secrétaire de Willie. Tu vivrais avec un patron exemplaire. Au bureau à neuf heures le matin, je pense à deux choses tout le long du jour: à mon prochain bilan et à la fermeture des banques. Elles ferment toutes à trois heures et ne se soûlent jamais. A cinq heures mes employés partent et me disent bonjour, de biais, avec un petit air gêné. Ils ne le savent pas, mais ils ont tous honte de partir à heure fixe tous les soirs. Et pour se venger de se sentir comme ça, ils me traitent de vieux chien, intérieurement. Quand ils sont tous partis, je monte chez moi. J'y vis seul avec ma femme. Mon garçon et ma fille sont mariés. C'est ma femme qui vient ouvrir. Elle a toujours l'air sèche quand j'arrive et je vois ses narines qui palpitent. Elle me sent! Je n'ai pas bu? Alors elle pousse un petit soupir de contentement qui veut dire: « Merci Sainte Vierge, ce n'est pas pour aujourd'hui. » On soupe, on joue aux dominos, je lis et, cérémonie sacrée avant le coucher, je remonte consciencieusement les sept horloges de la maison.

A ce moment, M. Savard poussa un hurlement qui fit sursauter Pierre et tinter les verres.

— C'est pas endurable!

Le garçon accourut et apporta un autre whisky à Willie

Savard. Un peu de salive luisait aux commissures de ses lèvres et il leva sur Pierre des yeux abrutis et suppliants:

— Si j'étais toujours soûl, deviendrais-tu mon secrétaire?

Pierre n'eut pas le courage de répondre et M. Savard hocha la tête. Puis sa colère le reprit:

— Alors, quand je suis soûl, je brise tout dans la maison, je défonce les horloges, je cherche ma femme pour la battre, pour lui briser ce nez qui me sent toujours. Mes enfants, mes beaux-frères voudraient former un petit conseil de famille pour demander au juge de me faire interner, sous prétexte que je dilapide leur fortune, que je ruine mes affaires, que je suis un fou en liberté. Sais-tu quelque chose? Ma femme a toujours refusé. Chère petite, que je l'aime donc! D'ailleurs, Willie Savard saurait où se cacher à ce moment-là. Ah! Ah! Ah!

Il se leva et alla trouver le barman qui l'emmena dans une autre pièce, devant une vitrine exhibant divers objets d'artisanat: des pantoufles, des foulards, des statues. Monsieur Savard acheta une statue de la sainte Vierge et revint s'attabler devant Pierre en gardant précieusement la boîte sur ses genoux. Il se leva à nouveau, comme obéissant à une inspiration subite, et, la boîte sous le bras, se rendit au téléphone où Pierre l'entendit réserver une chambre dans un hôtel de Québec. Puis il fit quelques autres téléphones et Pierre crut entendre qu'il parlait à des femmes qu'il nommait doucement par leur prénom: Alice, Simone, Yvonne...

L'inquiétude de Pierre commença à se changer en effroi.

Minuit. Pierre, au volant de la Buick, pénétrait dans la banlieue de Québec. L'heure à laquelle il s'endormait habituellement était passée et il sentait son corps qui retrouvait sa souplesse, son cerveau qui s'éclairait d'une lucidité nerveuse. A la vue des tours du Château Frontenac qui trouaient le ciel, son cœur battit plus vite. Revoir après un an, la nuit, sa ville aimée, lui faisait oublier d'un coup les événements récents et l'angoisse que lui causait son étrange compagnon, de qui il était séparé par la statue achetée à l'auberge. Monsieur Savard semblait somnoler, mais lui posait de temps à autre des questions baroques. On dut stopper à un passage à niveau et l'industriel sursauta:

— Simone, on arrive à Chicago?

Pierre grimaça et démarra avec nervosité. Son intention était bien arrêtée d'abandonner le bonhomme à la porte de ce petit hôtel dont il avait l'adresse, pour ne plus jamais le revoir.

Ah! c'est toi, mon secrétaire? hoqueta M. Savard. Dis donc, quelle heure est-il?

— Minuit.

— Mon monde ne sera pas rendu avant une heure. Arrête-moi une minute chez moi. J'ai affaire.

Pierre, choqué par le ton autoritaire de Willie Savard et agacé par ce contretemps, changea de direction avec brusquerie. Quand allait-il donc s'en débarrasser! Enfin la rue, la résidence cossue de l'industriel. Pierre serait bientôt délivré de tout ce cauchemar.

— Pas de lumière chez nous, dit le bonhomme. Ma femme dort; entends-tu le tic tac des horloges? Y en a sept. Attention, fais pas crier les freins, tu vas la réveiller. Attends-moi, je reviens tout de suite.

Monsieur Savard sortit de l'auto, la statue sous le bras, mais il se ravisa et la remit prudemment sur le siège en recommandant à Pierre de ne pas y toucher.

Pierre suivit le bonhomme des yeux, le vit trébucher dans les quelques marches de l'escalier, hésiter, puis appuyer sur le bouton d'un doigt peureux de vieillard qui rentre trop tard à l'hospice. La lumière se fit au deuxième étage et ses reflets, de concert avec ceux du réverbère, semblèrent éclairer davantage l'intérieur de l'automobile. Les yeux de Pierre se posèrent sur la boîte contenant la statue de la sainte Vierge et, instantanément, il esquissa un mouvement de recul embarrassé. Il imaginait, avec une acuité saisissante, la tête au sourire divin émergeant des plis de la robe de bois sculpté. Cette vision en fit naître une autre, foudroyante: celle d'un père qui va porter au cimetière son enfant mort-né, couché sur le banc avant d'un taxi. Pierre ouvrit la porte dans un geste de terreur qu'il essayait de contenir. Cette sainte Vierge qu'il n'avait plus priée depuis la mort de madame Boisseau, cette sainte Vierge à qui il avait murmuré d'amoureux « Je vous salue, Marie » à chaque soir de sa jeunesse, n'était-elle pas l'image de sa foi morte qu'il allait enterrer? Depuis un an, il n'avait pas laissé monter vers Dieu une seule parole; chaque fois que le lancinement du désespoir l'avait incité à croiser les mains et à murmurer « Mon Dieu je Vous aime » dans le silence de la forêt, il s'était retenu, se refusant d'offrir à Dieu une prière qui, à son âme intransigeante, n'eût pas paru absolue et magnifique. Comment, avait-il souvent pensé, ses prières eussent-elles pu être acceptables, ainsi souillées à leur source par l'abandon de sa vocation et par l'image luxurieuse de cette Fernande qui se superposait dans ses cauchemars, à celle de la vieille morte?

Pierre sortit de l'auto; il valait mieux fuir tout de suite cette statue et l'ivrogne. Tapi derrière la voiture, il jeta un coup d'œil vers Willie Savard avant de partir par la rue voisine. La porte de la maison s'ouvrit et une grande femme sèche, les mains croisées sur sa chemise de nuit, ses cheveux gris tirés et tordus en bigoudis ridicules, se découpait dans l'embrasure, devant l'ivrogne dont la tête se tendait vers elle dans une attitude suppliante. Et tout à coup le bonhomme se redressa et bondit, les poings levés sur la femme. Pierre entendit le hurlement du bonhomme:

— Oui, je sens!

Les deux vieux disparurent dans la maison, madame Savard reculant sous les coups, avec des gémissements saccadés et discrets. Une image lancinante remonta au souvenir de Pierre, du fond d'une lointaine enfance. Un homme hirsute, son père, frappant sa mère pour lui arracher l'argent qu'elle avait gagné chez les riches et lui, garçonnet, s'agrippant à l'interminable jambe de cet homme furieux. Pierre allait-il assommer M. Savard? Le corps penché en avant, les poings fermés, il lui semblait voler. Il ne dut pas toucher aux marches, car déjà il était dans la maison, immobile au seuil du salon, blême, les jambes écartées et les bras tendus pour frapper. Madame Savard était recroquevillée dans le coin du fauteuil; son nez saignait, mais ses mains ne s'occupaient pas de cette blessure et se joignaient sur ses genoux pointus; une plainte discrète, ronronnante, sortait de ses lèvres. Sur le mur, au-dessus du fauteuil, Pierre aperçut une photographie de famille. Monsieur et madame Savard avec deux enfants. Ils semblaient heureux. Un vacarme de meubles renversés, de cris rageurs et de bruits de vitre cassée arrivait de la pièce voisine. Pierre fit quelques pas et aperçut une immense horloge grand-père gisant sur le tapis, la porte ouverte, la pendule tordue, entourée de débris de vitre; puis, assis à la table à manger, le menton sur les coudes, M. Savard sanglotant, les yeux exorbités et pleins de larmes. Qui défendre, qui frapper ici? Que restait-il à faire, sinon à desserrer les poings et à esquisser une moue de profonde pitié?

— Pierre, emmène-moi d'ici vite! fit le bonhomme dans un sanglot.

Il tenta de se lever, mais retomba sur sa chaise.

— Pierre, aide-moi.

Pierre le soulevait avec une sorte de tendresse protectrice. Il eût voulu aider madame Savard aussi. Mais que dire à une inconnue habituée à sa souffrance, pour la consoler ? Au moins il pouvait tenir M. Savard sous le bras, l'aider à marcher! Le couple passa devant la vieille. Le front couvert de sueurs, le souffle saccadé, Pierre espéra ne pas rencontrer le regard flétri, sans larmes, de cette femme qui gémissait. Elle dit:

— Lâche, tu te trouves toujours des voyous pour t'aider.

Pierre éprouva une envie soudaine de pleurer, de jeter sa tête sur les genoux de madame Savard en lui disant qu'il l'aimait. Mais l'air frais du dehors qui s'engouffrait par la porte ouverte l'attira loin du cauchemar et il entraîna M. Savard dans la rue avec une hâte honteuse.

Il aurait dû fuir tout à l'heure, laisser ces deux malheureux à leur tragédie. A nouveau, il conduisait la Buick, séparé de M. Savard par la statue.

— A l'hôtel maintenant, si tu veux.

L'ivrogne avait parlé avec une grande douceur. Il regardait fixement le pavé et la lumière des réverbères faisait scintiller, au sommet des joues rosâtres, deux larmes qui paraissaient deux gouttes de vin séchant. Pierre revit les gouttes de sang au nez de madame Savard et sa rage remonta en flèche contre ce vieux batteur de femmes qui l'avait gagné avec quelques sanglots, comme il avait gagné les bûcherons avec ses gigues. Il avait pris M. Savard par le bras, et la vieille l'avait traité de voyou, quand il était entré pour la protéger. Il maudit ses sentiments généreux qui, en s'extériorisant, tournaient toujours contre lui. Il aurait voulu empêcher que Denis Boucher volât les Letellier, la grand-mère en était morte; pour avoir défendu M. Savard, au camp, il était devenu un traître aux yeux du Grand Dick.

— On se laisse ici! dit Pierre à l'ivrogne à la porte de l'hôtel, en lui jetant les clés sur les genoux. Je m'en vais chez nous.

« Chez nous. » Il avait presque envie de sourire. Comme c'était bon à dire, après tant de mois. Il réveillerait sa mère, l'embrasserait et lui dirait: « Je reviens pour toujours, maman. » Mais M. Savard s'était dressé et, les yeux exorbités par la terreur, s'agrippait à son veston:

— Ne me laisse pas! Tu ne peux pas me laisser seul. Je pourrais me tuer. Tu l'as dit: « Il est vieux et il est malheureux. » Va-t'en pas!

Pierre résistait mal, il voyait fondre avec un sentiment de honte sa décision d'abandonner le bonhomme. La lourdeur de cette souffrance de vieil ivrogne lui était impossible à soutenir, elle l'imprégnait, le vidait de toute sa volonté.

Comment, avec cette force qu'il ne se sentait capable d'exercer que contre une jeunesse égale à la sienne, pourrait-il combattre victorieusement la société québécoise, alors que tant de vieillards y détiennent le pouvoir?

— Je ne vous dois rien, protesta-t-il.

L'ivrogne s'emparait de cette hésitation:

— Les quatre mille cinq cents dollars de ce soir, je les ai accordés aux hommes pour te faire plaisir. J'aurais pu dire non et tout se serait arrangé quand même. Pierre, protège-moi jusqu'à demain.

Cette conversation devenait intolérable.

— Très bien, dit Pierre, mais je ne veux pas être mêlé à vos histoires avec ces femmes qui vont venir tout à l'heure à l'hôtel.

Le père Savard mit soigneusement la statue sous son bras.

L'orgie se passait dans la chambre de M. Savard, car Pierre avait réclamé une chambre séparée, attenante cependant à celle de l'ivrogne, par une porte dont il avait en vain cherché la clé. Couché tout habillé sur son lit de fer, il se tournait et se retournait en vain depuis une heure, incapable de s'endormir. Le plafond, les murs, étaient recouverts d'un papier peint jaune sale, craquelé, dont la seule vue faisait peser davantage son front déjà lourd sur ses yeux. Des cris de femme, des éclatements de verres lancés contr le mur, des bruits de course, des jurons de M. Savard se mêlaient dans un brouhaha indescriptible, tenant Pierre éveillé et faisant travailler son imagination à un rythme hallucinant.

Il désirait de toutes ses forces qu'une porte lui permît de fuir sans être vu, il la voyait se découper dans le mur et, à ce moment même, une de ces femmes dont il entendait les exclamations impures faisait irruption dans la chambre, presque nue, et tendait vers lui des bras dorés, un visage allumé par le whisky et le désir. Alors il s'imaginait disant d'une voix molle: « Allez-vous-en ou je vous étouffe! » Faudrait-il aussi ranger les femmes luxurieuses avec les vieillards dans le groupe des gens qu'il ne pouvait combattre? Pourquoi ne pas dormir comme une jeune et puissante bête épuisée qu'il était, pourquoi se représenter toutes ces visions idiotes, puisqu'il n'y avait qu'une porte, celle qui communiquait avec la chambre de M. Savard et qu'aucune de ces femmes ne l'avait même entr'ouverte; et puisque, s'il avait voulu vraiment s'enfuir, il n'eût qu'à sauter par la fenêtre sur un long hangar adjacent au mur de l'hôtel et sur le toit duquel il entendait courir des chats?

Dès leur arrivée à l'hôtel, les deux hommes avaient pris leur chambre respective. M. Savard ouvrant avidement une des deux bouteilles de whisky que le propriétaire lui avait vendues à prix fort, et Pierre se jetant sur le lit après n'avoir enlevé que son veston et sa chemise. Les femmes (elles lui parurent être trois) arrivèrent peu après. Les poings portés en avant dans une attitude de défense, Pierre avait attendu qu'elles ouvrent la porte. Elles n'en avaient rien fait. Puis trois coups avaient été frappés et le père Savard était entré, sur le bout des pieds, furtif, tenant précieusement sous son bras la boîte de la statue, qu'il déposa sur la commode, près du lit de Pierre.

— T'occupe pas de nous autres, Pierre, avait-il murmuré comme à un enfant que l'on confie au sommeil. On te dérangera pas. On va boire, je vais les battre un peu, peut-être beaucoup, et ensuite je vais les faire courir dans la chambre, comme des juments, en les frappant avec ma grosse ceinture de cuir. J'ai toujours rêvé d'être un *cow-boy*. L'influence américaine, tu comprends. Ça va me coûter une centaine de dollars. C'est écœurant tout ça, mais faut que je le fasse. Chaque fois que je frappe ma femme, c'est comme ça. Faut aller au bout. Excuse-moi.

Il était reparti sur la pointe des pieds en fermant doucement la porte derrière lui. Une heure déjà avait passé.

Il devait se dérouler des choses épouvantables dans la chambre d'à côté, à en juger par les cris vulgaires qui en fusaient et la course sous la lanière de la ceinture avait dû se dérouler plusieurs fois, puisque Pierre avait maintenant le front couvert de sueurs. Pour la centième fois peut-être, ses yeux brûlants se butèrent sur la statue et pour la centième fois il les détourna immédiatement vers la porte qui s'ouvrait enfin toute grande pour laisser passer trois furies aux cheveux défaits, qui hurlaient: « Il est là, vite on le mange! » Dans son émoi, Pierre n'avait aperçu distinctement qu'une longue varice sur une de ces cuisses lourdes et grasses. Pourquoi ne s'était-il pas jeté de l'autre côté du lit pour se servir de celui-ci comme d'un bouclier afin de repousser ces pauvres folles aux tignasses décolorées, aux yeux fous, aux grandes bouches flétries, qui ne laisseraient dans son souvenir que l'image d'un vague trio de nus pitoyables, enveloppes ridées de l'impureté, vidées du péché même et remplies de dégoût et de tristesse? Pourquoi restait-il là, étendu sur le dos, et ne faisant pour se défendre que tendre ses longs bras pour protéger son visage? Cette scène n'avait duré qu'un instant. Dans leurs efforts pour atteindre son corps, ses lèvres, elles haletaient et de leur gorge s'exhalait un grondement rauque où se mêlaient des tons de vengeance et d'appétit.

— Vaches! Vous avez fait ça, hein!

Monsieur Savard, les yeux striés de rouge, son énorme face ramassée en une grimace féroce, se rua dans la chambre, agrippa une chaise et se mit à en frapper le dos des trois femmes qui se redressèrent sous la douleur. Monsieur Savard continua de les frapper de plus belle, en tonitruant. Criant, se garant, les prostituées reculaient contre le mur et sur leur visage, les sueurs du désir semblaient se figer dans les couleurs mattes de la terreur. Elles poussaient de petits cris craintifs et suppliants. Pierre bondit hors du lit et arracha la chaise des mains de l'ivrogne, la remettant ensuite sur ses pattes à l'endroit même où le bonhomme l'avait prise. Les femmes tenaient toujours leurs avant-bras levés en un geste de défense et le bonhomme Savard, dont le torse gras et poilu frémissait, les contemplait sans bouger, d'un air hébété. Pierre aperçut un autre détail très distinctement: les bretelles de Willie Savard qui pendaient le long de ses hanches. Pierre leur tourna le dos et s'accouda à la fenêtre. La ville dormait, les Laurentides, au loin, étaient belles sous la neige et il avait envie de pleurer. De pleurer pour ces femmes et pour M. Savard, enfoncés dans tant de laideur.

Il entendit à peine M. Savard qui leur ordonnait de s'habiller, leur glissait de l'argent et leur criait de s'en aller. Puis une grande douceur et une grande paix s'installèrent dans l'esprit de Pierre. Il croisa machinalement les doigts et, les yeux posés sur le toit du Séminaire, il récita tendrement: « Mon Dieu, je Vous aime, je Vous donne mon cœur. Je vous salue Marie, pleine de grâces... »

L'éclatement d'une bouteille lancée contre le plancher, suivi du calme bruit d'un remue-ménage rapide, tira Pierre de sa contemplation. Monsieur Savard tout vêtu, entrait timidement dans la chambre, et son énorme visage présentait maintenant des traits tombés, replacés par l'âge, la fatigue et la souffrance. Il disait à mi-voix en hésitant:

— C'est pas de ma faute. Je leur avais bien défendu, pourtant. Tout cela est fini. J'ai cassé la dernière bouteille. Maintenant viens me voir téléphoner.

Pierre regarda avec curiosité le bonhomme qui consultait son bracelet-montre, faisait la grimace en se rendant compte qu'il était près de trois heures du matin, mais s'installait quand même devant le téléphone en murmurant: « Mère Cécile fait sa ronde à ce moment-ci, faut prendre une chance. »

— Mère Cécile peut-elle venir au téléphone?

Il esquissa un sourire radieux. Elle pouvait venir, elle viendrait. Il avait oublié la présence de Pierre. Fébrilement, comme si Mère Cécile eût été devant lui, il époussetait son veston de sa main libre, ajustait sa cravate, cambrait son torse et tentait de mouler son visage en un masque sobre et respectueux. Il sursauta et sa tête bondit littéralement vers la voix qui résonnait dans le téléphone. Pierre s'étonna du ton calme que M. Savard emprunta immédiatement et de l'angoisse enfantine qui contractait ses traits.

— C'est Willie Savard, Mère. Vous allez bien? Vous devriez vous reposer. Moi aussi? Vous savez bien que je suis un vieux fou. Auriez-vous une chambre pour moi au sanatorium? Oui tout de suite. Oh! je vous jure que je suis très raisonnable. C'est de l'épuisement plutôt qu'autre chose. Vous ne me croyez pas? Vous savez que je ne suis pas un menteur. Il vous manque un infirmier cette nuit? J'ai avec moi un jeune homme très distingué qui me gardera.

Il poussa un cri triomphal:

— Je peux venir! Merci ma Sœur. Justement j'ai pensé à vous ce soir. Je vous emporte un petit cadeau. A tout à l'heure.

Il raccrocha avec une hâte puérile et se tourna lentement vers Pierre. Pierre ne pensait plus à rien. Le bonhomme le traînerait encore, apparemment, dans un hôpital et il faudrait le suivre comme un infirmier. Monsieur Savard, les yeux baissés, lui parlait avec une sorte de honte.

— C'est une clinique pour ivrognes, narcomanes et toutes sortes de détraqués. Mère Cécile, une sainte, en est la supérieure. Elle ne veut pas me prendre cette nuit si quelqu'un de sûr ne passe pas les douze prochaines heures à mes côtés pour me garder comme un fou enragé. Quand je cesse de boire, brutalement comme ça, les premières réactions sont terribles. J'ai des visions, je hurle, je veux me sauver, je veux battre tout le monde. Vas-tu venir? Ensuite tu pourras t'en aller et ne plus jamais me revoir si ça t'ennuie. Je te récompenserai bien.

— Surtout pas ça, gronda Pierre entre ses dents et en lui jetant un regard haineux.

Pourquoi la haine? Peut-être parce que le bonhomme le forçait à rester éveillé, à jouer au sauveteur d'ivrognes quand il s'endormait tant. Monsieur Savard lui serra les bras silencieusement, puis marcha vers la commode où il prit la boîte de la statue. Quelques minutes plus tard ils étaient en route pour le sanatorium.

Durant tout le trajet, Pierre avait en vain tenté de se ressaisir, de faire le point, de définir exactement la situation dans laquelle il se trouvait et surtout, de s'expliquer son attitude. Un phénomène l'intriguait: comment M. Savard, dans sa profonde ivresse, pouvait-il paraître, à tour de rôle, soit parfaitement sensible et raisonnable, soit ignominieux et hypocrite? Dieu tient-il compte du bien que l'on fait en état d'ivresse au même titre que du mal que l'on commet? L'aventure de ce soir, à laquelle il avait participé à reculons, mais comme tiré par une force mystérieuse, lui rappelait l'inoubliable jour de l'année précédente, où chaque minute, à partir de sa rencontre avec Denis Boucher et Fernande, avait éclaté avec une intensité ascendante jusqu'au moment de la mort de madame Boisseau: quelle serait l'issue de cette étrange randonnée avec un ivrogne? Des horizons nouveaux s'ouvraient dans son esprit, mais il n'y voyait encore que du noir. Il passa sa main sur son front lourd.

— C'est ici, indiqua Willie Savard, range la voiture à droite du porche.

Pierre se tenait, l'âme vide, transi comme on l'est tôt le matin quand on n'a pas dormi, derrière M. Savard, devant la haute porte de chêne. C'est Mère Cécile elle-même qui ouvrit. Elle était plus grande que M. Savard, élancée, et quoique sa coiffe noire ne laissât voir que le premier plan du visage, elle parut à Pierre très belle, malgré une finesse des traits qui frôlait la maigreur. Elle ne dit rien et contempla M. Savard distraitement. L'ivrogne levait vers elle un sourire qu'il tentait de rendre bon enfant.

— Heureusement que je vous ai.

Une phrase résonna dans la tête de Pierre: « Vas-tu la battre celle-là? » La religieuse se mit à regarder fixement le paquet que M. Savard tenait sous son bras et dit avec une douce ironie:

— Vous emportez vos provisions?

— Non! se récria l'ivrogne, c'est votre cadeau. C'est pas grand-chose.

— Venez.

La religieuse prenait les devants en enfouissant ses clés d'une main lente dans sa vaste poche. Monsieur Savard, qui suivait tant bien que mal, tourna vers Pierre un visage illuminé: « Tu vois! »

Ils entrèrent dans le bureau de la religieuse et sous les yeux ravis de l'ivrogne, Mère Cécile sortit de la boîte la statue de bois sculpté de la Vierge. Elle la caressa tendrement comme une joue d'enfant, et l'installa sur son bureau où elle la contempla un moment. Puis, regardant M. Savard:

— Dieu vous pardonnera bien des péchés... Alors vous me promettez d'être sage?

Willie Savard jura en donnant un coup de poing sur le bureau et la statue tomba sur le côté. Mère Cécile la releva d'un geste calme. Pierre s'étonna du mouvement brusque de M. Savard. Depuis l'entrée dans cette étrange maison, dont les corridors respiraient une atmosphère de cauchemar, les yeux du malade s'étaient couverts d'un voile d'égarement. Où était l'homme raisonnable de tout à l'heure, au langage si sensé après l'orgie à l'hôtel? Monsieur Savard semblait avoir oublié la présence de Pierre et il ne l'avait même pas présenté à la religieuse. Mère Cécile se levait, prenait le paletot de M. Savard, le priait de lui remettre tout ce qu'il avait dans les poches. Il lui donnait toutes ces choses avec des allures d'automate. La religieuse demanda à Pierre son nom et se fit assurer qu'il resterait aux côtés du « patient » toute la nuit.

Elle les précéda dans le couloir qui conduisait à la chambre de M. Savard. Ils débouchèrent dans un vaste hall, surmonté par une sorte de pont supérieur auquel on avait accès par un large escalier de chêne. Une ampoule brillait en veilleuse au pied de l'escalier. « Un vrai bateau! » se dit le jeune homme, dont les paupières s'alourdissaient. Il lui sembla que l'édifice tanguait, peut-être à cause de cette nonne qui donnait l'impression de flotter dans sa jupe sur le plancher ciré. Monsieur Savard avançait maintenant d'un pas hésitant, comme s'il se fût senti dans un antre de criminels. A l'instant même où il mettait le pied sur la première marche de l'escalier, un hurlement strident se fit entendre. Monsieur Savard poussa un gémissement sourd et se blottit, claquant des dents, dans les bras de Pierre.

— C'est encore lui! Il va essayer de me tuer cette nuit.

— Venez vous coucher, Monsieur Savard, disait la voix douce de Mère Cécile. C'est monsieur Paul qui rêve, c'est tout. Il n'y a aucun danger.

Blotti contre Pierre dans les pieds de qui il s'accrochait, M. Savard tremblait et, en atteignant le pont supérieur, qui longeait des chambres ressemblant aux cabines d'un navire, ses yeux devinrent hagards en voyant la porte numéro neuf; il esquissa le geste de dégringoler l'escalier, mais Pierre le retint en voyant Mère Cécile qui ouvrait une porte du côté opposé et les attendait. « Non, non, sauvons-nous, il va me tuer! » Il pleurait d'effroi impuissant et ses yeux luisaient comme ceux d'un enfant. Pierre le traîna.

— Voyons, Monsieur Savard, vous m'aviez promis d'être sage, dit doucement Mère Cécile. Regardez, je vous ai donné le vingt-six. C'est la meilleure chambre. Il n'y a aucun danger.

Monsieur Savard se précipita dans la pièce plutôt qu'il n'y entra. Son premier geste fut d'ouvrir la garde-robe pour s'assurer qu'il n'y avait personne. Il regarda ensuite sous le lit, puis se redressa soudainement pour jeter des coups d'œil sournois sur Mère Cécile et sur Pierre. Pierre remarqua que la chambre était nue. Un lit, un fauteuil de cuir, une table. Pas de verre, pas de bibelot. Sur le mur blanc en face du lit, une image de saint Joseph était peinte. Monsieur Savard enleva son veston et Mère Cécile fit signe à Pierre de la rejoindre dans le vestibule. L'ivrogne poussa un cri véhément:

— Pierre, va-t'en pas! Tu l'as promis!

Pierre rassura le malade et demeura dans l'embrasure de la porte où Mère Cécile lui chuchota rapidement que M. Savard serait pris de crises de frayeur et d'hallucinations particulières aux ivrognes. Il faudrait que Pierre reste assis dans le fauteuil de cuir et garde l'œil ouvert. Il aurait sans doute à retenir et à calmer l'industriel au plus fort de ses crises. Si Pierre ne réussissait pas, elle ne pourrait garder le malade, qui menaçait par ses frasques la tranquillité des déséquilibrés nerveux hospitalisés à la clinique. Effrayé à l'idée de continuer son rôle de cicerone vers nulle part avec cet énergumène, la nuit, dans les rues de Québec, et touché surtout par la confiance que la religieuse lui montrait, Pierre acquiesçait d'un air gravement entendu qui signifiait: « Comptez sur moi, ma Sœur, je m'arrangerai bien. »

Pierre entendit marmonner derrière lui et se retourna. Monsieur Savard, en vêtements de nuit, était à genoux près du lit et disait sa prière. Mère Cécile l'aperçut et revint dans la chambre. Elle lui toucha légèrement l'épaule:

— Je vois que vous devenez raisonnable. Couchez-vous maintenant. Vous êtes en bonne compagnie. Dormez.

Monsieur Savard fit un rapide signe de croix. Il leva vers elle un visage énorme d'où toute frayeur était disparue et sur lequel un air de soumission mêlée d'une minauderie gamine tentait pitoyablement de se plaquer.

— Juste un petit peu, dans le fond d'un petit verre avant de me coucher, hein, Mère? Envoyez donc!

Elle lui montra le lit et il se glissa prestement sous les couvertures. Elle marcha vers la porte et dit avant de la refermer:

— Demain matin, si vous avez été sage.

Monsieur Savard se coucha la face contre le mur sans dire un mot à Pierre et celui-ci tourna le commutateur.

— Au nom du ciel, laisse la lumière! rugit l'ivrogne en se dressant. On le verrait pas entrer, autrement.

Pierre haussa les épaules et fit à nouveau de la lumière. Monsieur Savard s'était réinstallé, lui tournant le dos. Pierre se laissa tomber dans le fauteuil de cuir. Son cœur battait à un rythme plus rapide. Il sentait cuire ses yeux, il ne s'endormait pas et il avait l'impression qu'il ne retrouverait plus jamais le sommeil. A ses côtés, M. Savard ronflait déjà. Pierre examina ce gros corps rassuré, confortablement recroquevillé. Ainsi l'ivrogne, malgré son ivresse, ses hallucinations, avait constamment obéi à son instinct de conservation? Il avait choisi Pierre comme cicerone, acheté cette statue. Et maintenant il dormait, sans avoir dit bonsoir à Pierre, sans le remercier. Et soudain, sans qu'il s'y fût attendu, Pierre sombra dans le sommeil.

Le cri strident de monsieur Paul déchira à nouveau le silence du sanatorium. Pierre ne bougea pas. C'est M. Savard qui se dressa en criant, éperdu:

— Pierre, la porte, il s'en vient! Il a sa longue aiguille!

A un second hurlement de l'ivrogne, Pierre ouvrit des yeux hagards, égaré entre l'abrutissement du sommeil et la terreur de bonhomme. « Là! là! » criait M. Savard. Les bras tendus dans un élan instinctif, Pierre courut vers la porte où il s'éveilla enfin à la réalité. Rageur, et se rappelant les recommandations de Mère Cécile, il prit M. Savard par les épaules et le coucha de force, en l'assurant qu'il n'y avait rien et en le suppliant de se taire, car ils seraient chassés de l'hôpital. L'ivrogne se débattit, se tut et poussa un long soupir. Puis il murmura: « T'es malade, Willie. »

— Bon, dormons, conclut Pierre en se laissant tomber dans le fauteuil.

Mais M. Savard semblait exagérément revenu à lui, ses yeux pétillaient d'impatience, comme s'il eût eu à accomplir une foule de choses intéressantes. Il s'assit et laissa pendre ses jambes le long du lit.

— Pierre, chuchota-t-il, faut sortir d'ici, se sauver, se cacher. Je le comprends maintenant: Mère Cécile est de combine avec ma femme et mes enfant pour nous garder prisonniers. Et tu t'en doutes peut-être pas? Toi aussi t'es foutu. Ils vont te piquer et te mettre une camisole de force. La porte d'en bas est bien gardée, sauvons-nous par la fenêtre.

Pierre, d'un ton las, lui expliqua que c'était impossible, Mère Cécile ayant gardé le patelot et l'argent au bureau. Le jeune homme, les yeux lourds de sommeil, entrevit le menton gras, perdu dans les plis adipeux, acquiesçant et semblant dire: « Tu as raison. »

— Alors sauve-toi tout seul et rapporte-moi un *John Dewar*.

Pierre réprima un sourire. Les grosses jambes violacées de l'ivrogne se balançaient pendant qu'il lui indiquait, avec force détails, l'endroit où se procurer le whisky. Pierre secoua la tête et lui dit d'attendre au lendemain matin. Monsieur Savard grogna et conclut:

— Alors sers-moi de celui-là, dans la bouteille pendue au mur.

Pierre chercha du regard cette bouteille que M. Savard pointait d'un index assuré et il pouffa de rire.

— C'est la statue de saint Joseph que vous voyez sur le mur.

Froissé, le bonhomme se fourra dans les couvertures en marmottant, le regard féroce:

— Attendez à demain, vous allez me payer ça, tous!

La colère durcissait le masque du bonhomme jusqu'à lui donner l'aspect du marbre. Elle trempait sa voix molasse d'une intonation si méchante et si grave, que Pierre éprouva un court frisson d'inquiétude. Quand cette nuit finirait-elle enfin et quand se retrouverait-il libre avec son cher drame personnel, loin de cet énergumène envahissant? Monsieur Savard ronflait à nouveau. Pierre était jeune et épuisé. Il n'eut qu'à laisser tomber sa tête sur sa poitrine pour retrouver le sommeil interrompu.

Dans le cauchemar où les images de cette soirée inusitée le jetèrent, il s'engageait dans un sentier forestier et soudain se trouvait face à face avec le Grand Dick, monté sur un énorme cheval noir. L'Irlandais communiste laissa fuser un long rire féroce comme le cri de monsieur Paul, et éperonna la bête qui se dressa sur ses pattes d'arrière et rabattit ses sabots d'avant sur la tête de Pierre, qui poussait une plainte sourde en ouvrant enfin les yeux: monsieur Savard, sa grosse tête découpée par la halo de l'ampoule électrique, la face blême tordue en une grimace hystérique et meurtrière, brandissait sa lourde botte de cuir aux talons ferrés. Pierre, malgré sa demi-insconscience, réussit à parer le coup de son bras étendu. L'ivrogne, soufflant, bavant, riant de vengeance, sautait sur lui et lui enserrait la gorge dans l'étau de ses mains: « Ah! mon petit frais, tu vas me les payer, mes quatre mille cinq cents dollars. Tu pensais de les emporter en paradis, avec ton verre de lait? Et ça se permet de me garder, comme un fou, de m'empêcher de boire quand j'ai soif, moi Willie Savard! Chien! Tiens! »

Pierre voyait danser la lampe au plafond et les yeux fous du bonhomme qui se balançaient au même rythme. Tout vestige de sommeil l'avait quitté pour ne laisser dans toute sa tête que cette douleur ancrée jusqu'aux profondeurs de la nuque, par laquelle il se rendait compte que l'halluciné était en train de l'étrangler. Ses narines se pinçaient, le sang battait si fort dans toute sa tête qu'il crut qu'elle allait éclater. Son corps devenait flasque et froid et c'est par hasard que son genou en se débattant atteignit M. Savard dans le bas-ventre et lui fit lâcher son étreinte. Pierre respira follement, réussit à se dresser puis, avec une sorte de volupté il s'abattit sur le vieil ivrogne qu'il lança sur le lit et sur qui il s'étendit ensuite en tenant les poignets de Willie Savard prisonniers dans ses mains puissantes; toute sa force lui revenait. Le bonhomme gémissait et ses yeux exorbités, chargés de haine, regardaient fixement Pierre qui grondait: « Vieux lâche! Vous avez voulu me tuer, quand j'essayais de vous aider. » Cette trahison remplissait Pierre d'une étrange joie. Fini ce sentiment d'infériorité dans lequel les vieillards avaient menacé de le plonger à jamais. Désormais il aurait à faire face à leur expérience bourrée de calculs, à leur impure habileté. Bien armé, il pourrait peut-être se redresser, splendide et fort, contre eux tous? Des gouttes de sang coulaient de son front sur le drap et il les trouva si vermeilles qu'il sourit et pardonna à l'ivrogne. Une demi-heure plus tard il sentit le bonhomme qui, sous lui, ramollissait et sombrait dans une inconscience faite d'épuisement et de sommeil. Il regagna son fauteuil où cette fois il ne put se rendormir.

A sept heures du matin, les corridors semblèrent prendre vie. Des éclats de voix épars, puis le remue-ménage de l'hôpital secouèrent le jeune homme de son engourdissement. Il se rendit au robinet et laissa couler l'eau sur son visage. Pas de miroir. Il se peigna au hasard et tenta de mesurer avec ses doigts l'entaille qui balafrait son front. Monsieur Savard dormait toujours. Pierre s'accouda à la croisée et regarda d'un œil distrait la voiture du médecin qui se rangeait aux côtés de la Buick verte. Vers les huit heures, Mère Cécile entra dans la chambre, jeta un coup d'œil amusé à Willie Savard, puis aperçut la blessure au front de Pierre. Elle dit: « pauvre vous », d'un ton si doux que Pierre rougit de sentir ses yeux mouillés. Elle ne demandait pas d'explication; elle l'entraîna vers l'infirmerie et lui apposa un pansement.

— C'est votre parent?

— Non, ma Sœur. Je ne le connaissais pas. Il m'a demandé de l'accompagner.

Elle le regarda longuement et conclut:

— Dieu vous aime beaucoup.

Elle lui offrit à déjeuner. Il refusa avec une sorte d'empressement. Sa récompense ne l'attendait-elle pas chez sa mère qui lui préparerait ses rôties comme il les aimait?

La religieuse retournait à la chambre. Il la suivit. Monsieur Savard était éveillé. Assis dans le lit, l'ivrogne contemplait d'un œil terne le plateau du petit déjeuner que l'infirmier venait de déposer sur ses genoux. Pierre resta comme figé devant cette épave grise et flasque, que quelques heures de sommeil avaient rejetée sur la grève de la réalité. En apercevant Pierre, le front couvert d'un bandage de fortune, une interrogation inquiète aiguisa une seconde le regard du malade, puis il baissa les yeux sur le plateau, des yeux que la moue amère de sa bouche laissait supposer plus désespérés que honteux. Tous les membres du bonhomme tremblaient imperceptiblement, comme s'il eût été sur le point de grelotter, et ses gros doigts hésitèrent autour de la tasse de café dont il réussit enfin à saisir l'anse. Mère Cécile approcha de M. Savard et lui promit un peu de cognac pour neuf heures. Pierre empoigna sa valise et se dirigea vers la porte en disant d'un ton embarrassé « bonjour » à cet étranger qu'il avait connu dans les soubresauts d'une nuit d'aventure. Comme Pierre s'en allait, M. Savard lui dit d'une voix sourde:

— Attends encore un peu. J'ai à te parler.

Pierre s'approcha du pied du lit, mais à ce moment un petit bonhomme au visage minuscule, dont les traits mobiles s'éclairaient d'un ravissement béat, entra d'un pas sautillant, les mains armées de broches à tricoter où pendait un bas de laine rouge à moitié terminé et qui sursautait comme une marionnette sous l'action des doigts infatigables.

— Bonjour M. Savard. On revient à ses anciennes amours?

Le maniaque se tourna brièvement vers Pierre et sa voix de crécelle pétarada:

— Je suis Monsieur Paul, vous permettez? Willie Savard est mon meilleur ami.

Il marcha avec empressement vers le malade qui esquissa un instinctif mouvement de recul dans son oreiller, les yeux rivés sur les broches à tricoter.

— Eh! mon cher Willie, je suis sûr de ne pas vous avoir dérangé, cette fois. J'ai dormi comme un ange. Vous savez, mon tricotage avance bien. J'en suis à ma quatre cent cinquantième paire. Et vous, les affaires?

Pierre n'entendit pas la réponse que marmotta M. Savard, car à ce moment la porte s'ouvrit et Mère Cécile sourit:

— Bonjour, Monsieur l'aumônier.

Pierre l'aperçut et, d'étonnement, il laissa échapper sa valise. L'aumonier, la bouche ouverte, essayait de s'exclamer: Pierre!

C'était l'abbé Jérôme Lippé, l'abbé « Voltaire », le sceptique, le gymnaste, le photographe, le grand ami de cette soirée épouvantable de l'année précédente. Chez Pierre et chez l'abbé Lippé, la joie submergea l'étonnement. C'était un peu comme s'ils se fussent soudain retrouvés sur le même radeau, dans une mer inconnue. Ils ne se serrèrent pas la main.

— Viens dans ma chambre!

III

Pierre, en quelques mots furtifs, promit à M. Savard qu'il reviendrait avant de quitter le sanatorium et il s'enfuit presque, à la suite de l'abbé Lippé, qui marchait d'un pas rapide et saccadé tant il était bouleversé. Il confiait à Pierre, d'une voix exultante:

— Monsieur Paul, c'est le plus timbré de tous. Narcomane depuis vingt ans, le système nerveux absolument détraqué, il hurle la nuit, visite tous les malades en se levant et tricote au long des journées. Pour l'amour de Dieu, comment se fait-il que je te retrouve ici? Et comme tu as changé! Entrons. Oui, *Intra, Petre,* comme je te l'ai dit certain soir de juin dernier, alors que, le derrière sur les talons, je rendais hommage à la Grèce antique. *Intra, Petre,* nous avons un monde de choses à nous raconter.

Pierre resta cloué un instant dans l'embrasure de la porte, car, à la dernière phrase de l'abbé Lippé, toute joie s'était figée en lui pour faire place à une angoisse méfiante. Il ne pouvait confesser son drame. Cet homme avait été l'ami du pur séminariste, le serait-il toujours du jeune homme qui avait été mêlé à la mort de la vieille dame? Et Pierre se fût confessé à un seul prêtre, le curé Loupret; il avait trop de fois manqué la messe, trop de fois tenté d'oublier Dieu au plus profond de sa détresse pour aller avouer, maintenant que sa souffrance était moins aiguë, la terrible circonstance dont il avait été victime. Se confier, mais non se confesser au curé Loupret, car Pierre éprouvait moins un sentiment de culpabilité qu'une épouvantable détresse à l'idée que sa vie de laïque, qu'il avait voulue magnifique, eût des débuts aussi lamentables. Et croirait-on à son extraordinaire aventure? Durant l'étonnante nuit qu'il venait de passer, il n'avait pas prévu que son retour à Québec donnerait un nouvel aspect à sa tragédie. Un gouffre le séparait de chaque ami qu'il retrouverait, un gouffre qu'il devrait masquer à coups de réticences et de mensonges, afin de ne pas détruire chez ceux qui l'aimaient l'image qu'ils se faisaient de lui.

L'abbé Lippé n'avait pas immédiatement remarqué le recul nerveux de Pierre. Sautillant comme un enfant en joie, volubile et grandiloquent, il butinait de meuble en meuble, déposant sur la commode son bréviaire, poussant ici un tiroir mal fermé et tirant là les rideaux.

— Mais qu'as-tu? Tu es tout pâle?

— Rien, balbutiait Pierre, peut-être parce que je n'ai pas déjeuné…

— Imbécile, attends un peu. Prends ce fauteuil.

Le prêtre disparut un instant dans le corridor. Pierre s'assit en soupirant. Au moins l'abbé Lippé pouvait être heureux de retrouver ses amis. Il jeta un regard circulaire. Tant il est vrai que n'importe quelle chambre épouse la personnalité de celui qui l'habite, cette cellule de clinique ressemblait étrangement à la chambre que l'abbé Lippé occupait au Séminaire. Le lit de camp, les deux murs noirs de photographies, le bureau, la bibliothèque, tout y était, jusqu'à l'appareil photographique qui, perché sur son trépied, dans un coin sombre, avait l'air d'un masque piteux. Affalé dans le fauteuil de cuir usé, Pierre se laissait baigner avec volupté dans cette atmosphère familière, rattachée à un moment de son passé où il avait été heureux. Il désira que l'abbé Lippé ne revînt pas tout de suite, afin de verser quelques-unes de ces larmes chaudes et silencieuses qui sont à la douleur ce qu'un doux sourire est à la joie. L'abbé Lippé revenait en triomphateur, portant un plateau:

— Voici, mon cher Pierre, mon cher Rastignac, toi qu'un jour je comparai à Thésée, voici de quoi te ragaillardir. Je viens d'apprendre de Mère Cécile la belle nuit que tu as passée avec cet incorrigible Willie Savard. Je brûle de connaître tes aventures. Quoi? Tu ne m'écoutes pas?

Pierre esquissa un sourire de protestation et s'approcha du plateau que l'abbé Lippé avait déposé sur un petit bureau. Il empoigna la tasse de café et but à longs traits, les yeux levés vers le mur couvert de photos.

— Vous faites toujours de la photographie?

Par plaques, la joie disparaissait du visage de l'abbé, puis il dit d'une voix qu'il tenta de rendre joviale:

— Pour deux raisons, quand un prêtre comme l'abbé Lippé devient l'aumônier d'une maison comme celle-ci, où pour certains motifs on désire aussi le considérer comme patient, il n'y a plus moyen de s'adonner à ce grand art de la photographie: premièrement les détraqués, les maniaques ne sont pas de bons sujets à photographier. De sinistres farceurs, en passant par Erasme, ont tourné et retourné le thème que les fous seraient ceux qui, dans l'humanité, détiennent le bon sens, mais son œil de photographe, qui voit, s'aperçoit bien qu'ils ne représentent pas des types : les passions que stigmatisent les traits de leur figure sont empreintes de béatitude, tandis que chez les gens normaux, elles sont marquées au coin du calcul. Les visages de fous sont tous un peu semblables, les autres infiniment divers.

L'abbé Lippé se retourna tristement vers son appareil et dit:

— L'autre raison, c'est que je n'ai pas d'argent pour m'acheter des pellicules.

Pierre se tenait debout, la main dans sa poche:

— J'ai cinq cents dollars. Je peux vous en donner la moitié.

L'abbé Lippé le contempla un instant, secoua énergiquement la tête et le fit rasseoir en posant doucement sa longue main sur les cheveux de Pierre:

— Cher petit. Tu n'as pas changé. Finis ton déjeuner. Nous continuerons après.

L'abbé Lippé était très ému. Sa voix avait trébuché puis, tout raide, il avait tourné le dos à Pierre pour regarder longuement le mur. Il y eut un silence marqué par les dernières bouchées du jeune homme qui se sentait maintenant gêné devant l'émotion du prêtre. Ce café, ces rôties avaient déjà fait de lui un autre homme, prêt à jouer la sérénité, prêt à laisser monter en lui des questions sur le drame des autres. Pourquoi l'abbé Lippé avait-il échoué ici? Celui-ci se retournait, s'asseyait sur le lit de camp en poussant un soupir qu'il réussit à transformer en paroles presque joviales:

— Il m'est arrivé une extraordinaire aventure, mais je suis ton professeur et j'ai le droit d'écouter tes confidences avant que tu ne reçoives les miennes.

Pierre serra les dents et masqua son hésitation en commençant à se rouler une cigarette.

— Tiens, tu fumes maintenant? s'exclama l'abbé Lippé, comme si c'eût été là une chose extrêmement importante.

— Vous faites toujours de la gymnastique? s'informa Pierre, embarrassé.

— Non, imagine. Et pourtant c'est le seul endroit où je pourrais en faire sans passer pour fou. Mais nous parlerons de ma folie tout à l'heure. C'est à toi de parler le premier, puisque même entre gens illogiques, c'est au plus jeune de s'expliquer d'abord. La dernière fois que je t'ai vu, tu t'élançais à la conquête de cette ville. Et voilà que, pour débuter dans cette entreprise ardue, habile Thésée, tu pars à la recherche du monstre en t'enfonçant dans les bois. Cette jeune dame que tu as visitée après m'avoir quitté, ce soir de juin dernier, serait-elle devenue bûcheronne?

Pierre rougit, bégaya. Son assurance n'avait été qu'un leurre, il était à la merci de la moindre allusion. Il sentit, lourde, à l'intérieur de la poche de son veston, la coupure de journal qui relatait les obsèques de la vieille madame Boisseau et qu'il avait gardée comme un cilice, pour se punir de n'avoir pas été à la hauteur de l'idéal qu'il s'était proposé d'atteindre devant Dieu et devant les hommes. L'image du cadavre passe devant ses yeux. Depuis le soir du drame, il avait revu plusieurs fois par jour le corps raidi de la morte, suivant, par l'imagination, le processus de sa décomposition, et retrouvant, à mesure que le squelette se dénudait, une sérénité éphémère, qu'une simple question de l'abbé venait détruire. Que lui dire? Son indignation fut sincère:

— Ne me parlez pas de ces gens! Ils me dégoûtent.

« Je mens! » se dit-il aussitôt, affolé. Le premier péché nous force à mentir jusqu'au bout de notre vie. Où était Fernande? Avait-elle quitté Denis Boucher, avait-il répondu à ses questions quand il était retourné à la chambre, le fameux soir?

— Bien!... dit l'abbé, commence ton récit où tu voudras.

Pierre sentit ses mains moites. L'abbé Lippé admettait, par ce seul mot, que Pierre eût à cacher des choses laides. Et le soleil de mars entrait à flot dans la chambre et les gouttelettes de la neige fondante chantaient le long de l'édifice.

— Je commencerai par le commencement! s'écria-t-il. Ces deux personnes, quand je les ai visitées après vous avoir quitté, m'ont dit des choses qui ont détruit ma ferveur, m'ont fait me sentir petit et faible dans ce monde sans grandeur. Je suis parti dans les bois, gagner de l'argent pour faire vivre ma mère.

Le front couvert de sueurs, il parlait lentement, avec effort, en s'arrêtant, en calculant, comme s'il eût fourni un alibi à un détective, un alibi qu'il avait d'ailleurs appris par cœur au cours de ses angoisses des premiers jours. Il raconta la dure expérience des travaux de la forêt, la rencontre avec le Grand Dick, la grève, l'épisode du *Capital*, la bataille avec l'Irlandais et l'aventure avec M. Savard.

— Formidable! s'écria l'abbé Lippé, en se levant comme détendu par un ressort. C'est Karl Marx qui nous fait nous retrouver tous les deux ici. Oui, Pierre, Karl Marx! Quels mystérieux desseins la Providence nourrit-elle sur nos destinées quand elle se sert de cet homme terrible pour nous réunir ?

Comme c'était son habitude quand il était aux prises avec une agitation intérieure, l'abbé Lippé marchait de long en large d'un pas saccadé de général soucieux, en faisant craquer ses longs doigts noueux. Ses traits, tendus tout à l'heure par une attention passionnée pendant le récit de Pierre, semblaient maintenant gonflés d'exaltation. Il accrocha une chaise et s'installa solennellement devant le jeune homme éberlué.

— Ecoute mon histoire, maintenant. Moi je ne sauterai pas les détails importants. Deux mois après ton départ, c'est-à-dire en septembre, un franciscain, le Père Martel, revenu depuis peu d'Allemagne où il a vécu pendant six ans, est allé proposer au Recteur de l'Université d'inaugurer une nouvelle section à la Faculté des sciences sociales, ouverte à la fréquentation populaire. Cette section aurait eu particulièrement et principalement pour but d'approfondir les conceptions politiques des élèves, en faisant une étude comparée du marxisme et de la démocratie, en parlant de leurs origines, de leur évolution, de leurs applications pratiques au vingtième siècle et de leur degré de compatibilité avec la doctrine chrétienne. Selon le Père Martel, et il a raison, notre Amérique, avant de brandir, les yeux fermés, des bombes atomiques, devrait d'abord identifier et définir l'essence des doctrines de son ennemi, s'interroger sur ce dont elle est elle-même faite, au lieu de se renfermer dans sa coquille et d'accuser de communisme, à tort et à travers, tous les modes de vie qui ne sont pas conformes à ses habitudes et menacent son infantilisme. Les hâbleurs et les ignorants tireurs de ficelles qui brandissent l'épouvantail du communisme sans en connaître le premier principe, et qui détiennent souvent les postes importants dans nos partis politiques, sont un bien plus grand danger pour notre sécurité que l'emprise grandissante des Russes sur la Chine. De nos jours, une culture, si farcie d'humanisme soit-elle, qui ne compte pas parmi ses attributs une connaissance philosophique et sociale de la politique, est incomplète. Eh bien! Pierre, monseigneur le Recteur a dit non, en répondant que le marxisme était étudié à la Faculté de Philosophie. Il a dit non, en pensant sans doute au gouvernement au pouvoir, avec qui il entretient les meilleures relations possibles, au gouvernement au pouvoir qui pourrait voir d'un mauvais œil la création d'un enseignement universitaire ouvert à tout venant, d'un enseignement occupé à mettre les principes démocratiques en pleine lumière, soulignant ainsi les abus éhontés qui caractérisent notre vie politique. Sans oublier qu'en démasquant le mythe communiste pour le situer en une conception définie que nos politiciens ne reconnaîtraient pas, le Père Martel apparaissait comme une sérieuse menace à l'autonomie de nos gouvernants en matière d'éducation politique. Bref, monseigneur le Recteur a dit non. Mais ce bon Père Martel, qui a rencontré en Allemagne de plus sérieux adversaires que monseigneur le Recteur, au lieu d'abandonner le projet, lui a donné plus d'envergure. Il a fondé au mois de novembre dernier, une école indépendante appelée *l'Institut populaire des Sciences politiques,* tout près du Grand Séminaire. J'ai été parmi les premiers élèves inscrits.

« Tu imagineras sans peine le scandale que mon adhésion a causé chez mes confrères, et la sourde persécution dont j'ai commencé d'être victime. Cet institut a obtenu un succès immédiat. Au lieu de se diriger vers la Faculté de sciences sociales, une cinquantaine de jeunes gens se sont inscrits aux cours du Père Martel, et les locaux ne peuvent recevoir tous les ouvriers qui voudraient suivre les cours du soir. L'université, le gouvernement se sont émus et s'émeuvent de plus en plus, et le Père Martel se tue à la tâche de repousser leurs attaques en vue de lui faire abandonner la partie. Quant à moi, j'ai tôt succombé sous les coups de la persécution.

« Un soir de novembre dernier, alors que j'attendais vers les huit heures un jeune abbé qui, tout comme toi, m'avait frappé par la noblesse de sa physionomie et à qui j'avais précédemment tenu des discours cinglants sur mes séries de photos, un soir dis-je, alors qu'en pantalon court je m'adonnais à mes habituels exercices de gymnastique, j'entendis frapper discrètement à ma porte. Croyant que c'était mon jeune ami, je continuai mes exercices et criai: « *Intra, amigo!* » joignant ainsi le latin à l'espagnol pour plaire à ce garçon qui estimait Franco. On ouvre. O terreur! C'était le supérieur du Grand Séminaire. Je m'enfuis dans ma garde-robe pour revêtir ma soutane et quand je revins dans la chambre, j'aperçus le supérieur qui examinait les photos de mon mur A, celui des binettes qui ne veulent rien dire, tu te rappelles? Puis, il feuilleta le *Capital* installé sur mon bureau à côté de mon bréviaire. J'attendais une semonce, une demande d'explications. Il ne dit rien et me conseilla de me coucher, en s'apitoyant sur mon air fatigué. J'ai mal dormi. Le lendemain matin, le supérieur s'amena à ma chambre avec un monsieur très sérieux qu'il désigna du doux nom de psychiatre. Diagnostic: ce sanatorium, et j'étais quand même assez bien portant pour y faire office d'aumônier. Le jeune abbé est devenu professeur de littérature à ma place, et ce gras abbé Benoît, mon voisin, a enfin pu s'emparer de ma chambre avec fenêtre sur le fleuve, qu'il convoitait depuis dix ans. Je ne sais qui, de l'abbé Benoît ou de mon jeune hispanophile, a consacré ma perte, mais je leur pardonne.

L'abbé Lippé se tut et regarda longuement Pierre pour quêter un commentaire. Pierre, abasourdi par cette confession, n'aurait su que dire, si ce n'est de s'exclamer: « C'est incroyable! » mais il se tut. Puis dans un geste spontané, il saisit la main de l'abbé Lippé et la serra longuement.

— Voulez-vous que je m'inscrive aux cours du Père Martel?

L'abbé Lippé se remit à arpenter la chambre.

— Non seulement cela, mais je veux que tu deviennes son secrétaire. Il est débordé, exténué; de plus, c'est un cardiaque. A ses côtés, un avenir extraordinaire t'attend. Je vais t'écrire une lettre et tu iras le voir de ma part cet après-midi.

— Oui! J'irai sûrement.

Que cette minute débouchait sur des horizons immenses!

Toute son âme, son intelligence tremblaient d'impatience, et la puissance comprimée dans son corps vallonné de muscles chantait à l'annonce de la tâche qui s'offrait. Il prit la lettre et, en guise de remerciements, dit à l'abbé Lippé:

— Avant un mois, je vous ferai sortir d'ici et vous me rejoindrez.

— Bonne chance Pierre.

C'est à cause de sa joie que Pierre songea à saluer M. Savard avant de quitter la clinique. L'ivrogne ne bougea pas en le voyant entrer. Son regard terne semblait s'embrumer de plus en plus dans une image triste et lointaine.

— Alors, tu t'en vas?

— Oui, bonjour, Monsieur Savard.

— Attends! Ma proposition tient toujours. Veux-tu devenir mon secrétaire!

Pierre secouait la tête en souriant avec ravissement.

— Non, merci et bonne chance.

Il ne remarqua pas le nuage de détresse dans lequel la grosse face de l'ivrogne sembla s'estomper, et c'est presque en courant qu'il sortit de la clinique et sauta dans l'autobus qui si dirigeait vers la ville.

IV

Le jeune homme était à ce point ébloui par les prometteuses avenues qu'ouvrait sur son destin la perspective de devenir le bras droit du Père Martel, son imagination s'y aventurait avec une audace si fébrile, qu'il ne s'aperçut pas qu'une femme enceinte faisait le long trajet debout, accrochée au dossier de son banc. L'autobus s'engagea sur un des ponts jetés sur la rivière St-Charles, puis se lança à l'escalade de Québec. Pour apprécier et comprendre cette ville, il faut, comme pour une montagne, la gagner, la prendre par le bas et monter lentement vers les beautés qui la couronnent. Hier, Pierre eût certainement vu la femme enceinte et lui eût avec empressement cédé sa place; hier, il eût avec une émotion impatiente observé ces rues que l'autobus grugeait une à une à coups d'embrayages sciants; hier, il eût été le premier à s'élancer au dehors en respirant avec avidité l'air printanier de sa ville chérie. Mais aujourd'hui, après un an de tristesse et de crainte, une éclaircie s'ouvrait soudain dans sa vie, qui souriait, lumineuse, à sa ferveur et à son dévouement. C'est machinalement qu'il se laissa ballotter vers la sortie par le groupe des passagers pressés. La place d'Youville, la rue St-Jean! Il était à deux pas de chez lui. Devant ses yeux, passa l'image de sa mère, qui ne l'attendait pas, et qui serait figée par la surprise et par la joie. Il dirait: « Je reviens pour de bon, maman! » Et ce serait tout. Il rangerait ses affaires et la vie continuerait, heureuse, qui le verrait, le soir, étudiant près de sa mère vieillissante et, le jour, courant à cet *Institut populaire* où, avec le Père Martel, il jetterait les bases d'une éducation nouvelle.

La vitrine d'un fleuriste arrêta son regard maintenant avide. Pourquoi pas? Il n'avait jamais acheté de fleurs à sa mère. Il entra et commanda une douzaine de roses. Comme il allait mettre la boîte sous son bras, il vit une formule de carte mortuaire et sa gorge se serra. A nouveau sa joie s'asséchait et tournait en angoisse à l'évocation du cimetière où madame Boisseau reposait. Eût-il été seul dans cette boutique, il eût pleuré.

Mais en lui, et pour la première fois depuis le soir du drame, il sentit comme une multitude de mains qui se levaient pour défendre la vacillante espérance qui venait illuminer son avenir. N'était-il pas temps qu'il cessât de se laisser tirer sans résistance vers l'abîme? Il ne l'avait pas voulue, cette mort! Pour rentrer en possession de tous ses moyens, pour se livrer au bonheur et à l'apostolat qui s'offraient à lui, ne se devait-il pas de se débarrasser de tous ses mauvais souvenirs, en les payant comme de vieilles dettes, en les circonvenant comme des ennemis ennuyeux?

Il acheta des fleurs pour la tombe de madame Boisseau, il acheta des fleurs pour madame Savard qu'il n'avait pu protéger et qui l'avait traité de voyou. Les trois boîtes sous le bras, il héla un taxi. « Au cimetière Belmont! » ordonna-t-il. Après avoir calmé sa conscience au sujet des deux vieilles femmes, il pourrait se livrer à la joie de serrer sa mère dans ses bras.

Cette recherche de la pierre tombale des Boisseau, alors que ses pieds s'enfonçaient dans les flaques d'eau des allées et que son œil angoissé s'égarait dans le spectacle de toutes ces têtes de croix enfoncées dans la neige épaisse et lourde, lui rappela la promenade qu'il avait faite, enfant, par bravade, dans l'obscurité, au cimetière voisin. Ses jambes étaient aussi molles, son cœur battait au même rythme terrifié. Il faisait pourtant un soleil radieux, il avait vingt ans et il apportait des fleurs sur la tombe d'une vieille morte. Son œil anxieux exagérait tous les détails. Un mausolée lui apparut comme la prison où il eût pu être enfermé, et une gouttelette qui tombait du *INRI* d'une croix lui apparut comme une grosse larme. Il suivait prudemment les indications que lui avait fournies le gardien du cimetière, et il se trouva soudain devant la pierre tombale tant redoutée. Il serra la mâchoire pour ne pas constater que ses dents étaient sur le point de claquer. Son regard furtif fouilla hâtivement les alentours. Puis il tomba à genoux une seconde en priant ardemment, de toute son âme: « Madame, redonnez-moi la paix! Je vous en supplie! »

Mais quelqu'un pouvait le voir, se poserait des questions? Pourquoi avoir obéi sans réfléchir à l'impulsion qui l'avait précipité ici? Ses angoisses premières, alors qu'il prenait tout venant pour un policier déguisé, l'assaillaient à nouveau. Il n'aurait jamais dû venir à ce cimetière. Il s'y sentait aussi traqué que les premiers jours après le drame. Ses yeux exorbités semblaient fascinés par la neige épaisse qui recouvrait le tertre, comme s'ils eussent appréhendé de la voir s'ouvrir tel un linceul pour laisser sortir le squelette accusateur. Pierre esquissa le geste de laisser tomber la boîte de fleurs, mais son regard méfiant ne décela aucune gerbe de fleurs près des croix environnantes. Si les Letellier découvraient ces roses solitaires, ils institueraient une enquête! Qui, et pour quels motifs, était venu déposer des roses sur cette tombe, l'hiver? L'enquêteur découvrirait le fleuriste, qui se rappellerait Pierre, ce jeune homme étrange qui avait acheté trois boîtes de roses!

Et soudain, sans que sa volonté y eût été pour rien, ses jambes, dans une course folle, se mirent à emporter ce corps moite, cette tête atterrée, vers la sortie du cimetière, et le balancement des boîtes au bout de ses bras le faisait ressembler à un vigoureux épouvantail. Le gardien du cimetière se dit, en le voyant fuir, qu'il avait eu raison de trouver des allures de détraqué à ce jeune original.

Pierre, épuisé, l'air égaré, était affalé au milieu de ses boîtes dans le taxi qui le ramenait en ville. Machinalement, il avait donné l'adresse de M. Savard, car les numéros et les noms de rues étaient les seuls points de repère auxquels son intelligence pouvait s'accrocher. Il n'était pas honteux, il ne se disait pas: « Pierre Boisjoly, tu es un lâche, ou au moins, tu aurais dû réfléchir avant d'acheter ces fleurs. » Il n'était qu'un pauvre enfant encore aux prises avec les derniers tressaillements d'une peur affreuse. Il ne pensait à rien, il portait attention, sidéré, à cette terreur qui se retirait graduellement de son être à mesure que le taxi s'éloignait du cimetière. Ses oreilles bourdonnaient.

Il était maintenant debout, immobile, devant l'escalier des Savard. Le taxi démarra et Pierre ne se retourna pas pour tromper la terreur lucide qui le regagnait. Il resta ainsi plusieurs secondes.

Que faisait-il ici? N'était-ce pas aussi bête d'essayer de prouver à madame Savard qu'il n'était pas un voyou, en lui apportant ces fleurs, que d'avoir couru au cimetière? Une colère subite le prit contre tous ses remords. Il sortit de sa poche la coupure de journal concernant les funérailles de madame Boisseau et la déchira. Il lui faudrait apprendre à haïr ses remords. Peut-être s'en débarrasserait-il un jour? Il donnerait toutes ces fleurs à sa mère. Alors il se fit une observation qui le rasséréna un peu par son bon sens: « Trente-six roses, c'est beaucoup. » Un sourire détendit ses lèvres et il fut si émerveillé du baume qu'il répandait sur sa fièvre qu'il le garda là, figé, pendant tout le trajet qu'il suivit pour atteindre le logement de sa mère, un sourire auquel les trois boîtes de fleurs donnaient un air idiot.

Il esquissa le geste de frapper à la porte, mais se ravisa afin de mieux surprendre cette chère maman, dans les bras de qui il se précipiterait. Il n'avait jamais fait un geste comme celui qu'il ferait aujourd'hui. Ils ne se diraient pas grand-chose; lui, se bercerait doucement dans la chaise qui craquait, et se roulerait tranquillement une cigarette, tandis que sa mère disposerait les roses près des fenêtres. Il poussa la porte, fit trois pas dans la cuisine, puis le spectacle qu'il aperçut le désempara tellement, qu'il laissa échapper une des boîtes de roses. Un homme aux rares cheveux gris, à la barbe longue, en bretelles, tenait sa mère par la taille et la faisait rire comme si elle eût été sa femme. Au bruit que fit la boîte en tombant sur le plancher, madame Boisjoly se retourna, puis balbutia en pâlissant, ne parvenant pas à dire « Pierre! » Il sourit timidement et ramassa sa boîte. Il ne tendait pas les bras, il répétait comme un disque brisé:

— J'ai décidé de revenir en ville... J'ai décidé de revenir en ville...

Sa mère avait du rouge aux lèvres et ses cheveux étaient soigneusement ramassés en chignon. Il ne l'avait jamais vue ainsi. Elle ne s'avançait pas vers lui, un sourire embarrassé décollait mal ses lèvres, mais ses yeux étaient mouillés.

— Tu connais pas monsieur Charles, bien entendu. Pour aider à payer le loyer, je l'ai pris comme pensionnaire. Y... s'est installé dans ta chambre, bien entendu.

— Ah! c'est ton garçon, celui que tu me parles souvent, le gars des bois? Bonjour, mon jeune ami.

Il tendait une main joviale à Pierre qui la serra machinalement en l'examinant comme un membre étrange. Puis enfin, Pierre sortit de son hébétude et repoussa cette main avec colère. Ils se tutoyaient! Cet intrus prenait la taille de sa mère, occupait la chambrette de séminariste! Et la reproduction du Christ de Goya, arrachée du mur, probablement!

— Donne-moi ta valise, mon Pierrot, tu coucheras avec Joseph en attendant. Pourquoi que tu vas pas faire ta marche, Monsieur Charles, pour que je jase avec Pierrot?

Pierre sentit son cœur lourd à la pensée des explications qu'il recevrait, qui le replongeraient dans un monde duquel il s'était retiré tout enfant et qui ne feraient que lui rendre sa mère plus étrangère. Il s'était toujours senti lancé comme un bolide vers une destinée extraordinaire, pendant que sa mère et son frère Joseph, le pompier, croupissaient dans une stagnation sans issue. Un autre être les avait rejoints dans ce marais. Pierre parla précipitamment:

— Non, maman, je venais juste te dire bonjour. J'ai des gens à rencontrer dans quelques minutes. Quant à la chambre ne t'en fais pas je m'arrangerai. Je reviendrai cet après-midi, ou demain. Bonjour.

Il se retrouva sur le trottoir, marchant vite, en poussant des soupirs saccadés. Sa mère était restée immobile, impuissante à le retenir, malgré les deux larmes qui avaient débordé sur ses vieilles joues. Le regard de Pierre avait tenté d'éviter ces larmes, et il essayait de les nier, mais impossible d'oublier cette fraction de seconde où il avait vu ces gros yeux bêtes se crever et s'obscurcir. Il lui fallait retourner, la prendre dans ses bras, cette fois. Au nom de quelle fidélité, la jalousie le torturait-elle? N'avait-il pas décidé d'abandonner sa mère pour toujours quand il avait résolu de devenir prêtre, ou quand il s'était enfui, dans les bois? Puisqu'il avait rêvé, pour lui-même, d'une destinée magnifique, sa mère n'avait-elle pas au moins droit à un monsieur Charles? La vision de cet homme qui serrait sa mère par la taille et la reproduction du Christ de Goya qu'il imaginait arrachée du mur chassèrent son émotion.

Il s'immobilisa et, d'un regard dur, examina les boîtes de fleurs. Une poubelle béante s'offrait à sa vue. Personne aux alentours. Il lança les fleurs dans la poubelle et regarda ses mains.

Il empoigna sa valise et marcha au hasard, en proie à un affolement croissant. Où jeter l'ancre? Tous les quais le refusaient. Et il lui restait au moins quarante ans à vivre! *L'Institut!* L'abbé Lippé avait recommandé la visite au Père Martel pour l'après-midi. Pierre mit une main nerveuse dans sa poche et tâta la lettre de recommandation. Toute attente devenait intolérable. Il irait voir ce religieux immédiatement. Il lui fallait connaître la fin de cette crise au plus vite, ne pas interrompre le rythme des événements qui, depuis hier, l'emportaient dans leur étrange ronde.

L'Institut était situé dans le Quartier Latin, dans une maison de pension désaffectée, avait dit l'abbé Lippé. Machinalement, ses pas le dirigèrent vers cette rue Couillard vieillotte où il avait rencontré Denis Boucher pour la première fois. Il rebroussa chemin et remonta vers l'Université par la rue des Remparts.

Il découvrit enfin la maison. Dans la vitre de la porte branlante du vieil édifice, se découpaient, en lettres blanches, peintes à la hâte: *Institut populaire des Sciences politiques, Père Martel.* Et en lettres minuscules: *cours l'après-midi et le soir seulement.* En ouvrant la porte, il se trouva immédiatement dans un couloir au plancher usé et bosselé de nœuds.

— Pour vous, jeune homme?

— Pierre sursauta et aperçut à droite, dans une chambrette tant bien que mal transformée en bureau, d'abord les pieds nus chaussés de sandales, puis le corps décharné du franciscain penché sur une table de cuisine défraîchie et débordante de paperasses, que de longs doigts nerveux semblaient en train de mettre en ordre sans toutefois y parvenir, tant le fouillis était complet. Les yeux du Père étaient si clairs et si vifs qu'ils semblaient faire rutiler sa barbe rousse taillée en pointe au menton. Les cheveux coupés en brosse, le front large et carré, l'agitation continuelle qui faisait frémir les traits et semblait projeter le corps d'un objet à un autre, indiquaient un homme d'action encombré par les idées.

— Père Martel?

— Oui.

Le franciscain n'enleva pas sa pipe et continua de fouiller dans ses papiers.

— Si vous êtes un nouvel élève, je ne sais vraiment pas où vous fourrer. Nous n'avons pas assez de chaises, les étudiants se servent des murs comme appui pour prendre des notes et nous ne sommes que deux professeurs.

— Pierre eut un sourire de dénégation et lui présenta la lettre de l'abbé Lippé.

— Je suis un ancien élève de l'abbé Lippé, qui m'a demandé de vous remettre ceci.

— Ah!

Le père Martel déchira l'enveloppe et se mit à lire la lettre qu'il jeta ensuite sur son bureau. Il bourra sa pipe et caressa sa barbiche en posant sur Pierre un long regard limpide.

— Ainsi vous êtes pauvre?

— Oui.

— Vous êtes tout frais sorti de la forêt où vous avez servi comme bûcheron?

— Oui.

— Je ne peux pas vous prendre.

Pierre n'était pas surpris. Une déception ou une autre, qu'importait? C'était toujours comme ça, depuis très loin dans son enfance. Il s'excusa d'un haussement d'épaules et murmura un « merci » étouffé. Son front était devenu très moite. Il se dirigea vers la porte.

— Attendez!

Le Père Martel l'avait devancé et lui barrait le chemin en gesticulant.

— Attendez que je vous explique, au moins. Pourtant c'est de vous que j'ai besoin. Mais je ne peux pas prendre ce risque, du moins à ce moment-ci. Voyez cet édifice, croyez-vous que je l'aie loué avec l'argent des missions? C'est la banque qui m'a prêté les fonds, sur la force de mon projet et sur la garantie d'un ami, naturellement. Mais depuis la fondation de cet institut, je suis l'objet d'attaques et de toutes sortes de menées. Même l'Université ne me voit pas d'un très bon œil. L'abbé Lippé a dû vous expliquer. Entre toutes les rumeurs qui courent au sujet de mon enseignement, il en est une qui laisse entendre que plusieurs de mes élèves sont des sympathisants ou même des membres du parti communiste, et même que mes cours sont plutôt de nature à convertir au marxisme les esprits vierges, qu'à cimenter leur cuirasse démocratique. La banque n'aime ni ces rumeurs ni le marxisme. Alors vous comprenez, je suis sur le point d'être forcé de rembourser le prêt qu'on m'a fait.

Le Père Martel, s'exprimant avec volubilité et force gestes, avait, tout en parlant, tiré Pierre par la manche et l'avait fait asseoir dans son bureau. Il se croisa les bras en se penchant sur lui.

— Si je vous prends comme secrétaire, on dira immédiatement: « Voyez, il va chercher ses acolytes dans le prolétariat, il s'entoure de jeunes gens intelligents que la pauvreté a aigris. » Ah! si vous étiez fils d'une famille de qui on pourrait dire qu'elle est du « bon côté. »

— Alors je reviendrai quand je serai riche!

Pierre avait dit cela comme un automate, avec un enthousiasme mécanique. Il s'était levé brusquement, le défi plein les yeux.

— Bonjour, Père, à bientôt, ou à jamais.

Le Père Martel, perplexe, suivit cet étrange jeune homme jusque dans le vestibule. Pierre, la tête penchée, marchait vite. Il se sentait puissant, et c'était tout. Aucune pensée, aucun souvenir ne traversait son esprit. Ses yeux étaient dilatés par l'exaltation et sa cervelle, si floue depuis tant de semaines, se figeait de détermination en un cube dur dont il sentait les arêtes aux quatre coins de son front.

Il longea à ce moment le parc Montmorency hérissé de canons et surplombant le port, le parc Montmorency désert. Il courut plutôt qu'il ne marcha à un des bancs vides, et s'y affala, épuisé par la crise de désespoir qui, à son paroxysme, avait fait de lui ce robot déterminé. Un sanglot profond monta de ses entrailles et l'étouffa. Puis, la figure enfouie dans ses bras, il se mit à pleurer comme une gosse en gémissant: « Maman! »

Une longue main blanche, aux poils roux, jaillit d'une ample manche brune et se posa sur sa nuque.

— Petit!

Le Père Martel essayait de lui relever la tête et Pierre frottait rageusement son visage contre ses bras pour cacher la trace de ses larmes.

— Petit! J'ai réfléchi. Je te prends. T'as compris? Alors viens. Viens!

O lumière! O miracle! O Dieu!

V

C'est à midi juste que le Père Martel renvoya Pierre en lui donnant rendez-vous pour l'après-midi. Les deux heures qui suivirent s'intercalèrent comme une période de sieste dans son épuisante aventure. Il dîna rapidement à un *comptoir-lunch* et se mit à la recherche d'une chambre qu'il trouva immédiatement dès qu'il eût levé les yeux vers une porte de la rue du Parloir.

Il se rasa rapidement sans se couper, s'étendit sur le lit, et commença de fredonner *le Cor*. Au lieu de passer en revue les événements qui le bousculaient depuis la veille, son esprit dans l'allégresse fit un long saut vers le passé et retrouva un de ces moments où, devant l'auditoire du Petit Séminaire, il faisait résonner sa voix de basse.

Puis l'heure du rendez-vous arriva et c'est en sifflant

qu'il enfila d'un pas long et victorieux la rue tortueuse du Quartier Latin qui menait à *l'Institut*.

Le Père Martel, les deux pieds sur le bureau et renversé dans une chaise à bascule, examinait un document. Pierre toussa. Le franciscain abaissa le document et retira ses pieds.

— Tiens, ça commence bien. Voici le compte de l'électricité. Vingt-deux dollars. Nous n'avons pas un sou en caisse. Vous vous arrangerez pour régler.

Pierre sourit et exhiba la liasse de billets de banque qui bourraient sa poche arrière. Intéressé, le Père Martel retira sa pipe et contempla Pierre qui, imperturbable, comptait les vingt-deux dollars.

— En auriez-vous encore deux mille, par hasard? C'est le montant du premier versement à faire à la banque dans deux semaines.

Honteux, Pierre avoua qu'il avait à peine cinq cents dollars, mais le Père Martel rit de si bon cœur en s'avouant lui-même incapable de payer un salaire à Pierre que celui-ci joignit son éclat de rire joyeux à celui du franciscain. Puis le front du Père se plissa et il alluma sa pipe.

— Maintenant, parlons de choses sérieuses et pressantes.

Il se leva, poussa le guichet ouvert sur la rue et ferma la porte après avoir jeté un regard circonspect dans le corridor.

Il revint à son pupitre et s'y accouda en braquant sur Pierre un regard perçant.

— C'est triste à dire, mais depuis que j'ai fondé cette école, j'ai découvert que le plus vrai des lieux communs, c'est: « Les murs ont des oreilles. » Pierre Boisjoly, avez-vous peur des problèmes malpropres?

— Je n'ai peur de rien, dit Pierre d'un ton bref, les yeux rivés sur cet homme si roux dans sa robe brune qu'il semblait prêt de flamber.

— Bien. Vous serez donc servi. Pour aujourd'hui, je ne vous parlerai pas en détail de notre programme d'études. Nous avons à faire face à des difficultés plus pressantes. Cette histoire de grève organisée par les communistes que vous m'avez racontée, votre connaissance de Karl Marx, votre solide formation et votre intelligence, qui m'apparaît très vive, me dispensent de vous apprendre une foule de choses que vous emmagasinerez à mesure que vous ramerez dans cette galère. Pierre, je suis persécuté. Je suis persécuté d'une façon si concertée et si vulgaire, que je me demande si je vais pouvoir tenir le coup.

Au lieu d'être atterré par cet aveu, Pierre en fut presque heureux. Les mâchoires serrées il dit, comme s'il eût prononcé un serment:

— Je me charge d'écraser vos détracteurs!

— Pas si vite, jeune homme, ce n'est pas facile. Ils sont puissants et nombreux, fit le franciscain en agitant une main lasse.

Puis il se mit à examiner Pierre qui, devant le doute du Père, durcissait ses muscles et cambrait tout son corps de défi.

— Savez-vous qui vous me rappelez, Pierre Boisjoly? Un de ces farouches nazis que la défaite n'a pas attiédi. J'en ai connu quelques-uns en Allemagne. Ils sont un peu comme des lions qui essaient de mordre des blocs de pierre. Cette ferveur est admirable, mais elle ne mène à rien. Je veux qu'on soit très fervent, mais aussi très habile.

Il n'y a pas que les nazis qui aiment se battre et vaincre! s'impatienta Pierre, piqué.

Le père Martel ne sembla pas remarquer son impatience et demanda à brûle-pourpoint:

— Alors, c'est pour une autre raison que mon refus que vous pleuriez, ce midi?

Pierre baissa la tête:

— Certainement, mais un peu à cause de votre refus. J'ai besoin d'une raison de vivre.

— J'aime ça. Nous allons bien nous entendre.

Le Père marcha vers la porte, jeta un nouveau coup d'œil dans le corridor et revint à son bureau dont il ouvrit un tiroir. Il en tira une pancarte qu'il présenta à Pierre.

— Regardez. Depuis une semaine, des fantômes accrochent aux poteaux téléphoniques du quartier, aux portes de l'Université, et j'en ai trouvé même épinglées à la porte de cette chambre, ces caricatures obscènes et sacrilèges où, naturellement, je suis le personnage central.

Pierre, scandalisé, et par respect pour le Père Martel, retira immédiatement son regard du dessin qui représentait le franciscain, peint en rouge et dont la barbe, exagérément longue, s'élançait, hirsute, comme les flammes d'un feu ardent. Il donnait à baiser, à des ouvriers agenouillés qui ressemblaient à Staline, une croix tordue en forme de faucille et de marteau.

— C'est épouvantable! mon Père.

— Oui, c'est épouvantable! éclata le franciscain, mais ce qui est plus épouvantable encore, c'est que les fantômes continuent d'afficher ces pancartes un peu toutes dessinées dans le même style, et personne ne les arrête. Je me suis plaint au procureur général, je me suis replaint, mais il me répond poliment que ses hommes recherchent les coupables, mais sans succès. Ce sont des fantômes, probablement. A l'Université, on s'indigne, au Département du procureur, on s'indigne, je m'indigne, mais le crime continue! Mes supérieurs, qui mettent en moi une confiance sans limite, commencent à s'inquiéter de ces scandales et des pressions qu'on exerce sur eux pour que j'abandonne la partie.

Le corps du franciscain frémissait d'une extraordinaire violence. Sa main accrocha la croix pendue à sa poitrine. Puis il se calma en la caressant doucement. Pierre détourna son regard qui tomba à nouveau sur la caricature.

— Evidemment, mon enseignement peut prêter à discussion, reprenait le franciscain d'une voix contenue. Je suis convaincu que parmi les ouvriers qui suivent mes cours du soir, il y en a au moins deux qui sont membres du parti communiste. Je reconnais sous leurs questions posées d'un ton innocent, les « colles » élémentaires du marxisme. Mais, Seigneur, qu'on me laisse le temps d'organiser mes cadres, de faire mon choix d'élèves! Dites-moi, Pierre, soyez franc ! Ne croyez-vous pas qu'à cette époque où l'on se réclame des principes politiques pour faire les guerres, il nous faille instruire les gens de ces principes et les leur enseigner dans leur vraie lumière ?

— Je le crois, dit Pierre, et je m'en vais voir cet après-midi le procureur général. Car, si je comprends bien, fit-il en se levant, le gouvernement ferme volontairement les yeux sur cette persécution, tout en la déplorant.

— Hé ! Hé ! Pas si vite ! Vous prenez feu rapidement ! Qu'allez-vous dire au procureur général ? Que vous avez inventé les boutons à quatre trous ? Il va vous mettre gentiment à la porte et cette persécution ira de mal en pis.

Pierre joua un instant avec la poignée de la porte. Il vibrait d'impatience.

— Je ne sais encore ce que je lui dirai. Mais je suis sûr que j'inventerai quelque chose de plus que les boutons à quatre trous. Faites-moi confiance. C'est moi qui vous sauverai.

Toujours la même soif de se jeter sur le difficile l'animait.

Pierre, en entrant dans les bureaux du gouvernement, ne pensait pas plus à ce qu'il allait dire au procureur général qu'il ne voyait les géants casqués de blanc de la police provinciale, en faction près des grandes portes de l'entrée centrale. « Comme dans un film », songeait-il. Hier affolé devant un chevreuil mort, et à cette heure courant presque sur le procureur général pour lui demander justice pour un *Institut populaire des Sciences politiques*. Tout se passait, s'enchaînait, comme si Quelqu'un eût arrangé d'avance les péripéties.

Puis son enthousiasme tomba. Ne répétait-il pas la bêtise de sa course au cimetière ? Il se mit à penser au Père Martel et s'étonna que leur entrevue n'eût pas duré plus longtemps, qu'il l'eût connu si peu et qu'immédiatement, à la seule mention du procureur général, il eût sauté sur ses pieds et couru ici. N'aurait-il pas dû attendre quelques jours, approfondir davantage les problèmes de *l'Institut?* Qu'en connaissait-il de plus que ce que la tirade de l'abbé Lippé et ce que les quelques explications du Père Martel lui en avaient appris? Comme c'était étrange, tout cela!

Soudain un doute qui jaillit comme une flèche du fond de ses entrailles le fit pâlir. N'était-ce pas la justice immanente qui, lassée de le voir impuni et presque débarrassé de tout remords, s'était décidée à agir et, pour satisfaire à certaines exigences naturelles, le soumettait pour la forme à une rapide série d'événements qui le déposaient finalement devant le bureau du grand justicier de la province? Il se vit arrêté, pendu. Pierre le Magnifique.

— Vous désirez?

Le portier du département du procureur général lui barrait le chemin. Pierre, d'une voix blanche, mais solennelle, dit:

— Je suis le secrétaire du Père Martel, de *l'Institut populaire des Sciences politiques.* Je voudrais voir immédiatement le procureur général. C'est très grave.

L'homme disparut derrière une haute porte à boiserie de chêne. Pierre avait fermé les yeux. Si son appréhension était justifiée, ne s'agirait-il pas pour lui, maintenant, de finir en beauté? Qu'ils seraient peu à plaindre, auprès de lui, les malheureux qu'il avait connus! Sa mère, madame Savard, Willie Savard. Eux, au moins, ils étaient vieux, ils avaient eu la chance d'être grands, à un certain moment de leur vie, et ils ne mourraient pas sur le gibet. Le portier boiteux, à l'habit noir verdâtre, se penchait devant lui et accompagnait sa courbette moqueuse d'un sourire obséquieux:

— Monsieur le secrétaire, l'honorable procureur vous attend. Entrez, je vous prie.

Cette courbette, ce sourire excitèrent son angoisse. Il tenta de bomber le torse. Ses épaules se redressèrent à peine, comme si, décharné soudain, il eût commandé à des muscles fondus. Ses pieds s'enfoncèrent dans le tapis pourpre de la pièce majestueuse, au milieu de laquelle luisait le long bureau d'acajou. Le procureur général, faisant tourner un coupe-papier d'or entre ses doigts, le regardait approcher avec une curiosité joyeuse. Puis il se leva brusquement et s'avança rapidement vers Pierre qui s'immobilisa. L'accusation allait-elle être prononcée?

— Monsieur, je vous en prie. Prenez ce fauteuil.

Hésitant, Pierre se pliait, touchait au fauteuil. Pourtant non, on le traitait avec déférence? Le procureur, un homme de haute stature, mis élégamment dans un complet bleu marine, incarna un instant aux yeux de Pierre l'image de la justice humaine. Des cheveux blancs et une moustache aux reflets bleutés rehaussaient la distinction joviale de son visage sans ride.

— Alors, fit le procureur en se rasseyant avec une désinvolture gaiement contenue, *l'Institut* prend de l'essor et se paie un secrétaire?

Pierre pinça les lèvres pour cacher à cet homme le long soupir d'allégresse qui vidait ses poumons. Sa folle imagination l'avait troublé en vain. Personne ici ne l'accusait! Comme il se ressaisissait vite, et quelle faculté il avait en une seconde de se dépêtrer de la plus profonde angoisse pour vibrer d'énergie au point que sa ferveur se teintait d'arrogance.

— Je ne suis pas payé! Monsieur le procureur.

— Ah! fit le procureur en éclatant d'un rire franc. Ça me surprend toujours, ces choses-là. D'ailleurs, avec les histoires de Karl Marx, c'est comme ça, ça ne paie pas.

L'oreille de Pierre jouissait encore de l'énergique netteté avec laquelle il avait lancé son « Je ne suis pas payé! » Sa réponse fusa:

— Avec le Christ non plus, ça ne payait pas!

Pierre rougit aussitôt et, embarrassé, s'inquiéta de l'attitude piquée qu'il avait déclenchée chez le procureur qui ripostait vivement:

— Alors, vous l'admettez, il a des tendances communistes, votre fameux *Institut?*

— Je n'ai jamais dit ça, protesta Pierre avec véhémence.

— Assez de cette enfantine discussion! coupa le procureur. Allons, que me veut votre patron?

— C'est à propos des fameuses caricatures. La chose s'est répétée encore hier soir. On en a accroché une vingtaine dans tout le Quartier Latin.

L'air renfrogné, le procureur ouvrait un dossier d'une main brusque.

— Vous direz au Père Martel que mes hommes travaillent sans relâche à trouver les coupables, qui doivent être très habiles, car nos meilleurs limiers n'ont pas encore trouvé de pistes.

Pierre se levait et sans se rendre compte de son audace, fouillait le procureur imperturbable d'un regard rageur et sa bouche esquissait une moue de mépris. Il commença d'une voix très douce qui se durcit et devint tranchante au bout de quelques mots.

— Quelle farce! Le zèle de vos limiers, permettez-moi d'en douter. Il se commet des crimes qui passent pour des morts naturelles, il se distribue des caricatures sacrilèges contre un franciscain et la police n'arrête personne.

— Dites donc, jeune homme! Que voulez-vous insinuer au juste?

Le procureur avait refermé le dossier et, rouge de colère, avait frappé le bureau de son poing satiné.

Pierre se sentait très fort, tout à coup, heureux de faire face à cet homme important et de n'en être pas intimidé. Il parla lentement:

— Je dis ce que je dis, Monsieur le procureur. Et de plus, je suis venu ici pour vous avertir que si vos limiers ne peuvent trouver les coupables, moi je m'en chargerai. Avec votre permission, je vous les amènerai ici, au pied de votre pupitre d'acajou.

Le procureur, oscillant entre la colère et l'étonnement, ouvrit une bouche bée. Puis ses yeux brillèrent et il prit le parti de rire, en pointant vers Pierre un index interrogateur:

— Certainement, je vous donne la permission. Il vous faudra un camion, car je pense qu'ils sont plusieurs. Avez-vous un camion?

Pierre montra ses mains:

— Ceci sera probablement suffisant. Merci de l'autorisation. Je m'occupe de la chose tout de suite. Permettez-moi de me retirer.

— Attendez!

Le procureur venait vers lui, la tête tendue par la curiosité.

— Dites-moi, jeune homme, quel âge avez-vous?

— Vingt ans.

— Je m'en doutais un peu. Et votre nom? Il me semble vous avoir vu quelque part?

La gorge de Pierre s'asséchait. Le grand justicier avait-il joué avec lui jusqu'à la fin? La photo, les empreintes de Pierre Boisjoly devaient être dans les dossiers du Département.

— Mon nom ne vous dira rien. Pierre Boisjoly.

Sous les yeux angoissés de Pierre, le procureur se caressait le menton pendant que son regard fouillait sa mémoire. Puis, tendu par la curiosité:

— Par hasard, ne seriez-vous pas ce Pierre Boisjoly, arrivé premier au Séminaire l'an passé, qui avait une vocation religieuse et qui soudain disparut de la circulation?

Pierre trouva la force de murmurer:

— Oui... c'est moi.

Le procureur l'examina longuement et dit d'un ton qui parut à Pierre solennel comme une sentence:

— Je suis l'oncle d'Yvon Letellier.

— Vous?

— Vous ne le saviez donc pas?

— Oui, en effet, je me rappelle, maintenant! bafouilla Pierre, suffoqué de terreur.

Comme la Providence l'avait savamment guidé vers cet homme! Et cela s'était déroulé vite: vingt-quatre heures. Il se rappelait maintenant: au Séminaire on respectait beaucoup l'arrogant Yvon à cause d'un poste important qu'occupait un de ses parents dans le gouvernement. Mais Pierre, à l'époque, possédé par la magie de sa vocation religieuse, n'avait pas porté beaucoup d'attention à cette célèbre parenté de son adversaire. Et maintenant, atterré par cette découverte, il n'avait pas la force de se lever.

— Je ne le savais pas. Excusez-moi.

Pierre baissa la tête. « Quel étrange garçon! » se disait le procureur, de plus en plus intrigué. Ainsi, il était devant lui le vainqueur d'Yvon, cet élève doué de génie selon sa belle-sœur Huguette Letellier. En fait, Yvon était très habile, une brillante carrière politique l'attendait. Mais il lisait trop de livres européens, compliquait trop les données du problème canadien-français. Huguette avait mal élevé cet enfant. Yvon deviendrait quelqu'un, mais sous l'égide de son oncle, le procureur général. Et voilà que, par un étrange concours de circonstances, le brillant fils de la femme de peine se tenait devant lui et demandait des comptes au nom de cet *Institut*. Au fait, il faudrait pour l'instant lui rabaisser le caquet, lui servir une bonne leçon. Une lueur malicieuse brûla soudain le regard du procureur:

— Vous pouvez disposer... Qu'est-ce que vous attendez?

Pierre se leva brusquement, marcha, étonné, vers la porte, en saluant timidement le procureur. Celui-ci ne bougeait pas, mais son front se plissait. Cet enfant déterminé pouvait devenir dangereux. Il faudrait y voir.

— Dites donc, jeune homme. Un conseil avant de partir. Ne perdez donc pas votre temps dans cette galère, aux côtés d'un maniaque à lubies politiques. Qu'avons-nous besoin de toutes ces histoires? Ne sommes-nous pas un peuple heureux, prospère? Ne tombez pas dans le piège de ces éducateurs en mal de nouveautés, qui veulent transporter ici les problèmes européens. Rappelez-vous bien ces paroles. Il y a tellement d'avenir pour un jeune homme comme vous, dans notre pays, que c'est triste de vous voir ainsi vous tromper. Au revoir.

Pierre se retrouva dans l'antichambre. Il crut se donner un élan pour rejoindre le corridor. C'était comme en rêve: les jambes, en ouate, n'obéissaient pas. Comme ce corridor était long et comme il paraissait étroit! Au point que Pierre avait l'impression de se frayer un chemin vers la sortie entre deux murs qui le coinçaient.

Enfin dehors! La vie, le printemps, la liberté et le joyeux flic flac des pas dans la neige fondante. Il s'agissait pour lui de ne pas se laisser abattre, mais de foncer sans regarder en arrière. La défaite acceptée coupe court aux développements intéressants, la lutte, même désespérée, débouche souvent sur un dénouement inattendu. L'air printanier, le bruit qui montait des rues, le spectacle des vieilles maisons commencèrent de calmer sa fièvre et de transformer sa fébrilité en réflexions lucides. D'abord il n'avait pas tué madame Boisseau. Bien entendu. Mais qui le croirait? Pourquoi ne pas aller avouer cet accident et ainsi libérer sa vie de l'étreinte qui en étranglait chaque minute? Avouer, c'est un acte de moribond ou de lâche. Il ne lui resterait qu'à purger béatement toute sa vie le châtiment que d'autres lui imposeraient pour sa complicité dans cette affaire. Tandis qu'en taisant son secret, il pouvait accumuler assez de grandes actions durant ces longues années à venir pour confondre, quand le grand moment de la condamnation officielle viendrait, ceux qui le jugeraient. Ne pas avouer, c'était plus difficile. Cette idée le fouetta. Il se battrait contre tous, contre le procureur général surtout, parce que ce dernier était la grande menace.

Tout compte fait, il était comblé, puisque chaque moment de sa vie était intense. Il se frotta les mains. Si le procureur était de connivence avec les distributeurs de pancartes, il les mettrait en garde contre lui, jeune Sherlock Holmes un peu idiot sans doute, selon le procureur. Cette idée fit sourire Pierre. « Je vais lui prouver de quel bois je me chauffe. » Il s'avoua qu'il était allé un peu loin en promettant d'amener les coupables au pied du bureau d'acajou. Il était bon qu'on le crût un peu bête. Il pourrait déjouer tout le monde plus facilement. Pierre apprenait bien son rôle d'homme traqué. Il se retourna brusquement pour surprendre de possibles espions et fit de savants détours pour les dépister. Il entra furtivement à *l'Institut* par la porte de service et se faufila dans le bureau du Père Martel.

— Dis donc, es-tu poursuivi?

— Chut!... dit Pierre. Pas de bruit! Il ne faut pas qu'on sache que je suis ici!

A voix basse, il raconta rapidement sa visite au procureur en omettant l'aspect qu'il se rappelait le mieux, et conclut:

— Ils sont de connivence, c'est sûr, et le procureur avertit en ce moment ses complices de mes menaces. Il me faudra opérer sans être vu. Car, et j'en ai une extraordinaire intuition, les coupables sont dans la bergerie. Ils suivent vos cours. Ceux du jour, ceux du soir, je ne sais pas. Il me faudrait trouver un endroit d'où je pourrai les observer sans être vu, et cela dès ce soir. Jusqu'à nouvel ordre donc, mon Père, vos élèves ignorent que vous avez un secrétaire. Personne m'a vu. Ça marche?

Le Père Martel faisait tourner ses pouces et l'écoutait avec un sourire miséricordieux.

— Enfant, enfant!

— Il faut me croire! cria Pierre.

VI

Pierre crut qu'il allait éternuer, mais réussit à se contenir. Il eût pu se poster dans une chambre attenante à la salle des cours, pour observer les élèves sans être vu. Mais cette tactique élémentaire ne cadrait pas avec le formidable complot auquel il s'efforçait de croire. Il était monté au grenier surplombant la salle des cours et, accroupi dans des détritus de plâtre, le nez chatouillé par les fils d'araignée, la bouche âcre de poussière, il collait tantôt l'œil droit, tantôt l'œil gauche, dans une fente du plafond craquelé d'où il apercevait toute la salle et les quarante élèves. Il releva la tête, se frotta le nez puis sourit, acceptant de bonne grâce le ridicule de sa situation. Si les coupables étaient sous lui, qu'importait qu'ils connussent ou non son visage? Et comment pouvait-il mieux les identifier du grenier qu'ailleurs? Pierre se répondait qu'il valait mieux faire face à l'inconnu avec de petits moyens habillés de mystère, que de lui tourner le dos au nom du bon sens, qui ferme tant d'horizons. On ne sait jamais ce que ça peut donner! Il ne s'avouait pas cependant qu'il décuplait les dimensions de cette aventure afin de contenir sa véritable angoisse qui, depuis sa visite au procureur général, menaçait de l'envahir comme une syncope.

Il recolla son œil à la fissure. Le Père Martel frappait le tableau d'une longue règle, parlait du profit. Quelques élèves étaient chauves. Les uns, des employés de bureau probablement, qui avaient dû se ranger du côté des patrons lors des conflits avec les syndicats ouvriers, offraient une bouche bée et le regard ardent de ceux qui, à l'âge mûr, tentent de compléter leur instruction. D'autres, des chefs ouvriers sans doute, le menton enfoncé dans le cou, écoutaient d'un air sceptique et renfrogné, mais patient. Peut-être trouveraient-ils ici de nouveaux arguments pour appuyer leurs futures revendications? Leur attitude contrastait avec celle de deux ou trois employeurs qui se gonflaient d'importance et acquiesçaient gravement au moment où le Père Martel expliquait que la tradition du profit remontait à Adam et faisait partie des traditions fondamentales de l'être humain. Par contre, quelques étudiants réguliers de l'Université, dilettantes des idées nouvelles, affichaient des attitudes d'experts et prenaient des notes d'une main virtuose. Presque tous ces hommes-là fumaient, si bien que, de son poste d'observation, Pierre distinguait mal leur visage. Devant ce spectacle d'adultes assis comme des gamins devant un professeur, une tristesse montait en lui, qui se superposait à ses tourments, les lui rendant plus lourds. Que d'années vides derrière ces têtes chauves, quel désespérant effort pour reprendre le temps perdu, vingt ans avant leur mort!

— A quel moment le profit dépasse-t-il les limites du raisonnable?

« Une colle! se dit Pierre. Ce doit être le communiste dont parle le Père Martel. » Son regard se fit plus aigu. C'était un homme à l'abondante chevelure noire, aux yeux perçants, au visage osseux. Rien de plus. Un homme comme les autres. L'individu se rassit en faisant un clin d'œil à son compagnon, qui était chauve, un autre communiste sans doute. Ils ne semblaient pas écouter les explications du Père Martel et regardaient à droite et à gauche, comme s'ils eussent cherché quelqu'un. « Peut-être me cherchent-ils? » se dit Pierre. Et immédiatement il se trouva ridicule de tout ramener à sa personne. Car il commençait à s'impatienter de l'inutilité de sa faction.

La fin du cours arriva. Grâce au branle-bas déclenché par les élèves, Pierre put se glisser hors du grenier. Il s'épousseta rapidement, endossa son paletot et baissa avec colère son chapeau sur ses yeux. Le Père Martel avait bien eu raison de le traiter « d'enfant ». Il entra dans le corridor et se mêla au groupe d'élèves qui se rhabillaient en discutant avec grandiloquence des idées extraordinaires qui commençaient de leur venir. Pierre se glissa jusque derrière les deux présumés communistes, prêt à se retourner pour ne pas être vu s'ils s'avisaient de regarder dans sa direction. Et soudain son cœur battit à se rompre. L'homme à la chevelure noire disait:

— Dis donc, je l'ai pas vu, le secrétaire. Toi?

— Non plus. En tout cas, allons pour le moment au *Café Bleu* rencontrer le patron. On discutera de toute l'affaire.

Pierre tenait la bonne piste! Tremblant d'émoi, il se faufila rapidement vers la porte et fit un mystérieux clin d'œil au Père Martel qui venait de l'apercevoir. Quelle histoire!

Il courut vers ce restaurant où il avait dîné le soir même.

Des cloisons grillagées à mi-hauteur, séparaient chaque table. Peut-être pourrait-il écouter sans être vu? Quelle relation y avait-il entre ces deux hommes et le procureur général? Le sang lui battait aux tempes si fort, qu'il voyait les gens en double et en triple. En débouchant dans la côte du Palais, où se trouvait le *Café Bleu*, Pierre fut réconforté en devinant les silhouettes de quelques clients à travers la vitrine du restaurant, éclairée par une enseigne au néon. Un groupe de bûcherons, en bottes de cuir et vêtus de chemises carreautées, grimpaient la côte du Palais, les mains aux poches, et respiraient avidement cette atmosphère de ville en l'admirant avec de grands yeux d'enfants. La masse grise de l'Hôtel-Dieu masquait les Laurentides et le port, mais Pierre ne songeait ni à son passé de bûcheron ni à la poésie de sa ville, il mobilisait toute son énergie pour entrer dans le restaurant avec une allure de badaud, ce qu'il ne trouvait pas facile. Appuyé près du chambranle de la porte, une sorte de géant fumait sa pipe d'une main et tenait sous son bras un colis. Pierre l'examina du coin de l'œil, car la vue de toute personne en faction apparente éveillait ses soupçons et accélérait les battements de son cœur. Mais l'homme ne lança même pas vers lui une bouffée et continua de scruter calmement l'horizon avec la nonchalance de quelqu'un qui n'a rien à se reprocher. Les gendarmes attendent de cette façon: ils ont l'air tranquille de ceux qui gagnent leur vie avec la justice. « Voyons, j'exagère! » se gourmanda Pierre sévèrement, et il s'aventura dans le corridor garni de banquettes, au bout duquel s'allongeait un bar.

Le barman officiait devant une multitude de bouteilles aux couleurs mirobolantes où l'or scintillait, il officiait avec autant de pompe qu'un prêtre et Pierre, choqué, se dit que l'addition soudaine de six cierges plantés entre les bouteilles eût rendu la scène sacrilège. Un grand miroir mural s'élevait derrière les bouteilles, multipliant par deux ce restaurant minable, ce baroque débit où l'alcool voisinait avec les sandwichs et la crème glacée, où la plupart des clients venaient par habitude, par manque d'imagination. Pierre commanda un verre de bière pour se donner un air de désœuvré et pour ne pas faire lever les soupçons de ce barman qui demandait: « Pour Monsieur? »

Soudain il déposa son verre et regarda fixement le miroir. Les deux individus aperçus à *l'Institut* traversaient la côte du Palais s'immobilisaient un instant devant la porte et prenaient des mains du géant à la pipe le colis qu'il leur présentait. Pierre trempa ses lèvres sèches dans le verre et il lui sembla que toutes les personnes dans le restaurant faisaient aussi partie du complot. Dans sa naïveté, il s'était jeté dans l'antre de la bande. Pourtant non, tout ce monde mangeait ou sirotait béatement sans le regarder.

Quel était ce colis en forme de cadre? Le complice géant s'éloignait sans saluer et les deux « communistes » entraient. D'un rapide coup d'œil, ils choisirent l'avant-dernière banquette où personne n'était tenté de s'asseoir à cause de la proximité de la cuisine. Ils enlevèrent leur manteau en examinant les autres tables et s'assirent dos au miroir en jetant un dernier coup d'œil vers la porte. Le film se déroulait en favorisant Pierre, héros et vedette. Les événements, les circonstances s'enchaînaient de façon à faciliter le développement de son aventure. Il se glissa dans la dernière banquette, face au bar, et dos à dos avec les deux hommes, de qui il était séparé par la demi-cloison grillagée. Pierre entendit un juron, puis l'un des individus dit:

— Ouf! Le travail se complique. Qu'est-ce qu'on va faire de cet exalté de secrétaire? Faudrait au moins lui apercevoir une fois la binette.

L'autre, qui paraissait le théoricien des deux, déclara d'une voix posée et lente qui devait s'accompagner de gestes d'intellectuel:

— Moi, je suis d'avis qu'on ne s'occupe pas de ce garçon. Nous, notre but, c'est de poser les pancartes et de détruire le Père Martel. Là s'arrête notre mission. Si, pour plaire à ces bourgeois pourris, avec qui nous partageons momentanément un but commun, nous nous transformons en assommeurs professionnels, nous jouons la partie de leur jeu qui n'est pas la nôtre. A ce train-là, on nous offrira bientôt des postes de détectives! Mon avis, c'est d'interrompre pendant quelque temps le truc des pancartes et d'observer le petit jeune homme.

— Mais de toute façon, il a menacé de nous attraper! s'impatientait l'autre.

— Attendons le patron. Je commence à soupçonner qu'il n'aimera pas cette affaire.

Les deux hommes s'interrompirent pour répondre au garçon qui leur présentait la carte du menu.

— En tout cas, j'ai hâte de voir ce qu'ils ont imaginé, cette fois, comme pancarte.

— Tu m'as bien dit que le patron t'a appelé ce midi? Ça fait déjà quelques mois qu'il est parti.

— Oui, il descendait du train. Il va nous arriver d'une minute à l'autre.

Pierre, la gorge sèche, choisissait au hasard sur la carte que le garçon lui tendait, et commandait tout un homard sans s'en rendre compte. Ainsi, quelqu'un, le procureur peut-être, avait chargé ces hommes de le rosser? Et sans doute ces deux individus étaient communistes! Comment cela se pouvait-il donc?

— Tiens! le voici! s'exclama en se dressant et en tendant la main, le camarade chauve et cauteleux.

Pierre leva immédiatement les yeux sur le miroir et, de surprise, empoigna le bord de la table. Etait-ce possible? Le Grand Dick!

Le Grand Dick qui portait près de la bouche un diachylon en forme de croix. Pierre cacha sa figure dans ses mains et il la sentit toute froide. A travers les exclamations joyeuses des trois hommes qui se retrouvaient, Pierre entendit cette réponse du Grand Dick:

— Ça, croyez-le ou non, mes vieux, c'est le résultat d'un coup de poing de catholique.

Pierre entendit les deux hommes étonnés qui pressaient

le Grand Dick de raconter l'incident, mais celui-ci d'une voix tranchante, remettait le récit à plus tard.

— Voyons au plus pressé d'abord, selon ce que vous m'avez dit au téléphone. Dans quelle histoire êtes-vous embarqués ces temps-ci? J'espère que c'est pas une bêtise?

— Ces temps-ci, répondait le plus jovial des deux (l'homme à l'abondante chevelure), nous travaillons de concert avec le procureur général, sans qu'il le sache, et avec sa protection, pour justifier ton accusation de l'an dernier à l'effet que nous avons l'air de deux mouchards.

— Donat, tu sais que, dans la grande purge, riposta gaiement le Grand Dick, ce sont ceux qui maniaient le mieux la blague qui disparurent les premiers. Soyons ennuyeux, mais sérieux. Laisse parler Jos.

Jos, le théoricien chauve, toussa et poursuivit d'une voix qui trahissait de l'inquiétude:

— Ç'a commencé il y a deux mois. Nous étions au local. Donat et moi, en train de préparer le journal des chantiers, quand nous voyons une Buick grise stopper à la porte. Un petit jeune homme à la moustache blonde entre, s'appuie sur le comptoir d'un air assuré et demande en secouant la cendre de sa cigarette sur le plancher: « Je pourrais voir le patron? » « Tout le monde est patron ici! » qu'on répond. Alors il continue: « Ça va quand même. Vous êtes des communistes, je le sais. Je viens vous rendre un service. C'est pour vous apprendre qu'un franciscain a récemment ouvert à Québec un *Institut populaire des Sciences politiques*, dont le but est de faire une étude parallèle du marxisme et de la démocratie. Je pense que vous n'aimerez pas cela. Si j'étais vous, j'irais m'inscrire aux cours du soir et je me rendrais compte de la menace que cela comporte pour vous. Car cette école jouit déjà d'une popularité naissante extraordinaire. Faites donc cela et si vous êtes contre, comme je le pense bien, je connais aussi des gens qui ont autant de raisons que vous de craindre cet *Institut* et qui seront probablement intéressés à s'unir à vous pour le combattre. Ça va? »

« Nous autres, piqués, on répond qu'on va s'informer. Le petit jeune homme avait l'air trop vert pour qu'on craigne un piège. « Alors je reviendrai dans une semaine. » Et il part là-dessus en clignant de l'œil.

« Immédiatement on se renseigne. C'était bien vrai. Le problème méritait qu'on y voie sans tarder. On s'inscrit à *l'Institut*, qui est dirigé par une sorte d'énergumène de franciscain, roux comme l'enfer et exalté comme le ciel, le Père Martel, qui apparemment a bien connu les camarades d'Allemagne, où il a vécu plusieurs années. Enfin, le genre dangeureux. On assiste à deux cours. Oh! la la, Dick, on s'est rendu compte du danger. Imagine un marxisme inspiré par Hegel et arrêté à Lénine. Enfin un cours qui fait de nous des Trotzkistes. Tu vois ça d'ici? On nous colle l'étiquette qui nous indigne le plus et l'on fait miroiter, aux yeux de membres possibles du Parti pour l'avenir, des charmes que nous répudions. Et le même phénomène se produit pour l'idéologie démocratique. Vois-tu une démocratie qui s'inspirerait du Christ, puiserait ses références dans la Déclaration des Droits de l'Homme et mettrait parfaitement en pratique les idées d'Abraham Lincoln! Le gouvernement se trouve aussi naturellement opposé à cet enseignement que nous pouvons l'être.

« Je te parle du gouvernement, car le jeune homme à la moustache blonde est revenu exactement trois jours après et nous a dit, après qu'on lui eût laissé entendre que nous serions peut-être prêts à marcher:

« Messieurs, je m'appelle Yvon Letellier et je suis le neveu du procureur général. Voici ma carte. Mon oncle le procureur se creuse les méninges pour trouver un moyen de fermer cet institut, car le premier ministre est fort impatienté. Mon oncle a tenté de convaincre les supérieurs de ce franciscain de le retirer de la circulation. Impossible. Les franciscains seraient d'avis d'avoir, tout comme les dominicains et les jésuites, une bonne place dans notre éducation supérieure. Et ce Père Martel, qui devient de plus en plus populaire, leur donne des espérances. Alors j'ai promis à mon oncle que je réglerais son problème, sans lui dire évidemment que je m'adressais à vous. S'il le savait, il ferait probablement une crise d'apoplexie. Imaginez! S'associer à des communistes contre un franciscain! Que voulez-vous. Il est de la vieille école et ne comprend pas que nous avons beaucoup à apprendre des communistes. D'autant plus que rien ne serait plus stalinien que cette collaboration. Qu'avez-vous à proposer, Messieurs? »

« Cette suggestion n'était pas bête. On avait beau la retourner dans tous les sens, elle respirait la plus parfaite logique. C'était d'un stalinisme génial. Alors on a dit au jeune homme de revenir le lendemain. On prend nos informations. Il avait dit vrai. Donat et moi on discute, puis on pense à l'affichage des caricatures. D'après les expériences du Parti, rien de mieux pour détruire un homme à petits feux, même un franciscain.

« Le jeune homme revient le lendemain. On lui parle de notre idée. Il s'enthousiasme: « La police sera très tolérante. Vous serez pour elle des esprits. Elle sera aveugle. Je m'occupe de vous dénicher l'artiste qui vous préparera les pancartes et j'avertis mon oncle que je me suis trouvé des hommes sûrs pour les distribuer, sans que j'aie à m'en mêler. » Il nous laisse et nous dit d'attendre de ses nouvelles. Deux jours après, il nous appelle, nous demande de nous rendre à ce restaurant et nous remet la première série de pancartes. Le Père Martel y était représenté avec des airs de démon et donnait à baiser la faucille et le marteau à des ouvriers qui ressemblaient à Staline. Quelque chose de très bien comme caricature et nous n'y voyions pas d'objection. Il paraît que ces dessins sont préparés par un professeur de l'Ecole des beaux-arts, qui ambitionne d'en devenir directeur. Enfin, les premières pancartes firent bien leur effet. Eclat de rire à l'Université où, paraît-il, on ne prise pas beaucoup les embardées du Père Martel, et cris de rage de la part du franciscain. Celui-ci a immédiatement réclamé une enquête de la police, qui s'est faite, mais sans résultat. Le jeune Letellier ne nous avait pas menti. Puis nous nous sommes entendus pour que les pancartes nous soient livrées à la porte de ce restaurant par un des hommes de confiance du Département.

— C'est intéressant, mais j'aime pas trop ça, dit le Grand Dick. C'est de l'enfantillage. C'est du dilettantisme et de la perte de temps. Je l'ai appris à mes dépens. Si le gouvernement a les mêmes ennuis que nous, laissons-le les régler: ils sont entre bonnes mains et occupons-nous de problèmes plus immédiats.

— C'est ce que je disais tout à l'heure à Donat, s'empressait d'ajouter le théoricien. Moi je voudrais qu'on abandonne cette affaire. D'autant plus que cet après-midi nous avons eu la visite du jeune Letellier. Il était tout énervé: « Messieurs, il survient une sérieuse difficulté. Le Père Martel s'est engagé un secrétaire, un drôle de pistolet qui a promis au procureur de patrouiller lui-même les rues, de vous prendre sur le fait et de vous déposer, prisonniers, devant le bureau de mon oncle. Je connais ce garçon: c'est un être dangereux et méprisable. Il faudrait le rosser, lui donner une leçon qu'il n'oubliera jamais. »

Pierre ne se rappelait pas avoir jamais vécu des minutes aussi excitantes. Son aventure prenait des proportions qui menaçaient de le déborder, de le laisser en arrière, et il écoutait avec tant d'attention qu'aucun plan ne s'élaborait dans son cerveau.

— Vous allez abandonner cette affaire immédiatement! ordonna le Grand Dick. Vous le connaissez, ce jeune homme?

— Malheureusement on ne l'a pas encore vu, intervint Donat, piteux. C'est un nom qui ne me dit pas grand-chose: Pierre Boisjoly!

— Pierre Boisjoly! Comment! gronda l'Irlandais en refrénant un rugissement et en se levant à demi. Un grand brun, frisé, hâlé par le soleil?

— Oui, il paraît! murmuraient les deux hommes.

— Blasphème! conclut enfin le Grand Dick abasourdi.

et il se laissa retomber lourdement, le bras gauche pendant le long du banc.

Pierre, les yeux fixes, semblait vissé au dossier de la banquette. Son cœur s'agitait si fort que les battements devaient résonner jusqu'à la table suivante.

— Comment ça? s'impatientaient Donat et Jos.

— C'est le même garçon qui m'a donné ce coup de poing, qui a brisé ma grève dans les chantiers Savard et qui a détruit tout mon travail d'organisation. Et bien! oui, nous allons le rosser, parce que nous aussi nous avons des comptes à régler.

Et l'Irlandais se mit à raconter l'aventure de la grève. Pierre, loin d'être effrayé, écoutait avec ravissement et une pensée tournoyait délicieusement dans sa cervelle: « Dieu que je suis important! »

Le récit terminé, les exclamations de « Incroyable! » de la part des trois communistes se perdirent dans le verre qu'ils portaient à leurs lèvres. Tout à coup, un des verres fut rabattu vivement sur la table et Donat s'exclama:

— Jos! Dis-moi si ce n'est pas notre jeune homme blond qui entre!

— C'est bien lui.

Pierre explora avidement le miroir du regard. C'était bien Yvon Letellier. Comme il avait l'air sûr de lui! Leurs deux routes se croiseraient-elles toujours ainsi?

— Messieurs, chuchotait Yvon Letellier, essoufflé, excusez-moi de vous rejoindre, mais je veux vous reparler de ce Pierre Boisjoly. Je ne le connais que trop. Et j'ai bien hâte que vous le rossiez. C'est un type à qui je dois un chien de ma chienne.

— Alors assieds-toi et raconte-nous ce que tu sais de lui, dit l'Irlandais.

— Tu peux parler, le jeune, lui c'est Dick O'Riley, le patron.

Yvon Letellier, avec des phrases rapides, bien jouées, racontait avec quelle fourberie Pierre Boisjoly avait simulé sa vocation religieuse afin de faire payer ses études par le curé Loupret, il évoquait les prétendus stratagèmes de tricheur employés par Pierre pour décrocher les premières places en classe. Pierre bouillait d'indignation. Quand Yvon cita fièrement le jour de la distribution des prix où sa mère avait démasqué le fieffé hypocrite, Pierre se leva à demi et se retint juste à temps de bondir vers l'autre table et de crier: « Grand Dick, ce n'est pas vrai! » N'était-il pas déjà torturé à l'idée que l'Irlandais le crût un sale briseur de grève, sans que maintenant celui-ci fût convaincu aussi que Pierre Boisjoly était profondément abject? Mais le Grand Dick interrompit froidement Yvon Letellier:

— Cesse ton récit, jeune homme, tu nous rends ce Boisjoly de plus en plus sympathique. Et ça m'ennuie. Moi aussi je le connais bien. Je suis Irlandais, communiste et je m'entends; passons.

Pierre sourit. Cher Grand Dick! Yvon Letellier démonté, avait rapidement changé de sujet en commandant des verres de bière. Avec une faconde et une assurance d'étudiant en Droit qu'un brillant avenir attend à cause de puissantes relations familiales, il décrivit l'heure inoubliable où l'idée lui était venue d'unir en un paradoxe lumineux les efforts des communistes et du procureur général en vue d'un but commun. « A votre santé, Messieurs, et à la raclée que vous allez servir à ce Pierre Boisjoly! »

— Que nous allons servir, tu veux dire. Car tu vas venir avec nous. Je suis revenu en ville à temps. Toi aussi il faut que tu coures quelques risques.

— Mais, je ne peux pas, Messieurs, mes examens... balbutiait Yvon.

— Tu vas venir. Tes cartes sont tournées. Ou j'appelle ton oncle et je le mets au courant.

Un silence suivit, où les trois communistes devaient prolonger sur Yvon Letellier un regard amusé. Yvon Letellier ne se débattait plus:

— Allons si vous croyez que...

— Je le crois, trancha l'Irlandais. Sois à onze heures ici demain soir. Nous nous rendrons ensuite tous les quatre devant *l'Institut*. C'est toi qui accrocheras la première pancarte à la porte même. Nous verrons si tu es aussi brave que tu es habile dans les manigances, et qui des deux va tricher, toi ou Boisjoly, car il sera là, j'en suis sûr. Ça marche?

— Je serai là et j'apposerai cette pancarte! dit Yvon Letellier d'une voix émue. Mais nous le rosserons, n'est-ce pas?

— Nous le rosserons, bien entendu, fit le Grand Dick dans un petit rire méprisant qui clapotait dans sa gorge. Maintenant, allons nous coucher.

Pierre, les yeux rivés au miroir, les vit s'en aller, Yvon Letellier sortant le dernier d'un pas lent, indécis.

Ils ne l'avaient pas vu. Yvon Letellier lui-même apposerait la première pancarte! Ce Grand Dick était très fort. L'imagination de Pierre tournait, affolée, flairant dans cet élément nouveau, une arme extraordinaire dont il s'agissait de saisir la poignée. Evidemment sa promesse au procureur général de les faire prisonniers et de les déposer au pied du bureau d'acajou était idiote. Pourtant le Grand Dick, malgré toute vraisemblance, espérait que Pierre se jetterait sur le groupe. Pierre sourit et regretta à nouveau son coup de poing au Grand Dick. Cher Irlandais! Puis il se dressa soudain, le visage illuminé et se frappa le front:

— Dieu! Je l'ai! Je l'ai! Il fallait y penser! L'abbé Voltaire!

— Voltaire? s'informait le garçon de table. Et le homard, vous ne le mangez pas?

— C'est merveilleux! Merveilleux! Votre homard? Merci.

Il régla fébrilement sa note et sortit du restaurant en se répétant fiévreusement:

— C'est merveilleux!

Onze heures approchaient, le lendemain, où les trois communistes et Yvon Letellier devaient provoquer l'intervention de Pierre devant *l'Institut* même. Le Quartier Latin somnolait doucement, emmitouflé dans une grisaille qu'une pâle lune ne fouillait pas. Une porte s'ouvrait furtivement ici et là; de rares passants marchaient au centre de la rue glacée comme sur une corde tendue; des glaçons se détachaient des gouttières, puis tout retombait dans un calme de chambre noire. Pierre, tapi derrière la porte de la cour de *l'Institut*, épiait la rue, l'œil collé entre deux planches disjointes. Ses dents claquaient, il grelottait d'émoi. Cette aventure le passionnait au point qu'il avait à peine mangé de la journée et qu'il avait passé des heures à retourner son plan dans sa tête. Il retira son œil de la porte et éleva à la hauteur de ses yeux l'appareil de photographie surmonté d'une ampoule au magnésium.

« Assure-toi que l'ampoule est bien vissée et que tu ne trembles pas en déclenchant le déclic ! » avait insisté l'abbé Lippé. Pierre, le matin même, s'était fait conduire en taxi au sanatorium et avait raconté sa découverte au prêtre, en le suppliant de lui prêter cet appareil spécial utilisé par les photographes de journaux. Enthousiasmé, replongé dans une aventure d'homme libre, l'abbé Lippé avait pendant une heure prodigué ses conseils à Pierre; puis il songeait, transporté, que c'était dans sa cellule du sanatorium que des copies de la photo seraient tirées en grand secret. Quel communiste, quel policier pourrait imaginer que le négatif serait caché chez l'abbé « Voltaire » ! Quelle arme, ce négatif montrant Yvon Letellier apposant une caricature sous les yeux de trois complices communistes ! Le procureur serait affolé et la sécurité de *l'Institut* en deviendrait assurée. Qu'ils étaient bêtes, tous, de le croire assez stupidement chevaleresque pour se ruer sur quatre hommes pour les assommer !

Ce coup de maître le tirerait de l'obscurité de la jeunesse pour le lancer d'un seul bond dans une lutte décisive avec les grandes forces qui dirigent la province. Il songeait surtout qu'une telle arme lui permettrait sans doute de se défendre contre le procureur si jamais on apprenait les circonstances de la mort de la vieille dame. Ce Denis Boucher, un peu fou, ne pourrait peut-être pas toujours garder le secret? Pierre entendit un léger bruit et colla son œil entre les planches. Personne. Il vérifia à nouveau son plan. Une dizaine de pieds le séparait de l'entrée de *l'Institut*. La porte de cour derrière laquelle il se tenait était légèrement entrebâillée, lui permettant de la pousser sans bruit, de surgir, de les surprendre, de les photographier, de profiter de leur désarroi, de refermer la porte derrière lui, de tirer le verrou, de courir tout au fond de la cour, de grimper sur un hangar (l'échelle était prête) et de retomber dans la rue voisine, puis de dépister les poursuivants. Tous ses membres tremblaient et il se gourmandait: « Il ne faut pas que je tremble! » Il ne s'était pas présenté à *l'Institut* de la journée, ni à sa chambre. Le Père Martel ne savait rien. Il ne semblait pas croire à son habileté, le Père Martel. On verrait bien.

Les mains de Pierre se crispèrent soudain sur l'appareil. Son sang se figea dans ses veines. Ces pas feutrés, hésitants, ces murmures! C'étaient eux! Le Grand Dick sifflait et Yvon Letellier, nu-tête, regardait nerveusement à droite et à gauche. « Je pense qu'il ne viendra pas! chuchotait-il avec une certaine satisfaction, car Letellier commençait à craindre que cet Irlandais aux commentaires sarcastiques ne le laissât seul aux prises avec Pierre. Le camarade chauve portait la liasse de caricatures sous son bras. Le Grand Dick fouilla les alentours d'un long regard et hocha la tête:

— Nous aurions pu au moins l'avertir de l'heure. Peut-être ne le verrons-nous pas? Tu es chanceux, jeune homme. En tout cas, jouissons de ce grand moment et regardons le neveu du procureur général apposant une affiche. Quel merveilleux paradoxe, n'est-ce pas? Donne-lui-en une copie, Jos.

Pierre, crispé, élevait lentement son appareil et s'apprêtait à pousser la porte avec son épaule. Les trois communistes reculaient dans la rue et riaient d'Yvon Letellier qui, tentant de cacher son affolement, leur ordonnait d'une voix blanche mais désinvolte :

— Messieurs, vous trichez. Restez près de moi, ou je ne marche pas. Je ne suis pas un boxeur, moi. On ne sait jamais, il peut arriver.

Les trois hommes s'approchèrent à deux pas de lui, en riant de plus belle.

— Et puis, protestait Yvon, je préfère accrocher ceci au poteau téléphonique plutôt que sur la porte. C'est plus à la vue des passants.

— Allons, accroche ! s'impatienta le Grand Dick.

Comme Yvon Letellier, d'une main tendue, tremblotante, réussissait à fixer la pancarte, un cri sec se fit entendre : « Aie ! » Et une ombre surgit de la porte de cour. Les quatre hommes se retournèrent vivement et l'éclair de magnésium les aveugla. Les quelques secondes où la surprise les figea permirent à Pierre, qu'ils avaient reconnu, de disparaître et de tirer le verrou de la porte.

— Blasphème ! rugit le Grand Dick.

Et il se rua sur la porte qu'il enfonça d'un coup d'épaule. Il aperçut la silhouette de Pierre qui courait sur un hangar et disparaissait dans la nuit.

— Il faut l'attraper à tout prix, rugit-il. Donat et Jos, faites le tour par l'autre rue ; moi, je le suis par ici.

Yvon Letellier, blême de terreur, le front couvert de sueur, resta seul au milieu de la rue, se rendant compte petit à petit de la gravité de la situation et entrevoyant les répercussions désastreuses que pourraient avoir sur son avenir, son étourderie et sa haine pour Pierre Boisjoly.

VII

Le lendemain matin à neuf heures, Pierre arpentait la chambre de l'abbé Lippé en jetant de temps à autre des regards furtifs à la fenêtre. Malgré toutes ses précautions, peut-être savait-on qu'il était ici? La police et les communistes ont des moyens de découvrir les gens qu'ils veulent trouver, qui dépassent l'imagination. L'abbé Lippé demeurait donc bien longtemps dans cette chambre de toilette qui lui servait de chambre noire! Pourvu que la photo soit bonne! L'angoisse inspira à Pierre un soupçon nouveau. La police surexcitée pourrait questionner le supérieur du Grand Séminaire, apprendre la mise au rancart de l'abbé Lippé à cause de *l'Institut,* déterrer le souvenir de l'amitié qui l'unissait à Pierre et en venir à une conclusion lumineuse. Des patrouilles complètes accourraient ici d'un moment à l'autre. Ou encore, on pourrait questionner adroitement le Père Martel, apprendre que Pierre était arrivé à *l'Institut* via le père Savard, le sanatorium et l'abbé Lippé. Il était sur le point d'être traqué, sans aucun doute. Il courut de nouveau à la fenêtre, fouilla chaque coin de l'horizon. Rien d'anormal. Mais l'alerte serait bientôt donnée. Il s'agissait d'agir vite, de se munir de cette précieuse photo et de cacher le négatif. Ainsi armé, il pourrait leur faire face.

Pierre vivait dans cette angoisse parce qu'hier soir, lors de sa fuite éperdue, il s'était vu cerné par le Grand Dick et son compère qui avaient débouché à chaque extrémité de la rue par où il essayait de filer. Les ayant aperçus avant d'être vu par eux, il s'était couché à plat ventre dans un banc de neige accumulé dans une entrée de cour et il avait entendu le Grand Dick qui, rencontrant son compagnon bredouille, avait dit d'une voix terrible: « Il nous faut attraper cette photo à tout prix. Pour cela il faut mettre le procureur général au courant, et tout de suite. Il alertera sa police. A lui comme à nous, il faut ce négatif. S'ils ne réussissent pas, gare à Pierre Boisjoly! »

Retenant son souffle, le cœur affolé, il les avait entendus qui parlementaient, décidant enfin de l'attendre à sa chambre (ils avaient habilement obtenu son adresse par téléphone, du Père Martel). Quand Pierre se fût assuré qu'ils étaient disparus de la rue depuis dix minutes, il se décida à se réfugier dans le petit hôtel où Willie Savard s'était livré à la débauche l'avant-veille.

Guettant tous les bruits, il n'avait pas dormi de la nuit, puis le jour venu il était accouru au sanatorium. L'abbé Lippé n'avait pas dormi plus que lui.

Il arracha l'appareil des mains de Pierre en chuchotant:

— Ça a marché?

Pierre lui avait décrit la dangeureuse ampleur que prenaient les événements, lui avait parlé de question de vie ou de mort, mais le seul commentaire que l'abbé se permit fut: « C'est la première fois de ma vie que je m'énerve vraiment. Ah! pourvu qu'elle soit bonne! »

— Eureka!

Le crit fit sauter Pierre et figea son sang dans ses veines. L'abbé Lippé, ceinturé d'un tablier blanc, les lunettes sur le nez et le visage baigné de béatitude, sortait de la chambre de toilette en portant sur ses deux mains tendues la précieuse photo encore humide. Il la déposa sur la commode devant la fenêtre.

— C'est un chef-d'œuvre! murmurait-il d'une voix chevrotante de volupté.

Pierre ne pouvait parler. Atterré et transporté de joie tout à la fois, il voyait ses espérances et ses appréhensions dépassées par le résultat extraordinaire de cette photo. Tout y était net, même l'obscurité de l'arrière-fond. Tous les personnages, qui s'étaient tournés vers le photographe inattendu, apparaissaient comme les images vivantes de la stupéfaction. Le visage du Grand Dick, sa haute taille, et surtout Yvon Letellier qui, le bras tendu, accrochait la caricature au poteau, se détachaient en un relief saisissant. Et la caricature elle-même, dessinée à gros traits d'encre de Chine, apparaissait aussi nettement sur le carton glacé que si l'original y eût été collé. Cette caricature représentait Staline, vêtu en pape et donnant à baiser un marteau au Père Martel agenouillé.

— C'est une écrasante pièce à conviction, murmura Pierre.

— Sais-tu, Pierre, je viens de trouver une belle définition? fit l'abbé Lippé, soudainement songeur en examinant ce Staline vêtu en pape. Les anticléricaux sont des gens bornés à qui la vue d'une soutane peut seule donner de l'imagination. Le christianisme et l'hellénisme sont les deux grands réservoirs de l'esprit créateur.

Ces paroles ne parvinrent pas à l'intelligence de Pierre. Il vivait des minutes trop intenses pour s'attarder à des considérations semblables.

— Bien entendu, fit-il nerveusement. Il s'agit maintenant de trouver l'endroit où je cacherai ce négatif. Certainement pas ici, ni à ma chambre, ni sur moi. Ce négatif sauvera *l'Institut,* me sauvera et vous sauvera. Où donc, Seigneur? Il y a des millions d'endroits où je pourrais le cacher et il ne m'en vient pas un à l'idée. Et il faut faire vite.

On frappa à la porte. Pierre jeta son chapeau sur la photo pendant que l'abbé Lippé allait ouvrir. Ce n'était que l'ondulant et grimaçant monsieur Paul, le narcomane, qui ne s'interrompait pas de tricoter frénétiquement en disant:

— J'ai dit à Monsieur Savard que vous étiez ici. Il voudrait vous voir.

— Je n'ai pas le temps! coupa Pierre impatienté.

Mais un éclair soudain déchira cette décision.

— Ou plutôt non, dites-lui que je serai là dans cinq minutes.

Quand la porte se fut refermée sur le maniaque, Pierre, plein de sa subite inspiration, laissa libre cours à son enthousiasme.

— C'est à monsieur Savard que je vais confier ce négatif. Je sens que c'est la personne la plus sûre à qui je peux m'adresser. Même soûl, cet homme ne dit que ce qu'il veut dire et joue magnifiquement la comédie. Je crois en lui. Donnez-moi le négatif et pendant mes quelques minutes d'absence enveloppez-moi précieusement cette photo. Ah! quelle affaire!

L'abbé Lippé, dont la fièvre avait été au niveau de celle de Pierre jusqu'au moment où la photo avait été tirée, ne se sentait plus au diapason de cette anxiété de plus en plus fébrile. Habitué aux gestes lents et aux minutes paisibles de la vie ecclésiastique, il obéissait maintenant à Pierre avec un sourire amusé, mal convaincu que ce drame avait les proportions que Pierre lui accordait.

Pierre enveloppa le négatif, le glissa sous son veston et se rendit à la chambre de Willie Savard. Celui-ci, en robe de chambre, fumait calmement sa pipe, assis près de la fenêtre. Son énorme visage, empreint d'une rubiconde tranquillité, respirait l'ennui de l'homme d'action confiné au repos. Il parla le premier:

— Bonjour, jeune homme. Je t'ai d'abord fait venir pour te remercier, ensuite pour m'excuser d'avoir voulu t'étouffer. Je voulais surtout mieux voir celui qui m'a coûté cinq mille dollars.

— Quatre mille cinq cents, corrigea Pierre.

— Exact. Quand j'étais soûl, tu me faisais une bonne impression, je veux voir si cela résiste, au naturel.

— Monsieur Savard, je...

— Veux-tu devenir mon secrétaire?

— C'est votre marotte? Monsieur Savard, je...

Willie Savard se mit à rire et dit en regardant Pierre avec un intérêt intense:

— Tu me parles comme si j'étais encore soûl. C'est dans ce temps-là que les gens sont vrais avec moi. Tu m'intéresses énormément. Je te veux pour secrétaire parce que t'as quelque chose dans le ventre. Tu me plais.

Pierre acquiesça d'un air aimable, puis sortit prestement le négatif en expliquant avec gravité:

— Voulez-vous me rendre un très grand service? Presque une question de vie ou de mort pour moi.

Interloqué, Willie Savard déposa sa pipe sur le bras du fauteuil.

— Oui. Combien? J'aime prêter aux types comme toi. Plus on leur prête, mieux on les tient.

En toute autre circonstance, à cette seule menace, Pierre eût quitté la chambre sans répondre. Mais la police ou les communistes pouvaient surgir au sanatorium d'un moment à l'autre et il s'agissait de sauver *l'Institut.*

— Pas un sou, Monsieur Savard. Voulez-vous garder pour moi cette enveloppe. C'est un négatif de photo qui ne vous dira rien, mais qui pour moi représente plus qu'une fortune. Certaines personnes seraient prêtes à me tuer pour l'obtenir, mais tant que je l'aurai en ma possession, je pourrai mener à bien une lutte qui met tout mon avenir en question. Promettez-moi de n'en parler à personne.

— Donne. C'est entendu. Je le déposerai dans mon coffret de sûreté.

Il ne posait pas de questions et glissait l'enveloppe cachetée à l'intérieur de sa robe de chambre.

— N'oublie pas. Si quelqu'un veut te faire du mal, Willie Savard s'en mêlera. Et Willie Savard compte, quand il veut. Va, sois tranquille.

Pierre sentait son regard s'obscurcir. Il marcha rapidement vers la porte. Avant de la refermer, un cri vint à ses lèvres:

— J'ai acheté hier des roses pour votre femme, parce qu'elle m'a traité de voyou l'autre soir. Mais je n'ai pas eu le courage d'aller les lui porter. Je les ai jetées dans une poubelle.

Monsieur Savard, suffoqué par une étrange émotion, promena une main tremblante sur sa poitrine velue en songeant que Pierre était le fils qu'il aurait voulu avoir.

Pierre ne se rendait pas compte jusqu'à quel point toutes ses facultés émotives et intellectuelles, excitées par l'alerte, obéissaient aux exigences que son aventure leur imposait. Avec Willie Savard, il avait pris les attitudes qu'il fallait: un peu d'arrogance, puis de l'attendrissement. Et le tour était joué, le négatif était entre bonne mains. Pierre n'avait pas sitôt quitté la chambre de l'industriel que déjà son esprit volait vers la prochaine barrière à sauter: comment sortir du sanatorium et se rendre jusqu'à *l'Institut,* porteur de la photo, sans être attaqué et pris par les nombreux chasseurs qui devaient battre les rues de la ville pour le capturer? On patrouillait surtout, sans doute, les abords de *l'Institut,* pour l'empêcher de rencontrer le Père Martel. Lui téléphoner? Les mesures devaient avoir été prises pour intercepter la conversation. Se rendre directement au bureau du procureur général pour parer les coups? Bien entendu. Mais il fallait d'abord voir le Père Martel, lui désigner ses ennemis et le mettre au courant des atouts qu'il possédait dans la lutte car, si on faisait disparaître Pierre, comment ce bon Père apprendrait-il à bien se défendre? Une sorte de bon sens à rebours lui fit rapidement répondre à cette question: l'abbé Lippé verrait certainement à instruire le franciscain de tous les détails. Mais le jeune homme n'eut pas confiance en cette possibilité, car ce n'était pas surtout pour des raisons de tactique et de sécurité qu'il désirait voir le Père Martel, mais pour jouir de son étonnement et de son admiration devant un exploit dont celui-ci avait jugé son secrétaire incapable.

Comme il pénétrait à nouveau dans la chambre de l'abbé Lippé, l'idée qu'il suppliait de jaillir éclata dans tout son être et fit trembler sa voix d'enthousiasme:

— Monsieur l'abbé, vous avez une vieille soutane? Prêtez-la moi.

Il expliqua à l'abbé Lippé quelque peu réticent, qu'ainsi vêtu en abbé, les yeux cachés sous des verres fumés et la tête couverte d'un feutre noir à larges bords, il échapperait à l'attention des poursuivants et pourrait se rendre sans encombre jusqu'au Père Martel. L'abbé Lippé fronçait les sourcils:

— Mais on te verra sortir d'ici ainsi habillé? Que diront les patients et Mère Cécile?

— Tout est prévu, enchaîna fébrilement Pierre. Je roulerai la soutane jusqu'à ma ceinture sous mon paletot. Et hors de vue du sanatorium, je la laisserai descendre. Et prêtez-moi aussi votre chapeau noir. J'achèterai les verres fumés à la première pharmacie.

L'abbé Lippé se rendit à sa garde-robe et avant de décrocher la soutane, il jeta un regard oblique sur Pierre, en soupirant:

— A-Dieu-va! Il n'y a pas à dire, cette clinique commence à nous rendre fous.

Pierre sortit de la pharmacie et mit immédiatement ses verres fumés. Sa respiration était irrégulière, mais il commençait à s'habituer aux battements accélérés de son cœur. Il ne put résister à la tentation de s'arrêter devant la vitrine et de s'examiner ainsi vêtu en abbé. La silhouette que la vitre épaisse refléta ne le fit pas sourire. Il la contempla même avec une émotion subite et grandissante, car cette silhouette était la même qui avait hanté toute son adolescence. Cette soutane qui traînait sur ses pieds lui faisait soudain oublier totalement les problèmes qui l'occupaient, et le transportaient dans un état dont il n'avait voulu emprunter que l'apparence. Une sorte de vertige l'éblouit: « Qu'on doit être heureux ainsi habillé quand on a le cœur pur », songea-t-il. Il secoua nerveusement la tête comme pour chasser la honte étrange qui l'envahissait, cette sensation de jouer à l'imposteur devant son premier idéal. Cette soutane lui pesait, l'étouffait maintenant. Il fallait vite abattre les prochaines heures et remettre au plus tôt ce travesti à l'abbé Lippé.

Il prit l'autobus qui menait au Quartier Latin. Puis il se frappa le front: « Dieu! j'ai oublié de dire à monsieur Savard de remettre ce négatif au Père Martel si jamais je disparaissais! » Mais cette inquiétude le quitta aussitôt, car un vieux monsieur lui offrait son siège. Pierre refusa en rougissant. Les gens avaient des figures réconfortantes qui ne cherchent rien. Naturellement tous ses ennemis devaient concentrer leur recherches aux mêmes endroits: sa chambre, le logis de sa mère, *l'Institut,* le sanatorium.

Il descendit de l'autobus à la côte de la Fabrique, à deux rues de *l'Institut,* et vérifia à nouveau son aspect dans une vitre. Comment eût-on pu le soupçonner d'être Pierre Boisjoly? Il tâta nerveusement sa poche intérieure, y sentit la photo, ajusta le collet de son paletot et adopta la démarche tranquille qu'il connaissait aux jeunes abbés.

Beaucoup moins de détectives ou de communistes qu'il ne l'avait imaginé étaient en faction. Dans ce Quartier Latin qui bourdonne d'activité le jour, il ne put reconnaître une seule figure suspecte. Sa démarche d'abbé était facile à garder, et il en vint à désirer de rencontrer n'importe qui, sauf un autre jeune abbé qui eût pu lui demander son nom. Une ambulance passa près de lui en hurlant. « Qui donc a le loisir d'être malade aujourd'hui? » songea-t-il en tournant le coin en même temps que l'ambulance. Il ne répondit pas en lui-même à cette question, car il voyait le véhicule s'arrêter devant *l'Institut* où quelques personnes s'affairaient devant l'entrée. Oubliant sa soutane, il se mit à courir et se mêla au groupe de badauds qui échangeaient de graves opinions et se collaient le nez à la fenêtre. « Je parie qu'il est mort! » disait l'un. « Des caricatures comme ça, c'est assez pour tuer un prêtre! » appuyait l'autre. « Y paraît que ça dure depuis des semaines et la police n'a pas encore arrêté les coupables. Y a quelque chose en dessous de l'affaire. »

Mort d'angoisse, Pierre, grâce à sa soutane, put pénétrer à l'intérieur de l'édifice bondé de curieux. Il reconnut le Père Martel, inerte, étendu sur le canapé de son bureau. Sa barbiche rousse, hirsute, donnait un curieux aspect à cette tête sans vie. Un médecin l'auscultait au moyen d'un stéthoscope. Il se redressa, replia lentement son appareil et dit aux ambulanciers: « Inutile, Messieurs, c'est fini. »

En disant ces mots, le médecin jeta un long regard sur la caricature toute déchirée par le Père Martel dans un fatal accès de fureur. Le jeune franciscain qui secondait le Père Martel dans ses cours se mit à genoux, les yeux remplis de larmes, et commença les prières des morts. Tout le monde s'agenouillait et Pierre se glissa hors de la chambre. Tout continuait de se passer comme dans un rêve. Il sortirait de cette maison et le rêve se poursuivrait, plus compliqué, plus tragique, car Pierre portait sur lui la preuve que le Père Martel avait été tué indirectement par Yvon Letellier et le Grand Dick.

Ceux-là avaient aussi participé à tuer quelqu'un, et son cœur en éprouvait une sorte de réconfort.

En se glissant furtivement dans la rue, il se dit froidement: « *l'Institut* n'existe plus. Qu'est-ce que je deviens? » Puis la frayeur le glaça. Il ne pouvait plus disparaître par la porte de service et se frayer un nouveau chemin dans l'oubli. On le pourchasserait partout, on tenterait de l'écraser, car il possédait la preuve d'un méfait qui mettait en jeu la réputation d'une famille influente. Un cri résonna dans sa tête: « Rends-toi vite chez le procureur avant qu'on t'attrape. Là est ton seul gîte. » Terrorisé, il examina les alentours avec l'effarouchement d'une bête traquée. Depuis qu'il avait aperçu cette ambulance, il avait oublié que des hommes le cherchaient. Ils étaient certainement parmi ces badauds, à *l'Institut,* mais grâce à son déguisement, on ne l'avait pas reconnu. Il héla un taxi et se fit conduire aux édifices du parlement. Il fallait agir vite, bondir sur l'ennemi, devancer ses coups.

Il put se précipiter dans le corridor et il poussa un soupir de soulagement en se trouvant dans l'antichambre du procureur. Personne ne l'avait encore abattu d'une balle dans le dos.

— Monsieur l'abbé? disait le portier infirme.

— Annoncez l'abbé Pierre Boisjoly! fit-il entre deux halètements.

C'est le procureur lui-même qui poussa la porte dans

une sorte de ruée. Ses yeux bleus exorbités saillaient dans son gros visage lisse, que la stupéfaction avait rendu couleur de cire. Pierre enleva ses verres fumés et il entra dans le bureau du procureur sans que celui-ci eût prononcé un mot.

VIII

L'intensité de ces minutes brouillait le regard de Pierre, et les objets apparaissaient à ses yeux comme une photo ratée. Dans l'amoncellement gris et mouvant des meubles et des fenêtres, la silhouette affalée d'un jeune homme aiguisa son regard. Yvon Letellier qui, la tête dans ses mains, sanglotait?

— Oh! toi, file, imbécile! lui cria le procureur.

Yvon, en sortant, jeta un long regard suppliant sur Pierre qui détourna la tête. Un silence angoissé se prolongea jusqu'à ce que la porte se fût refermée dans un murmure capitonné. Debout de chaque côté du long bureau d'acajou, les deux hommes mesuraient leur trouble, tentaient de le contrôler. Puis le procureur contourna son pupitre et vint examiner le bas de la soutane.

— C'est un déguisement qui en vaut un autre, trancha Pierre d'une voix très sèche, comme s'il eût été un vrai prêtre et que le procureur eût été anticlérical.

La rage teintait de violet la figure du procureur, un violet qui rejoignait presque le bleuté de sa moustache blanche; il joua l'ironie:

— Gageons que vous voudriez me tirer les oreilles!

Pierre mettait tant d'énergie à maintenir son attitude, son corps et sa volonté étaient tellement crispés qu'il respirait difficilement. La colère contenue de ce personnage important menaçait de percer sa cuirasse. Le jeune homme prononça d'une voix affaiblie:

— Ne vous fâchez pas. Ça ne sert à rien. Ne m'avez-vous pas donné la permission de découvrir les coupables et de vous les amener ici? Vous m'avez pris au pied de la lettre, en me croyant un jeune et stupide fanfaron, et vous m'avez même dit de me servir d'un camion. Eh bien! je tiens les coupables, vous le savez!

— Et vous venez nous faire la leçon! cria le procureur.

Le regard de Pierre s'embrouillait à nouveau. Tout son être fonçait dans cette colère épouvantable, contre laquelle il se sentait petit et aveugle. Il lutterait ainsi quand viendrait son agonie:

— Si vous voulez, parvenait-il à répondre. J'ai honte pour vous de ce que vous avez laissé faire contre le Père Martel, j'ai honte pour votre neveu.

A ces derniers mots, sa voix s'était affermie et il avait senti la présence solennelle de cette soutane qui traînait sur ses pieds. Haletant, il suivait du regard le Procureur qui, hors de lui-même, tournait autour du bureau et tentait en vain d'appuyer sur des boutons d'alarme imaginaires.

— Ah! vous voulez jouer au plus fin, mon garçon? grondait-il.

— Un instant! lança Pierre.

Et il mit la main à sa poche pour en sortir la photo. Ses doigts tremblaient. Le procureur, les yeux exorbités, la poitrine secouée de spasmes asthmatiques, s'immobilisa un moment, les deux mains appuyées sur le bureau et la bouche entr'ouverte comme un lutteur épuisé. La sonnerie du téléphone retentit. Le procureur contempla l'appareil avec hébétude, puis décrocha. Aux premiers mots qu'il entendit, il tomba comme assommé dans son fauteuil de cuir à bascule, dans lequel il trônait d'habitude avec une solennelle amabilité.

— Mort! Mort! chuchotait-il, gris de terreur.

Pierre crut un instant que l'honorable Letellier allait s'évanouir d'une syncope, comme le Père Martel. Ses narines se pinçaient et sa main libre tentait machinalement de défaire le nœud de sa cravate. Puis le procureur réussit à surmonter sa défaillance et il put dire:

— Voyez immédiatement les journaux. Si la nouvelle transpire qu'il y a relation entre la mort du Père et les caricatures, déclarez que le Département recherchera et châtiera les coupables sans pitié. Mais voyez à ce qu'elle ne transpire pas. Agissez vite.

Le sentiment qu'il était perdu commença d'envahir Pierre. Le procureur avait brusquement raccroché et sa figure s'efforçait de se ressaisir. Pierre interpréta le regard qu'il sentit se poser sur lui comme: « De quelle façon nous débarrasserons-nous de celui-là? » Pierre soutint ce regard et jeta rapidement:

— Oui, il est mort! Et c'est de votre faute.

— C'était un cardiaque, dit le Procureur, cachant ses mains tremblantes sous le pupitre. Pierre étala la photo.

Le procureur y jeta un coup d'œil, mais rapide, comme pour se défendre du trouble qui à nouveau menaçait de le terrasser. Il avait espéré jusqu'à ce moment que la photo avait été ratée et que seul le témoignage oral de Pierre pourrait subsister. En ce cas, aucun danger. Mais cette photo était là, vivante presque, montrant le neveu du procureur général affichant une des caricatures sous les yeux des communistes. Quel scandale pour la famille si cette photo atteignait le public! Quel coup au Parti! La carrière du procureur serait finie! Il respira longuement, puis se mit à marcher de long en large dans la vaste pièce.

— C'est combien?

— Ce n'est pas à vendre! éclata Pierre dans un cri de joie.

L'allégresse étourdissait soudain Pierre. Le procureur était à sa merci. Pierre pourrait maintenant bondir dans la lutte avec des armes chevaleresques qui épargneraient cette victime, une victime qu'il garderait prudemment comme otage. Le jeune homme enleva son paletot en se plaignant de la chaleur.

La tranquillité regagnait le procureur qui, les bras croisés, examinait son adversaire. La naïveté, l'audace, la fougue et l'intelligence de ce jeune homme en faisaient un être redoutable. Il ne fût point venu droit chez le procureur s'il n'avait eu un marché à proposer.

— Bien! Dites-moi ce que vous voulez.

— Je ne veux qu'une chose: qu'on ne me fasse pas de mal, qu'on me laisse tranquille. Les communistes ont promis de m'avoir si vous n'y réussissez pas. Ordonnez-leur de n'en rien faire. Le négatif est entre bonnes mains et je le garde pour me défendre, non pour attaquer. Vous comprenez ma prudence. Mais je ne suis pas un maître chanteur. Allons, Monsieur le procureur, soyez tranquille. Je ne prendrai pas de revanche contre votre neveu, qui pourtant le mérite bien.

Le procureur s'approchait de lui et examinait avec curiosité tous les traits de son visage. Pierre braquait sur son interlocuteur un regard ouvert et limpide. Le procureur sourit ensuite de soulagement et lui donna une tape cordiale sur l'épaule.

— Vous êtes un garçon honnête et vous me plaisez. Avec cette expression d'enfant farouche et ce sens pratique des affaires morales, vous mènerez les gens par le bout du nez et ils vous aimeront quand même. Je vous remercie au nom de mon neveu, en mon nom et en celui du gouvernement.

Les phrases du procureur s'enflaient, prenaient presque les proportions d'un discours électoral. « Il va m'offrir de me décorer! » s'effraya Pierre dans un accès de subite timidité. L'honorable Letellier s'adaptait vite aux circonstances. Ce négatif était quelque part, entre bonnes mains, et planerait sur lui comme une épée de Damoclès. Il songeait qu'il lui fallait absolument s'attacher ce pur chevalier, le garder bien à l'œil, quitte à le compromettre un jour ou l'autre au point qu'il n'oserait plus songer à se servir du fameux négatif, au point qu'il serait forcé de le rendre.

— Jeune homme! continua l'honorable Letellier en lui mettant les deux mains sur les épaules, j'ai besoin d'un type de votre calibre comme secrétaire. Ça vous intéresse?

C'est Pierre qui se mit à examiner le procureur presque estomaqué. Décidément, c'était une épidémie, tout le monde le voulait comme secrétaire. Le procureur, ébloui par son idée, bombait le torse avec la tranquille fierté de ceux qui jouissent d'être bienfaisants.

— Allons! acceptez donc! s'écria-t-il jovialement en le tapant à nouveau sur l'épaule. Acceptez et je vous laisserai des loisirs pour suivre vos cours de Droit. Vous voyez, je suis bien moins méchant que vous ne le pensez. C'est un avantage extraordinaire que je vous offre. Je vous donne la clé du royaume, vous serez près du chef de votre province et vous marcherez près de lui dans son palais, parce que vous vous occuperez de ses entreprises les plus importantes et les plus secrètes.

— Oui, j'accepte, dit Pierre d'un ton rêveur, car l'étonnement dans lequel il était noyé ne lui permettait pas de deviner la tactique de l'honorable Letellier. Pierre ne voyait dans cet événement inattendu que la consécration de sa sécurité.

— A la bonne heure! s'écria victorieusement le procureur.

Il ouvrit un tiroir et en tira une boîte de cigares.

— Non, merci, dit Pierre, en jouant distraitement avec les boutons de sa soutane. J'accepte, à une petite condition. Sans doute à cause de la sympathie qu'un prêtre de mes amis a manifestée pour *l'Institut*, les autorités du séminaire l'ont condamné à devenir l'aumônier d'une clinique de détraqués. Vous pouvez sans doute l'en faire sortir et lui faire réintégrer ses fonctions de professeur au séminaire?

— Rien de plus facile, mon garçon. L'abbé Lippé? Vous voyez, ici nous savons tout. Cela sera fait dès demain.

— Vrai? dit Pierre avec un sourire d'enfant incrédule.

— Juré! Et puis ne vous inquiétez pas pour les communistes. J'ai des moyens pour les forcer à rester tranquilles.

Et le procureur tira une bouffée satisfaite de ce long cigare coiffé par la moustache blanche. Pierre, ému à la pensée qu'il remplissait sa promesse de libérer l'abbé Lippé du sanatorium, marcha vers la large fenêtre qui donnait sur la place du parlement. Une larme mouillait ses yeux. La ville grouillait autour du palais gouvernemental et lui, Pierre Boisjoly, venait de mettre le pied à l'étrier du pouvoir. La prophétie que l'abbé Lippé lui avait jetée, ce fameux soir du drame où il avait abandonné sa vocation religieuse, continuait de se réaliser: « Va, nouveau Rastignac, à toi Québec. Tu vaincras et alors, après ton triomphe, tu seras malheureux et tu entendras l'appel du vrai Minotaure. »

Pierre déboutonna lentement sa soutane, l'enleva et la plia soigneusement sous son bras. Il se retourna vers le procureur:

— Je suis prêt.

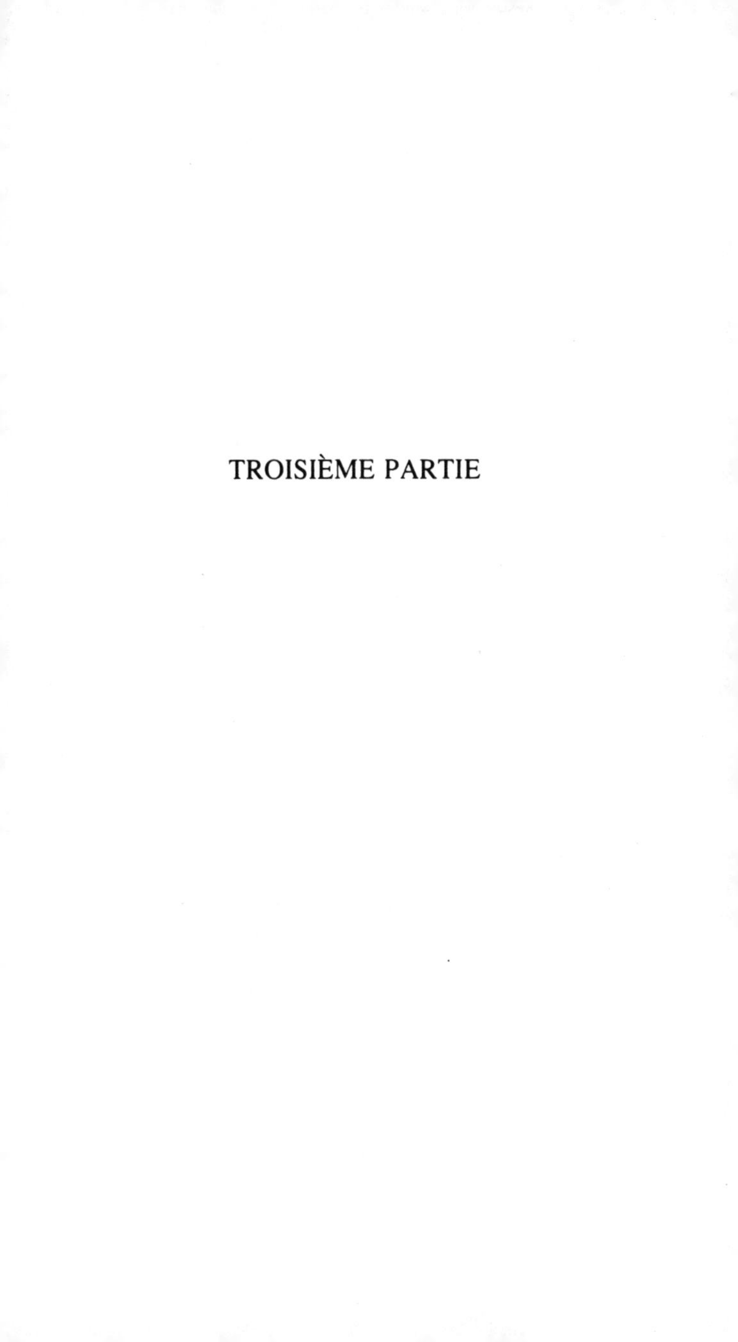

TROISIÈME PARTIE

I

Il était dix heures du matin et Pierre, les mains aux poches, debout devant la fenêtre de son bureau du parlement, cherchait d'un regard distrait sur quelle branche était perché le pinson qui caressait l'air de ses trilles enivrés. Quoi, il occupait son poste depuis seulement une semaine et déjà il ne lui arrivait plus rien? Quelle que soit l'importance qu'on accorde à une situation avant de l'obtenir, songeait-il, on se gave bientôt, dès qu'on la tient, du prestige dont on la voyait entourée et l'on commence à se faire gruger par sa routine. Depuis les six jours qu'il était ici, il voyait sa fièvre des derniers temps mourir un peu plus chaque matin, et les pulsations de sa souffrance ralentir. Le procureur, dont le bureau était attenant au sien, lui montrait une amabilité paternelle, les fonctionnaires le saluaient avec respect et les jeunes filles du département lui adressaient la parole sur un tel ton et avec un tel sourire qu'il rougissait. Soudain, des avenues fleuries d'avantages matériels s'offraient à son existence, comme s'il eût été un jeune homme destiné à une vie sans heurts et non pas ce Pierre Boisjoly qui, à vingt ans, avait déjà sur la conscience une vocation abandonnée, un brave curé Loupret à jamais malheureux et une vieille morte. Il occupait cette situation paisiblement, comme s'il ne la devait pas à un chantage. Le pinson se tut et seuls parvenaient maintenant dans la pièce les odeurs du printemps et les bruits de la Grande-Allée. Pierre, le front plissé, se tourna vers la porte garnie de feutre vert par laquelle il pouvait entrer dans le bureau de l'honorable Letellier.

Le procureur ne lui avait pas reparlé du négatif. Cet homme pouvait-il être désintéressé à ce point, lui qui administrait la machine judiciaire de toute une province, qui pensait à tout, prévoyait les manœuvres de ses ennemis politiques, n'agissait et ne vivait qu'en fonction de sa carrière? Sous le prétexte d'initier Pierre, il lui faisait étudier des dossiers clos, sans importance. « Il me traite comme un invité dangereux », se dit Pierre.

Il pensa à la promesse qu'il s'était faite de battre tous ces gens importants dans leur propre sphère. Sa bouche esquissa une moue triste. Maintenant qu'il tenait l'arme qui lui eût permis d'engager cette lutte, il la méprisait au point que même il était honteux de s'en servir comme d'un bouclier. Et qu'il se sentait seul, ainsi armé et redouté, quand il n'était fait que pour aimer et se dévouer! Il eut un mouvement d'impatience. Il se devait de retrouver au plus tôt cette soif d'infini qui l'avait toujours lancé en avant, avide, mais toujours trompé. Il lui fallait mettre fin à cette halte! Mais où aller? A nouveau, la pierre de l'angoisse s'accrochait à son cœur, et aucune aventure ne s'offrait pour la lui faire oublier.

La sonnerie du téléphone interrompit sa rêverie. C'était la voix lente et bien timbrée de l'abbé Lippé:

— Bonjour, cher puissant de la terre. Vous avez tenu votre promesse. Nous avons été arraché aux fous, nous avons été réinstallé dans nos fonctions et dans notre ancienne chambre du séminaire. C'est autour de nous une floraison de sourires envieux. Nous nous proposons de photographier plus que jamais, puisque la photographie est non seulement un art, mais aussi une arme puissante. N'est-ce pas?

Un sourire enfantin illuminait le visage de Pierre.

— Alors vous êtes heureux?

— Ne pose jamais une telle question à un prêtre. Tu n'as pas encore appris que nous ne pouvons pas être malheureux? Oh! ces questions d'enfant! Mais ce qui m'arrive très rarement, c'est d'être fou de joie et je le suis. Et ce cher procureur, comment va-t-il?

— Tout à fait aimable. C'est étonnant. Il ne m'a reparlé de rien.

Pierre fronça soudain les sourcils et examina l'écouteur.

Quels étaient ces craquements intermittents qui se mêlaient aux voix? Un tiers écoutait-il la conversation? Mais l'abbé Lippé continuait avec une assurance toute sacerdotale.

— Je te donne un an pour supplanter le procureur. Alors je deviendrai recteur de l'Université et nous ferons accorder par Rome une médaille *Bene Merenti* à ce cher Willie Savard, qui conserve si bien notre précieux négatif.

— Monsieur l'abbé ! Ne dites pas ces choses au téléphone !

Pierre avait presque crié d'effroi.

— Comme tu es nerveux, *carissime Petre*. Tu ne fais pas assez de gymnastique. Pense aux Grecs qui ne s'énervaient jamais. Qu'y a-t-il donc?

— J'ai peur qu'on nous écoute. J'irai vous voir et je vous expliquerai. A bientôt!

Pierre avait nerveusement raccroché et il n'avait pas entendu le « Ah! » éberlué de l'abbé Lippé. Il regarda à droite et à gauche. Cette conversation avait-elle été enregistrée? Pourtant non. Il s'inquiétait à tort. Le désœuvrement le portait à imaginer des espions partout. Depuis qu'il était ici, personne n'avait semblé l'observer sournoisement.

Le bouton avertisseur bourdonna. Pierre marcha d'un pas hésitant vers la porte feutrée de vert et l'ouvrit lentement. Le procureur, confortablement renversé dans son fauteuil à bascule, l'accueillit d'un bras jovialement tendu, au bout duquel fumait un cigare.

— Mon cher Boisjoly, j'ai une bonne nouvelle pour vous. Voici.

Pierre, le cœur fermé, les nerfs tendus de prudence, examina brièvement cet homme rose de bonne humeur, puis, intrigué, lut la carte à large format que l'honorable Letellier lui avait remise: « Madame Huguette Letellier vous prie de lui faire le plaisir d'assister à un cocktail... »

Pierre, le souffle coupé, s'assit sur le bord du fauteuil et se passa lentement la main sur la tête comme s'il eût reçu un coup. Avant que Pierre eût pu faire le tour de sa surprise, le procureur déclarait avec bonhomie:

— Eh bien! oui, nous sommes comme ça, nous, les

Letellier. J'ai convaincu ma belle-sœur et mon neveu de leurs torts envers vous. Ce sera leur façon de les reconnaître et de vous réconcilier.

Pierre revenait lentement à la surface, à la réalité de cette carte d'invitation qu'il serrait à deux mains. Et l'affolement commença de lui monter à la gorge. Il balbutia:

— Je ne leur en veux pas. Aucune réconciliation n'est nécessaire. Qu'on m'oublie... Je ne vais jamais aux cocktails.

A mesure qu'il parlait, il lui semblait que l'écho de ses paroles ne trouvait plus de résonance dans sa propre tête, et qu'y prenait place une ronde hallucinante. Cette invitation de madame Letellier! La cloche du destin sonnait, l'incroyable agencement des contingences recommençait à fonctionner, il en entendait les déclics familiers. Il tenta d'avaler sa salive mais n'y parvint pas. Son existence bougeait à nouveau, comme une machine qui procède par étapes vers une destination inéluctable, et le bourdonnement qui emplissait ses oreilles lui paraissait l'écho de cet engin qui recommençait à gronder. C'était ainsi depuis l'abandon de sa vocation: la mort de madame Boisseau, la rencontre avec Willie Savard, puis avec le procureur général. Il avait tout fait pour s'éloigner du rayonnement de cette mort, dont le souvenir planté au centre de son cœur étouffait tout espoir. Mais les événements dont il était le jouet gravitaient, par un étrange enchaînement, dans l'ordre de ce rayonnement, comme si les actes qui étaient le plus étrangers à son remords s'en fussent soudain rendus les intimes complices. Qui donc voulait que cette longue fuite le ramenât dans cette maison des Letellier où il avait vu la vieille dame s'écrouler?

Le procureur l'observait avec contentement. Calmement appuyé sur ses coudes, le cou et les épaules gonflés de satisfaction, il jouissait de son effet, de sa rouerie d'homme mûr devant cet adolescent émotif qui l'avait un instant fait trembler. Ce jeune homme serait beaucoup plus facile à contrôler qu'il ne l'avait prévu.

— Si vous refusez, vous ne vous montrez pas bon diplomate. Je connais la générosité de votre cœur; mais si vous repoussez la main tendue que vous offrent ma belle-sœur et mon neveu en vous invitant à ce cocktail, vous commettez une grave erreur, car ils se méprendront sur vos motifs et croiront que vous dédaignez leur bon mouvement. Et croyez-moi, on n'a jamais pires ennemis que ceux dont on a refusé l'amitié.

— Non, non, ce n'est pas ça, balbutiait Pierre... Après tout ce qui s'est passé...

Le procureur se levait et s'approchait cordialement de lui.

— Ah! ces enfants! Le moindre incident prend à leurs yeux les proportions d'un drame éternel. « Tout ce qui s'est passé! » dites-vous? Votre rivalité scolaire avec Yvon? Normal, tout cela. Peut-être vous a-t-elle fouetté et aidé à devenir bon premier! Les sautes d'humeur de ma belle-sœur? Toutes les mères sont comme ça, quand il s'agit de leur enfant, surtout s'il est gâté. Et cette histoire de caricatures! Un complot de guignol monté par un étudiant en mal de mauvais tours, une histoire qui m'a bien embêté, je l'avoue, mais qui m'a aussi permis de vous connaître et de vous apprécier.

— Une histoire qui a fait mourir un prêtre, dit Pierre, fiévreusement, en pensant à cette chambre obscure où la vieille femme était tombée.

Les yeux de Pierre se dilatèrent à la mesure d'un long haussement d'épaules que l'honorable Letellier esquissait:

— Bah! Ce prêtre était cardiaque, à la merci de la moindre colère. D'ailleurs, chacun de nous participe à tuer quelqu'un d'une façon ou de l'autre. Alors, il faudrait pendre tout le monde. Vous voyez ça? Heureusement, devenir criminel, c'est difficile.

Pierre ne put retenir une exclamation tremblante de triomphe:

— Vous croyez?

Dressé, Pierre, légèrement plus grand que le procureur,

le fouillait d'un regard avide. Celui-ci, devant cette exclamation fébrile, cette agitation et ces yeux dévorants, baissa la tête en se gourmant: « Mais oui, mon enfant, je le crois. » Mais presque immédiatement, sa curiosité de procureur, piquée, s'éveillait et, le visage tendu, il examina Pierre:

— Dites donc, auriez-vous tué quelqu'un?

— Moi? Non. C'est-à-dire oui, comme tout le monde, je suppose. J'accepte d'aller à ce cocktail, ajouta-t-il rapidement.

— A la bonne heure! s'écria le procureur. Nous boirons à la santé de nos victimes. Bon! Laissez-moi travailler. Il faut que j'organise une descente chez nos amis les communistes ces jours-ci, au moment propice. Alors vous ne nous soupçonnerez plus de complicité avec eux. Et tout rentrera dans l'ordre.

Pierre retourna dans son bureau sans s'apercevoir qu'il avait poussé la porte feutrée et qu'elle s'était refermée derrière lui. Il s'écoula quelques minutes avant qu'il pût voir chaque objet dans sa vraie perspective. A mesure que diminuait le jeu de balance entre ses pensées affolées et son émoi, grandissait en lui une colère qui plaquait sur son visage une expression farouche. « Chacun de nous a participé à tuer quelqu'un. » Non, non, c'était trop facile à dire. Et ce procureur heureux qui ronronnait gaiement à propos de problèmes qui le torturaient, lui, Pierre Boisjoly, de problèmes qui salissaient toutes les sources et tous les horizons! « Oui, mon enfant, je le crois. » Il avait murmuré cette phrase comme un complice sans remords. Et ce: « Dites donc, auriez-vous tué quelqu'un? » Sur quel ton cordialement curieux il avait posé cette question! Comment, malgré son trouble, Pierre avait-il pu aussi habilement y répondre? Pierre avait honte de cette feinte, car il entendait, plus distincte maintenant, la menace du châtiment qui l'attendait au bout de la route. La lâcheté s'était implantée dans son âme avec la première faute, qui est aussi la clé de l'habitude. Comment une seule semaine avait-elle pu résister à l'endormir dans l'illusion d'une fausse sécurité, au point que les circonstances qui l'avaient installé dans cette situation enviée, avaient commencé à lui paraître lointaines et sans grande importance? Mais le procureur ne s'endormait pas, il fourbissait ses armes pour une lutte qui lui plaisait et qui intéressait si peu Pierre, que son cœur aimant avait pris le sourire de l'ennemi pour une marque d'affection. D'ailleurs que lui importait, désormais, d'être apprécié ou non par ces Letellier, d'accepter ou non leur poignée de mains!

Plus il pensait à ce cocktail, mieux il se remémorait la courbe des événements qui le ramenaient dans cette maison terrible, et plus il voyait se rapprocher l'échéance vers laquelle depuis un an il était projeté. Ce n'était pas l'heure de remettre au procureur ce négatif et de fuir dans l'anonymat des gens qui s'ennuient et qui s'aigrissent parce qu'au dernier moment ils ont reculé devant le destin. Il attendrait pour cela d'y être contraint par les circonstances. « J'irai! »

II

Des limousines se rangent le long d'un trottoir, des dames et des messieurs dignes en descendent, mais déjà une certaine hâte avide les pousse vers cette demeure illuminée, vivante, d'où arrivent les rumeurs grandissantes du cocktail. Les maisons de l'alentour semblent réduites à de sombres dessins d'arrière-plan et n'existent plus que comme témoins rabougris.

Huguette Letellier, hôtesse parfaite, circule entre les groupes, gainée dans une robe de soie noire dont les femmes admirent ou critiquent les originales bretelles: une hirondelle aux ailes déployées est brodée sur chacune d'elles, et dirige son bec vers les seins laiteux dont on aperçoit la naissance. — « Une création italienne! » explique Huguette d'un ton mutin qui détonne légèrement et avec un petit coup de tête coquet. — Elle s'affaire de juge en ministre, d'avocat en médecin, de journaliste en entrepreneur. Cinquante personnes sont ici rassemblées, soit par l'ennui, soit par l'intérêt. Les ambitieux y sont fébriles et gesticulent, les gens dont la vie ne bouge plus y croient trouver le mouvement en chevauchant sur des conversations abracadabrantes et vides, et les femmes de cet univers démocratique, privées de la magnificence des époques aristocratiques qui surent si bien les gâter, essaient désespérément d'en retrouver les antiques splendeurs dans ces ersatz incolores que leur offre le vingtième siècle. Dans les mains, des verres scintillent, un garçon évolue avec son plateau, des flirts et des discussions s'engagent, les propos s'animent, on est noyé dans la fête et le reste du monde n'existe pas. Mais Huguette Letellier ne semble vivre que dans l'attente d'un certain coup de sonnette et c'est vers le hall qu'elle s'élance parfois avec le plus d'empressement, alors que dans sa course, son visage révèle un moment son véritable état d'âme: la colère ahurie.

Encore une fausse alarme. Elle avait couru au hall en vain, car le portier se balançait sur ses jambes, les mains derrière le dos. Yvon Letellier, inquiet, avait suivi sa mère, et le couple fut rejoint par l'honorable Letellier. Le procureur prit patiemment le bras de sa belle-sœur et lui répéta encore une fois de cette voix paternelle qui commençait d'inquiéter Pierre:

— Huguette, tu es trop nerveuse. Tu l'as promis, sois aimable. C'est très sérieux. Le premier ministre ne sait rien de cette affaire et je ne tiens pas à ce qu'il l'apprenne. Il y va de notre plus grand intérêt à tous. Ce Boisjoly est un garçon violent, mais très sensible, je te le répète. Il s'agit pour nous de l'endormir, de le flatter, jusqu'au moment où nous mettrons la main sur ce fameux négatif. Yvon s'est mis les pieds dans les plats, il s'agit maintenant de les lui en sortir sans que la famille en souffre. D'ailleurs, un intéressant téléphone a été intercepté hier après-midi.

Nous sommes sur une très bonne piste. Plus tard, je ferai de Boisjoly ce que tu voudras.

— Mon oncle a raison, renchérit Yvon, d'une voix faussement nonchalante. Il s'agit de mon avenir, que cette maudite photo pourrait sérieusement compromettre. Nous prendrons une revanche à ton goût plus tard. De quel téléphone s'agit-il, mon oncle?

— Oh! toi, surtout ne viens plus te mêler de cette affaire et attends les résultats.

La jolie veuve fit alterner son regard gris de rage entre les deux hommes.

— Ce voyou barre la route d'Yvon depuis dix ans et vous voulez que je sois calme, que je l'embrasse peut-être? Ce rejeton de femme de peine a été ici un valet, il m'a insultée, et vous m'imposez de le recevoir en triomphateur! Est-ce croyable? Ce morveux nous tient maintenant à la gorge! Très bien, fit-elle, les lèvres serrées, après un silence. Puisqu'il le faut.

— Tu oublieras tout cela le jour de la revanche, fit Yvon en lui flattant les cheveux.

Elle se dégagea avec colère et se rendit vers ses invités en marmottant: « Et ce petit monsieur se permet d'arriver en retard par-dessus le marché! »

Les deux hommes laissés seuls se regardèrent dans un silence soucieux.

Pierre arriva enfin devant cette maison illuminée, pétillante de plaisirs mondains. Il ne voyait pas cette lumière, il n'entendait pas ce joyeux grondement. C'était ici même que Denis Boucher avait dit: « Tu n'es pas venu ce soir. Je ne te connais pas et c'est moi seul que ça regarde. Et va-t'en, que je ne te revoie plus! » Et son pas rapide avait décru sur l'asphalte dans la nuit. Pierre, les lèvres sèches, les mains glacées, essaya de marcher carrément jusqu'à la porte. Mais le bruit de ses talons sur l'étroit trottoir de ciment rendait plus présent, à mesure qu'il approchait du but, le soir de juin où il avait couru sur le bout des pieds, comme un voleur, et s'était introduit par la fenêtre de la cuisine dans la demeure silencieuse. Trois jours après, par cette haute porte béante, un cercueil était sorti, porté par six hommes en noir. Il tituba d'émoi. La peur lui montait du ventre en un spasme, un spasme encore plus violent que celui qui lui avait fait fuir le cimetière comme un fou, avec ses trente-six roses sous le bras. Mais fuir aujourd'hui, c'était commencer à fuir toujours! « Mon Dieu! » murmura-t-il. Il réussit à grimper les marches et de son poing fermé, il appuya sur le bouton de la sonnette.

Le portier le fit entrer dans le hall et prit son paletot. Ici même, un an auparavant, il était entré, fou de rage, et une vieille femme, qui tricotait dans le petit boudoir, était venue à sa rencontre et lui avait parlé doucement. Et depuis, sa vie n'avait été qu'une longue nuit, où il avait marché à tâtons, se butant toujours contre ce fantôme. Puis il regarda fixement le large escalier et ne vit pas venir à lui, la main tendue, Huguette Letellier, suivie du procureur, qui adressait à Pierre des signes d'apaisement et de cordialité. Yvon attendait au bord du salon, les yeux glissés vers le hall, mais tenant une conversation animée avec une jeune fille.

— Pierre Boisjoly! s'écria-t-elle. Comme vous vous faites attendre! C'est comme ça, quand on dirige un pays. L'escalier? C'est vrai, il doit vous rappeler des souvenirs.

Elle le prit coquettement par le bras et l'entraîna vers le grand salon.

— Nous vous attendions avec impatience.

Aucune pensée ne lui venait. La femme qui avait inspiré le complot que l'univers ourdissait contre lui, le tenait fermement par le coude, autoritaire et souriante, fébrile mais résolue, et Pierre, tout son être tendu, la devinait, triomphante à ses côtés, qui se préparait sans doute à une vengeance. Les yeux du jeune homme, agrandis par l'angoisse, apercevaient le salon bourré d'invités comme une masse grouillante et bigarrée, jacassante et étourdie, pailletée de crânes dénudés et de chevelures soyeuses qui luisaient et rutilaient sous l'éclat des lustres. Huguette Letellier le fit arrêter au bord du salon, presque collé à lui comme pour attirer l'attention et inspirer des questions sur la présence de ce jeune inconnu.

Malgré l'affolante intensité de l'instant, les yeux de Pierre décomposaient maintenant cette masse, les silhouettes se dégageaient plus nettement dans l'atmosphère opaque et lui apparaissaient un peu comme des poissons dans un aquarium. Il lui sembla que l'assemblée se tournait toute vers lui. Des sirènes drapées de taffetas et de velours sombres firent de gracieuses volte-face et de longs poissons noirs vinrent hypocritement nager le long de la paroi avec de grands yeux ronds brouillés par des bulles de folie.

— Hé! Hé! C'est votre surprise annuelle? fit un gros contracteur de la voirie.

Un éclat de rire épars fusa et Pierre, les yeux fermés, immobile, le sentit descendre dans ses oreilles et rejoindre sa souffrance.

— Non, c'est le fils de mon ancienne femme de peine, venait de susurrer Huguette à voix basse, à un groupe d'intimes. Moi, je suis démocrate.

Le procureur intervint et, d'une voix qu'il essaya de rendre cordiale, il dit aux quelques personnes qui avaient entendu la réponse de sa belle-sœur:

— Voyons, qu'on me laisse moi-même présenter mon secrétaire!

Il entraîna Pierre qui, ayant deviné quelque basse ironie, était assommé par la colère. Les regards qui s'étaient un instant tournés vers ce dernier se retirèrent, et le tumulte reprit de plus belle. Huguette Letellier, livide, ne parut pas apercevoir le bref coup d'œil rageur que son beau-frère lui décocha pendant qu'il emmenait Pierre.

Celui-ci, l'œil vitreux, continuait de regarder fixement cette femme dont le chuchotement s'était dirigé contre lui, il en était sûr. En ce moment, alors que le procureur lui présentait un verre, il la voyait se ressaisir en face des dames qui commençaient de l'entourer pour connaître la suite de l'histoire. Huguette Letellier parlait bas, avec des petits coups de tête entendus, hautains, et ses auditrices, avec des airs de poules picorantes, tournaient vers Pierre une figure ahurie. Pierre imaginait les mots qu'elle prononçait tout bas: « Oui ma chère, le fils de mon ancienne femme de peine, la mère Boisjoly. Son curé avait payé ses cours. Nous le protégeons. » Comment pouvait-il rester ainsi, labouré par la rage, mais ne disant rien? Il eût été si bon de brandir un bâton ferré et de frapper sur ces faces et sur ces têtes jusqu'au silence complet. Il avait trop longtemps oublié cette colère immense qui, dans la salle des Promotions, l'avait déchiré quand, sous les humiliations d'Huguette Letellier, poussé aux confins de l'exaspération, il s'était jeté hors de sa route, se jurant de battre cette société méchante et maudite. L'image de Fernande, celle de la vieille morte, et toute cette étrange aventure lui avaient fait perdre de vue l'aspect important de son problème et, dans son ascension, il avait trouvé ce monde trop petit pour s'accrocher à des batailles qui ne l'exaltaient plus. Même sans ce terrible remords qui pesait sur sa vie, le drame eût été pour lui inévitable: découvrir trop tard que la lutte où l'on écrase l'ennemi sous son pied n'égale jamais la sublime joie de se donner généreusement dans une charité sans limite. Mais cette femme recommençait à l'enduire de haine, et si l'image de Fernande ne brouillait plus le cœur du jeune homme, il se croyait souillé par trop de remords pour songer de nouveau à mettre son espoir dans l'amour. Pourquoi ne s'en allait-il pas d'ici? N'avait-il pas participé à tuer la mère de cette femme? Il but son verre d'un trait.

— Parbleu! dit le procureur, vous y allez! Je comprends un peu votre état d'esprit, votre embarras. Mais ma belle-sœur est comme ça, elle aime le sensationnel, il faut lui pardonner.

— Je vous avais bien dit qu'elle me déteste, lui dit Pierre en regardant au fond du verre qu'il serrait à deux mains. Je n'aurais pas dû venir.

— Mon vieux, c'est une manie. Vous voyez des ennemis partout. Il faut s'endurcir, s'habituer à toutes sortes de gens, aux différents paliers de la société. Ma belle-sœur est mondaine un peu bruyante et coléreuse, c'est vrai. Mais au fond, c'est une bonne fille, dont le principal handicap est de ne pouvoir exprimer ses sentiments avec simplicité. Par exemple, on prendra ses aveux les plus sincères pour des blagues et une certaine... disons, timidité, pour une pose méprisante. Où est donc Yvon? Nous le retrouverons tout à l'heure. Venez, faisons une ronde parmi ces bons vivants où il se trouve de jolies filles.

Pierre, un verre à nouveau rempli à la main, se laissa ballotter de groupe en groupe, plaquant d'instinct sur son visage cette expression de faux intérêt qui nous rapproche hypocritement des inconnus à qui l'on serre la main dans une cohue. Des jeunes filles minaudaient, tentant d'engager avec lui une conversation préliminaire au flirt mais lui, rougissant, s'esquivait par une pirouette, pour s'empêtrer immédiatement dans le filet de banalités tendu par chaque groupe en vue de capturer un spécimen intéressant. Comme il se découvrait étranger à tout le monde, comme il se sentait lourd et sauvage dans cette frivolité prospère! Mais malgré les émotions contradictoires qui le traversaient, une curieuse ardeur commençait à monter en lui, inspirée par le whisky. Son œil évaluait rapidement les groupes selon le degré d'animation qui paraissait les agiter. Une gaieté plus endiablée régnait près de la grande fenêtre du salon.

Entouré d'invités tordus par un rire qui redoublait d'intensité dès que le souffle le leur permettait, une sorte de nain hilare, au visage rond et rose de poupon, gesticulait et discourait avec une faconde rabelaisienne, ingurgitant son whisky et dévorant des hors-d'œuvre, en même temps qu'il débitait des blagues à travers sa mastication mouillée, blagues qui sombraient dans un rire énorme qui montait en crescendo, entraînant dans sa ronde et les couvrant, les rires de ses auditeurs. Une phrase criée dans un accès de rage comique s'éleva au-dessus du tumulte:

— Saint Thomas d'Aquin, protecteur de la bonne chère et du bon vin, est mon héros préféré et mon père spirituel. Petit-fils de Noé, il s'est chargé de défendre son grand-père au sein de l'Eglise, et du haut de son ciel, il m'excusera bien d'avoir, un peu tard il est vrai, préféré le mariage à la chasteté, et de boire dans les salons plutôt que de me laisser sécher au cloître. Saint Thomas, je bois et je boirai toujours à ton gros bon sens. Amen.

— Ce numéro bruyant, glissa le procureur à l'oreille de Pierre, c'est Maître Robert Larochelle. Ancien jésuite, il est sorti de l'ordre juste au moment de prononcer ses vœux, il y a environ quatre ans. A cette époque, il était maigre jusqu'aux os, miné par le refoulement et toutes sortes de passions. Il a assez bien réussi à rattraper le temps perdu. Il court, il court sans arrêt et il exagère toujours. Il a fait son Droit et s'est marié l'an dernier à une fort jolie fille qui doit être quelque part ici, entourée de soupirants plus jeunes que son défroqué. C'est actuellement un avocat sans cause qui fait des pieds et des mains pour se faire nommer au Département. Mais il va attendre longtemps, il est un peu trop bavard. A cause de sa gaieté monstre, il est invité à tous nos cocktails, Mais il n'oublie pas son ambition. D'ailleurs je ne serais pas surpris que, vous sachant mon secrétaire, il vous accroche tout à l'heure et vous fasse la cour. Méfiez-vous.

Pierre détesta immédiatement ce traître tonitruant et vulgaire, non pas tellement parce qu'il bafouait dans la médiocrité des salons la dignité de la prêtrise, mais à cause du répugnant parallélisme qui pouvait s'établir entre son destin à lui et celui de cet avocat.

— Beau et sombre monsieur, laissez-moi boire dans votre verre pour connaître vos pensées?

Une blonde mutine, aux épaules maigres, apparemment assez grise déjà, s'accrochait à son bras. Pierre, le torse bombé d'embarras, s'arrêta pour pencher gauchement le verre sur la bouche gourmande, où le rouge s'étalait maintenant inégal.

— Aie ! vous me donnez à boire comme à un nourrisson. Vous êtes une mère qui s'ignore.

— Pierre, je te présente Monique Giroux, ma partenaire au tennis.

Une mèche blonde tremblotant sur son front fantasque, Yvon Letellier, les yeux mi-fermés et un sourire ironique aux lèvres, lui tendait la main. Pierre la regardait avec des yeux scandalisés, cette main qui, un soir au clair de lune, s'était levée et avait collé la pancarte sacrilège au poteau, devant l'*Institut,* sous l'œil du Grand Dick. Il ne la toucha pas et il la suivit du regard, qui redescendait en se serrant le long de la hanche. Pierre vida son verre, les paupières baissées, car il écoutait le petit rire féroce et muet qui montait de sa poitrine et rejoignait la première griserie du whisky. Il y eut un silence glacé, mais Monique, malgré son ivresse, tenta de parer à cet embarras. Elle entraîna Pierre vers un grand vieillard chauve qui examinait les invités comme s'ils eussent été des jurés, et dont la parole lente semblait toujours rendre un jugement.

— Voici mon père, minauda Monique. Je vous le confie, papa, c'est un jeune homme très sérieux.

« Il m'examine comme si j'avais un dossier judiciaire », se dit Pierre.

— Je vous le confie, mon cher juge, fit l'honorable Letellier.

Et il laissa Pierre pour aller rejoindre Yvon qui s'était reculé, pâle de rage, vers le mur.

— Au moins, lui souffla le procureur, tu te contrôles mieux que ta mère.

— Oh ! il me paiera ça ! gronda Yvon.

Pendant ce temps Pierre, sentant courir dans son dos les remous de la haine qui s'agitaient derrière lui, attendait que le juge Giroux lui adressât la parole. La figure bourrue, le regard à la fois terne et aigu, celui-ci examinait Pierre des pieds à la tête, avançait légèrement l'épaule gauche comme pour mettre en évidence une rosette de la Légion d'honneur qu'il n'avait obtenue qu'après maintes démarches auprès du Consulat français, et prenait l'attitude d'un sphinx silencieux pour ne pas laisser voir qu'il n'était qu'un vieillard qui n'avait rien à dire et s'ennuyait.

— Quel âge avez-vous, jeune homme? Hum!

— Vingt ans.

— C'est jeune. Très jeune, en effet. Hum! Ferez-vous votre Droit?

— Non, je ne le crois pas.

Il pensait avec colère à ce défroqué qui criait comme un cochon. Et ce whisky donnait soif. Il happa un verre plein sur un plateau.

— Hum! Il faut faire son Droit, jeune homme.

Le juge continuait de l'examiner, immobile, de ce même regard aigu et terne, et glissait des « Hum! » entre deux gorgées. Le procureur était parti, et Pierre ne pouvait se risquer à errer sans but dans cette jungle dangereuse. Et il n'avait pas appris à se dégager d'un ennuyeux. L'eût-il voulu, il ne le pouvait plus, il se voyait prisonnier de cette momie décorée, dont les mains blanches comme cire devaient se ganter lentement de noir et poser solennellement le tricorne, certains jours épouvantables. La question jaillit spontanément:

— Vous avez plusieurs condamnés à mort à votre crédit?

— Onze. Mon dernier, c'était le gros Charlot, qui a assassiné la veuve Hébert.

— La première fois, ce dut être terrible? fit Pierre en crispant la main sur son verre.

— Oui. Hum! C'était une drôle d'expérience. Ma femme a quasiment porté le deuil. Mais... Hum! à force de faire pendre, on s'habitue. Il faut que justice se fasse.

« Jusqu'à ce que mort s'ensuive », pensa Pierre. Bouche bée, le regard perdu dans une vision jusqu'où son remords n'avait jamais osé se rendre, il s'imaginait dans la boîte aux accusés, debout, écoutant le juge Giroux qui le condamnerait à la pendaison. Une semaine plus tard, le juge, dans un salon, dirait: « Hum! Mais oui, Pierre Boisjoly, c'est mon douzième; vous savez, ce petit séminariste, complice du meurtre de madame Boisseau. » Et ce ne serait que ça, et il ne serait plus là, tout le monde l'aurait oublié et il ne serait même pas question qu'il avait voulu être magnifique, une seconde, une minute, un jour. Une révolte sauvage monta en lui contre le sentiment de culpabilité qui lui empoignait le torse, alourdissait sa tête; puis un appel éperdu à la notion d'innocence lui fit lever les yeux vers le plafond. Mais le plafond oscillait, son verre tremblait entre ses doigts, car l'infernale machine accélérait les événements et, il le sentait, le rapprochait d'un but obscur et terrifiant.

Le juge, mal habitué au silence des autres, laissa Pierre en plan au milieu du salon. Mais sa fille, accompagnée de deux adolescentes qui levaient sur Pierre des yeux d'une langueur presque suppliante, vint à sa rescousse. Pierre l'écouta faire les présentations, mais les noms de ces jeunes filles filaient à la surface de son oreille. Il entendit bien qu'elles l'invitaient à rejoindre un groupe de jeunes gens au petit salon pour y danser des tangos. Danser le tango avec ces innoncentes poupées quand le tam-tam du destin lui martelait la tête! D'ailleurs il ne savait pas danser. Ridicule!

— C'est un scrupule mon ami, un scrupule. Vous avez encore des déchets de vocation religieuse dans le corps et je comprends ça. Notre hôtesse vient de me raconter votre histoire.

L'avocat toupie, le rabelaisien Maître Larochelle, s'était faufilé jusqu'à lui. Les trois jeunes filles s'étaient enfuies comme des pies effrayées.

— Oui, je m'y connais, reprit l'avocat avec un grand geste solennel. Cette soutane à laquelle vous vous étiez habitué en pensée, vous la sentez encore sur votre dos et vous rougissez de prendre une jeune fille dans vos bras. Moi qui vous parle, je l'avais sur le dos, je la touchais avec mes doigts, je la sentais battant sur mes jambes et pendant sur mes pieds. C'est terrible, on voit le Christ dans tous les coins, car Dieu est partout, comme dit le petit catéchisme, mais il est plus dense dans l'église, naturellement. Nuance d'intensité. Ça m'a pris quatre ans à me débarrasser de cela et maintenant, je vis, je respire. Vous verrez comme vous vous sentirez heureux quand vous aurez atteint mon degré de « désoutanisation ».

— Lâchez-moi le bras! gronda Pierre sans le regarder.

— Je vois ça, vous traversez une crise, fit l'ancien jésuite sur le ton affectueux de la confidence. Avez-vous déjà couché avec une femme? Il le faut. Moi je me suis marié. Vous connaissez ma femme? Un instant, que je la trouve. Attendez ici.

Il partit empressé, furetant parmi les groupes. Soudain Pierre se sentit tiré doucement par la manche. « Pierre! » Cette voix féminine, un peu rauque! Au battement long et sourd que son cœur avait fait résonner dans sa gorge, il se retourna.

Il ne s'exclama pas: « Fernande! » Comment une seule parole pouvait-elle sortir de sa bouche, quand tout son être n'était qu'un cri de surprise et de joie?

— Quel choc, quand je vous ai vu tout à l'heure! J'essaie depuis tantôt de me rapprocher de vous.

Son regard la dévorait avec une sorte de ferveur animale. La magnifique chevelure noire, lustrée, les yeux verts, si vastes et si purs, les lèvres pleines, prêtes à mordre! Il la retrouvait telle qu'il l'avait vue pour la première fois, pieds nus dans ses pantoufles, croisant sur sa poitrine le peignoir rose et lissant ses longs cheveux avec un peigne minuscule. Elle lui était apparue, la figure tendue et un peu effarouchée; comme en cet instant où elle parlait à Pierre avec une hâte inquiète et peureuse.

— Je suis maintenant la femme de Robert Larochelle, un avocat. Il ne faudra pas montrer que vous me connaissez. Faites ça pour moi, je vous expliquerai plus tard.

— Robert Larochelle? Entendu, dit-il machinalement.

Puis il éclata dans une sorte de sanglot étouffé:

— Non! C'est impossible!

Une jalousie bestiale l'assommait soudain. Mais il ne

demeura pas longtemps victime absolue de l'instinct. Comment avait-elle pu devenir la femme de cet homme infâme qui avait dit: « Il vous faut coucher avec une femme. Moi, je me suis marié. » A cause de l'image de Fernande, de ce corps troublant qu'il avait passionnément imaginé pur, Pierre avait trahi sa vocation et était devenu le jouet d'événements étranges. Et Fernande était maintenant la femme de l'homme qu'il méprisait le plus au monde. Il avait eu raison de craindre ce cocktail où la fatalité lui donnait rendez-vous. Fernande, les paupières baissées, se mordait les lèvres et ne répondait pas. Désemparé, il regarda de droite à gauche. Yvon Letellier, appuyé contre le chambranle de la porte, l'observait attentivement. Puis Yvon sembla alerté, fronça les sourcils, toute la face à l'affût vers Fernande qu'il essayait de replacer quelque part dans sa mémoire. Où l'avait-il donc déjà vue?

— Ah! tu étais ici déjà? s'écriait Maître Larochelle qui revenait, se préparant à présenter sa femme à Pierre.

Mais celui-ci, l'esprit accroché à une obsession dévorante, les laissa en plan et d'un pas d'automate se mit à suivre le crâne chauve du juge Giroux qui sortait du salon, s'engageait dans l'escalier. Qu'avait-il à espérer désormais? Ce sommet de la société était pourri, haineux et mesquin, Fernande s'était vendue à ce Judas et lui-même avait un crime à expier. Son vrai crime, c'était d'avoir cessé de se sentir petit et aimant devant Dieu, pour devenir, lui aussi, l'une de ces grenouilles orgueilleuses et grotesques. Son existence ne méritait pas mieux que de finir en queue de poisson, ce soir même, au milieu d'un cocktail, où il se confesserait à un juge ennuyeux et blasé. Et Pierre eût voulu que cette fin fût cent fois plus ridicule encore! Les sueurs perlaient à son front. « Monsieur le juge! » murmura-t-il d'une voix blanche. Mais le magistrat hâtait le pas, atteignait déjà le sommet de l'escalier. « Monsieur le juge! » cria Pierre. Mais le juge tourna brièvement la tête avec embarras et disparut derrière une porte qu'il ferma à clé avec une hâte prostatique.

Les bras ballants, exaspéré par sa tragique résolution, Pierre s'aperçut soudain dans un grand miroir mural et éclata d'un rire nerveux. Une situation semblable ne s'était probablement jamais produite dans toute l'histoire. « Un criminel repentant poursuit un juge pour se confesser et doit finalement attendre que celui-ci ait fini d'uriner. » Puis son rire se congela dans sa gorge. Cette chambre, ce lit couvert de paletots noirs reflétés par le miroir ! Il reconnaissait l'emplacement de la porte, et la vieille dame était restée allongée sur le plancher, parallèlement à ces paletots qui, par le jeu du miroir, parurent bouger, comme s'ils eussent été habités par des squelettes avertis de sa présence. Il imagina leurs longues phalanges qui s'avançaient vers ses épaules et il n'eut pas le courage de se retourner. Il sauta l'escalier comme un fou et vint littéralement choir aux pieds de Fernande qui feignait d'examiner une fougère dans le hall.

— Vous êtes malade? dit-elle rapidement d'une voix anxieuse.

Il regarda vers le sommet de l'escalier puis hocha la tête.

— Vous savez ce qui me trouble! souffla-t-il.

— Vous me méprisez?

— Oui!

— Vous êtes injuste. Vous ne connaissez pas ma vie, murmura-t-elle. Venez. Faites-moi confiance comme si je vous avais tout raconté.

— Vous avez ma confiance!

Ils avaient échangé ces phrases rapidement, comme des caresses furtives entre deux malheureux. Après de longs mois d'une vie égale et médiocre, elle avait soudain retrouvé, à la vue de Pierre, tout un passé exaltant qui avait brusquement pris fin ce soir même de juin où Pierre était monté à la chambre de Denis Boucher. Elle redécouvrait ce même regard sauvage au sein de cette cohue gesticulante et, le whisky aidant, tendait tout son être vers le mystère de ce garçon qui prenait à ses yeux figure de chevalier héroïque.

A la remorque de cette main qui le serrait tendrement,

il ne pensait plus qu'au bien-être délicieux qui l'envahissait et contre lequel il ne songeait pas à se défendre. Il ne vit même pas Yvon Letellier, près de la porte, qui souriait maintenant en les observant, et faisait claquer ses doigts le long de ses hanches en des chiquenaudes nerveuses et satisfaites. C'était bien cette fille qui avait assisté à la distribution des prix aux côtés de l'abbé Lippé et d'un certain voyou du Quartier Latin! Comme sa mère passait près de lui, Yvon chuchota triomphalement: « Maman, je pense que j'ai mon homme. J'ai un plan formidable. Mais n'en dis rien à mon oncle. Je vais lui montrer que je peux réparer mes erreurs moi-même. »

Une musique de tango surgissait par bouffées syncopées du petit boudoir où des couples évoluaient. Pierre ne s'étonnait pas du bonheur absolu au fond duquel son être semblait reposer pour l'éternité, un bonheur qui se balançait doucement au rythme de cette musique. Cette présence inouïe de Fernande, surgie soudainement d'un passé lointain, au milieu de ce salon, à seule fin, semblait-il, d'étancher une seconde la soif qu'elle avait allumée en son cœur l'année précédente, le baignait d'une joie qu'il n'avait jamais connue, et qui ne laissait filtrer jusqu'à sa chair que la chaleur affectueuse de cette Fernande féerique, si près à ses côtés que son complet se mariait aux plis de sa robe.

— Allons trouver mon mari, dit-elle. Il s'inquiète de votre santé. Il m'a parlé de vous inviter chez nous pour le café. Ce buffet froid qu'ils nous ont servi ici peut nous dispenser d'aller dîner. Ne refusez pas. Nous avons tant de choses à nous apprendre.

Il écoutait ces mots, les regardait fondre dans son oreille, et la seule signification qu'il leur trouva était toute de douceur et de musique. Il entra dans la cohue comme il serait entré dans une toile de cinéma pour se mêler aux images.

— Robert! s'écriait Fernande en traînant Pierre vers l'avocat, j'ai enfin trouvé notre sauvage. Il a eu un léger étourdissement, mais ça s'est vite passé. Je l'ai cueilli en pleine convalescence, je me suis présentée moi-même et nous sommes vite devenus de bons camarades.

Maître Larochelle commenta dans un rire de naïf triomphe:

— Mon vieux, c'est une vraie contagion. Moi aussi, quand j'ai vu ma femme pour la première fois, j'ai eu un étourdissement. Quand je serai ministre, Fernande, je t'emmènerai à Rome et tu étourdiras sans doute Notre Saint-Père le pape.

Pierre ne s'indignait plus des propos de ce dégoûtant avocat. Peut-être parce que c'était le mari de Fernande, aux côtés de qui il voulait rester? Son esprit effaçait ces propos à mesure, comme pour ne pas avoir à les excuser par intérêt. Mais des points d'interrogation s'accrochaient dans la béatitude de Pierre. Comme Fernande était habile! Etait-ce l'avocat qui lui avait enseigné cette rouerie?

— Robert, ce serait gentil que monsieur Boisjoly vienne continuer la soirée chez nous.

— Une idée de génie! s'exclama l'avocat avec enthousiasme.

Maître Larochelle jeta un rapide coup d'œil circulaire comme pour s'assurer que son départ ne lui ferait pas rater quelqu'un qui fût plus immédiatement utile à son ambition.

— Alors vous vous êtes déjà fait des amis? fit le procureur à l'oreille de Pierre, comme un croupier qui félicite un joueur novice de son premier gain. Mais de la prudence, comme je vous l'ai dit.

— C'est tout un secrétaire que vous avez là, fit Maître Larochelle en se redressant sur ses courtes jambes. Il n'a qu'un défaut, il s'étourdit rapidement. Mais je l'emmène chez moi et nous verrons bien.

— Je vous en souhaite! fit l'honorable Letellier en saluant avec un sourire amusé.

Le procureur les quitta en serrant furtivement le bras de Pierre. Les invités commençaient à partir. Maître Larochelle fit venir un taxi et le trio se prépara à sortir. Pierre, en faction près de la porte, observa l'avocat et Fernande qui remerciaient Huguette Letellier. Il regarda l'escalier, revit sa mère penchée sur le plancher, puis les mots que cette femme riche avait tout à l'heure chuchotés à son sujet revinrent l'humilier. Il ne fit pas un geste pour aller la remercier. Dès ce moment il effaça absolument ces Letellier de sa vie, car il le sentait, il ne les aurait plus sur sa route.

Mais Yvon Letellier, qui l'épiait de la porte du petit boudoir, se frottait les mains de satisfaction.

Le juge Giroux descendait lentement l'escalier. Il appela Pierre du doigt, mais celui-ci feignit ne pas le voir et sortit dehors où il attendit le couple Larochelle.

III

Le taxi roulait en cahotant. Fernande, assise entre son mari et Pierre, se laissait ballotter sans résister, et l'attitude qu'elle était forcée de prendre vis-à-vis de Pierre la mettait dans un état de doux mystère. Elle se rappelait avec émotion la ferveur qu'il avait mise à la croire pure malgré les cruelles paroles de Denis. Et il avait dit : « Moi je gagnerai ! » d'une voix farouche. Déjà il tenait sa promesse avec une facilité prodigieuse. Après un an il était devenu secrétaire du procureur général, gardant son air fier et intransigeant alors que son mari à elle, malgré son titre d'avocat, son âge, ses courbettes, ne parvenait pas à obtenir le moindre poste dans ce ministère.

— Rue des Franciscains, chauffeur, dit Maître Larochelle. Hé ! hé ! ne vous étonnez pas, mon cher Boisjoly : c'est la rue qui m'éloigne le plus des jésuites.

— Les franciscains sont des prêtres admirables, répondait Pierre distraitement, je les aime beaucoup.

L'air frais lui avait fait reprendre ses esprits. Hors de cette maison des Letellier, où son être avait été écartelé par des émotions contradictoires. il se retrouvait le Pierre

Boisjoly des jours victorieux, équilibré, entier, puissant, les bras ouverts à la rencontre du destin menaçant. L'épaule de Fernande s'appuya longuement contre la sienne. Son cœur battait vite mais sans contrainte, libre de la souffrance familière. Sans doute il arriverait bientôt au terme de son aventure; sa vie courait de plus en plus vite; mais que Fernande fût le mirage de cette dernière et décisive étape changeait son angoisse en félicité tranquille. Pourtant elle avait été la maîtresse de Denis Boucher et elle était maintenant la femme de cet avocat, ce qui était pire; mais elle l'avait supplié de lui faire confiance. Qu'importait: la pure image qu'il s'en était faite le premier jour demeurait, et Fernande silencieuse à ses côtés, ne faisait que lui rendre cette image plus chère.

— C'est à cette église que nous allons à la messe, fit Fernande en indiquant la chapelle des franciscains.

Elle avait dit cela d'une voix douce, amie, comme une confidence.

— C'est moi qui traîne le missel, ajouta Maître Larochelle. Il pèse une livre et demie. Il me donne les bleus.

— Ah! vous allez à la messe quand même? fit Pierre.

— Cette question! bougonna-t-il. Que dirait-on dans le Parti si je n'y allais pas? Et puis on meurt un jour ou l'autre. C'est ce qui est embêtant. Mais j'y vais seulement le dimanche; ah! la prêtrise, quelle dure vocation! Vous l'avez échappé belle vous aussi.

— La prêtrise, c'est ce qu'il y a de plus beau et de plus noble au monde, dit Pierre, car c'est le métier de l'amour et de l'humilité.

Ces mots étaient doux à dire et il sentit une grande paix s'installer en lui. Il y eut un silence puis, avec un petit rire forcé qui lui permit de changer de sujet, l'avocat demanda d'un ton faussement naïf:

— Voulez-vous me dire quel truc vous avez pris pour devenir le secrétaire de l'honorable Letellier? Une influence du cardinal? Un grand service? Non?

Pierre hésita, aperçut le nom de la rue sur une affiche et dit avec un sourire:

— Non, j'étais le secrétaire du Père Martel, le franciscain de *l'Institut populaire des Sciences politiques*. Le procureur l'aimait beaucoup. D'ailleurs le ministère coopérait étroitement avec nous. Aussi, quand le Père Martel est mort soudainement la semaine dernière, l'honorable Letellier m'a-t-il offert de me joindre au ministère.

— Ça m'apprendra à fuir les prêtres, réfléchit naïvement Maître Larochelle. J'aurais dû m'occuper davantage de ce Père, hein, Fernande? Mais mes causes me prennent tout mon temps.

— Oui, tes causes, soupira Fernande.

Ils étaient parvenus à destination. L'avocat fouilla dans ses poches et s'écria:

— Parbleu! J'ai oublié de passer à la banque. Vous n'auriez pas un dix dollars, Boisjoly? Je vous ferai un chèque tout à l'heure.

Pierre s'empressa de lui glisser l'argent et Fernande se mordit la lèvre.

— Au pousse-café maintenant!

Il grimpa à leur suite les trois étages étroits et ne se demanda pas un instant pourquoi cet avocat qui parlait si haut dans les salons de la Grande-Allée demeurait dans une maison aussi médiocre, et Pierre ne plaignait pas Fernande d'y vivre. A chaque palier, auquel faisait face une porte numérotée d'un chiffre d'aluminium, elle se retournait et lui adressait un sourire tremblant d'une sorte d'humilité suppliante, un sourire qui le rendait bêtement heureux et lui faisait souhaiter qu'elle souffrît, afin que le désir qui montait en lui de prendre sa tête sur son épaule et de la consoler fût justifié.

— Ces escaliers me répètent chaque jour que je vivrai jusqu'à cent ans, commentait, de sa voix forte, le mari qui parvenait à dissimuler son essoufflement.

Ils entrèrent.

— C'est pas un château, mais c'est tout ce qu'on a pu trouver. La pénurie des logements est terrible.

L'appartement comportait quatre petites pièces parfaitement cubiques, aux murs d'un plâtre blanc déjà jaunissant, sur lesquels faisaient tache de rares meubles sans style, joliment recouverts de housses fleuries. Ces cages s'alignaient le long d'un couloir étroit, où Fernande avait réussit à aménager, entre deux portes, une petite bibliothèque. Comme le trio se dirigeait vers le salon, Maître Larochelle ouvrit brusquement une porte et glissa sur Pierre un regard pétillant de sous-entendus:

— Notre chambre à coucher!

— Robert! interrompit Fernande. Passons au salon, veux-tu?

L'avocat referma doucement la porte, prit cordialement Pierre par le bras et éclata d'un gros rire. Ils marchèrent en silence jusqu'au bout du corridor, et Pierre ne put retenir la question qui chatouillait ses lèvres:

— Pas d'enfant?

— Presque, mais on l'a raté à mi-chemin fit l'avocat, dont le front se rembrunit une seconde.

« Quel idiot je fais! » songea Pierre en rageant. Il eût voulu se frapper le front d'un coup de poing, car Fernande avait pâli et lui avait jeté un regard d'une supplication si intense qu'il s'arrêta presque de marcher. Ils entraient au salon, où un gros piano laissait à peine de la place pour un fauteuil et un divan.

— Je vous laisse un instant, fit Fernande. Je vais faire du café.

Pierre, oubliant la présence de l'avocat, la suivit du regard tant qu'il put. Elle avait été enceinte, et elle était redevenue la même Fernande qu'il avait connue dans la chambre de Denis Boucher, une Fernande qui parlait peu, mais dont le corps, le visage, palpitant dans la démarche ou frémissant au moindre soupir, tenaient un langage que lui seul se sentait appelé à lire. Qu'elle eût été la maîtresse de Denis Boucher, qu'elle fût la femme de cet avocat, qu'importait! Qu'y avait-il de commun entre sa Fernande à lui et celle de ces hommes? Sa Fernande toujours intacte dans sa vérité, vérité à laquelle, seul, il croyait avoir accès. Malgré tout, une jalousie farouche bouillait en lui, qu'il essayait de comprimer en entrecroisant ses doigts vigoureux, et en regardant le tapis. Par quelle circonstance en était-elle venue à accepter cet avocat comme mari?

— Un beau brin de fille, hein, mon vieux? fit l'avocat, en baissant le ton jusqu'au niveau de la confidence. Notre mariage s'est décidé en trois jours. C'est arrivé drôlement. Disons-nous « tu », puisqu'on se comprend. Aussitôt mon Droit terminé, j'ai voulu me marier. Fernande était étudiante au Service social, je la rencontrais souvent rue de l'Université. Avec moi, ça n'a pas traîné. Quand on a passé plusieurs années de sa vie dans un cloître, on reste marqué. Je savais que seul le mariage pouvait me dégager de cette terrible gangue. Toi, au moins, tu as opéré à temps le virage nécessaire. Et pourtant, quand j'avais ton âge, ma vocation m'emportait dans un élan de feu. C'est le cap de la trentaine qui est le plus difficile.

Il y eut un silence. A mesure qu'il parlait, l'avocat retirait son masque de rabelaisienne cordialité et dévoilait sa souffrance: tout son être étouffait sous l'amas des cendres d'un long feu, et il conduisait une lutte forcenée et vaine pour s'en dégager et surgir, neuf, vers une flamme. Pierre frémit: il eût pu être fidèle à sa vocation première et devenir quand même ensuite renégat comme cet avocat. Le parfum de Fernande flottait dans la pièce, qu'il reconnut soudain; alors une confusion angoissante fit place à son mépris à l'égard de Maître Larochelle, et il lui dit avec une arrogance inquiète:

— Mais je connais un vieux curé. Il a près de soixante-dix ans et il est admirable de foi.

L'avocat haussait les épaules:

— Ces petits curés du bas clergé, tu veux dire? Ce n'est pas la même chose. Ils ne lisent pas assez. Au moment où ils ouvriraient peut-être les yeux, ils retombent en enfance, alors ils sont sauvés. Seuls les enfants et les femmes sont capables d'une foi aveugle. Mais les intellectuels! les cerveaux mûris! Savez-vous que la considération d'une seule hérésie peut troubler dangereusement un théologien honnête? Mais les théologiens, en général, sont de bons jouteurs au service d'une cause qui éperonne leurs facultés de lutteurs, et très souvent ils la défendent avec plus d'habileté que de foi.

— Alors, vive le curé d'Ars! s'exclama Pierre.

— Peut-être, dit Maître Larochelle. De toute façon j'en suis sorti et j'ai pris les moyens pour ne pas devenir une sorte de loque originale et bourrée de manies, comme certain frère en religion qui abandonna le cloître pour des raisons qui me sont inconnues. Il est maintenant infirmier dans un hôpital bourré de nonnes et de vieillards goutteux. Sa chambre est à côté de celle de l'aumônier, que l'infirmier traite de haut, mais à qui il est attaché comme un caniche. Cette chambre ressemble à un musée d'objets religieux, car ce garçon s'est fait collectionneur maniaque de vêtements sacerdotaux. Sous un globe de verre, il conserve les souliers rouges d'un défunt cardinal, des chandeliers s'entassent sur les meubles, ses garde-robes sont bourrées de soutanes de toutes sortes et recouvertes d'une housse pour les protéger contre la poussière: des noires, des violettes, des blanches, des brunes, des poupres. Les murs disparaissent sous les livres richement reliés, tous traitant de sujets religieux, depuis l'architecture des églises jusqu'aux maladies des papes. Tout son argent y passe. Quand il palpe ses trésors, il tremble d'exaltation, comme un avare, ou comme un fou. Il tremble aussi en feuilletant les livres cochons. Sais-tu son grand rêve? C'est d'aller un jour à Rome et d'obtenir un des vêtements du pape.

— Dégoûtant, fit Pierre. Evidemment, comme dirait l'abbé Lippé, il y a toutes sortes de fous.

— Eh bien! moi, je ne suis pas fou! enchaînait Maître Larochelle, agacé. Je me suis marié.

Pierre guettait l'avocat comme une proie.

— Est-ce assez pour vous faire oublier cette flamme de vos vingt ans?

L'avocat avait sursauté et considérait Pierre avec effroi.

— Que veux-tu dire?

— Ce que j'ai dit.

— Non, pas encore assez. Mais si j'avais des enfants. Hélas...

— Vous n'en aurez donc pas? fit Pierre sur un ton de triomphe qu'il ne songea pas à dissimuler.

Maître Larochelle soupira puis regarda vers la cuisine. Il protesta aussitôt avec affolement:

— Et que fais-tu de ce monde laïque, où il faut se battre, où la réflexion autre que celle qui se rattache à l'ambition et à l'intérêt n'a plus sa place?

— Ça vous suffit? dit Pierre en détournant la tête.

L'avocat écrasait nerveusement son mégot dans le cendrier.

— Il faut s'étourdir. Les flammes de l'adolescence qui durent toute la vie sont des cas pathologiques. Il n'y a pas d'issue à ce que tu exiges.

L'œil de Pierre suivait distraitement les contours d'un motif dans le tapis.

— Il n'y a plus d'issue pour personne, depuis le premier péché du monde, sauf de se rouler aux pieds de Dieu, avec une confiance absolue en son amour, malgré nos amertumes, nos tentations et nos faiblesses. Il n'y a que cela de grand!

L'avocat éclata d'un long rire irrité.

— Va raconter ça au premier ministre et tu verras s'il te confiera un ministère. En tout cas, ce n'est certes pas pour cette raison que tu es devenu secrétaire de l'honorable Letellier, fit-il en adoucissant le ton et en le rendant presque complice.

— L'honorable Letellier connaîtra mon opinion là-dessus et peut-être lui donnera-t-elle à réfléchir, s'il en a le temps. Je suppose que les jésuites, ceux qui sont restés, pensent comme moi.

Il y eut un silence, puis Maître Larochelle leva ses deux bras avec résignation:

— Eh bien! je suppose que tu étais fait pour devenir curé et que moi j'étais destiné à me libérer. Fernande! Ce café est-il prêt? cria-t-il, énervé comme un charretier impatient.

Pierre serra les poings. Souriante, Fernande arrivait d'une allure précipitée que sa démarche élégante parvenait à masquer.

— Me voici, me voici. C'est prêt.

Elle déposa le plateau sur une table basse.

— Du lait dans votre café, Monsieur Boisjoly?

Pierre eût voulu embrasser cette main longue et fine de Fernande qui, sous la menace des apostrophes tyranniques et vulgaires de ce défroqué qui la bousculait comme il eût fait d'un enfant de chœur trop lent à son gré, s'activait, nerveusement, du sucrier au pot de lait.

— Et puis? Quels secrets vous êtes-vous donc confiés?

Maître Larochelle parut se réveiller à un intérêt soudain:

— J'allais justement demander à Boisjoly... Nous nous tutoyons déja (Fernande avait regardé Pierre avec étonnement, mais celui-ci, un peu en retrait de l'avocat, avait frénétiquement fait non, de la tête), c'est plus court; j'allais lui demander, si ce n'est pas indiscret, quel traitement il reçoit chez le procureur... question de comparer avec le salaire d'un ami à moi.

— Vous ne buvez pas votre café, Monsieur Boisjoly? fit Fernande sur un ton qui signifiait: « Je vous en supplie, excusez-le! »

— Mon traitement? fit Pierre, et il songea tout à coup que l'avocat ne lui avait pas encore remis les dix dollars. Mon traitement? Franchement c'est une chose dont nous n'avons pas encore discuté.

L'avocat l'examinait comme une bête étrange.

— Tu veux dire que tu ne sais pas combien tu gagneras par mois?

— Non, fit Pierre d'une voix lasse.

Si une incantation eût pu faire disparaître cet homme en fumée, il l'eût marmottée, car cette présence l'empêchait de s'abandonner à la magie d'un univers que la seule vue de Fernande lui offrait. Il ferma les yeux et but son café.

— Vois-tu ça, Fernande? Tous et chacun de nous sommes préoccupés par nos revenus et nos dépenses et monsieur ne sait pas combien il gagne. Il ne mérite pas sa chance. S'il avait une femme à faire vivre et que, avocat, il était obligé, pour gagner sa vie, de faire saisir les meubles des pauvres gens pour le compte des grands magasins, il s'informerait au plus vite du montant de son chèque mensuel. Au pousse-café maintenant! Attendez-moi un instant.

Il marcha d'un pas lourd vers la cuisine. Pierre déposa sa tasse et, timide, troublé, écrasé par cet aparté, il n'osait rencontrer le regard de Fernande, assise sur le banc du piano. Elle ne souriait pas. Puis elle chuchota fiévreusement:

— Donnez-moi votre adresse et votre numéro de téléphone. Il faut que je vous parle, que je vous raconte tout.

Il les lui récita en rougissant, étourdi par une bouffée de visions vaguement illicites que cette question lui jetait au visage. Des conversations chuchotées par ses camarades au Petit Séminaire, des récits d'aventures au bordel entendus dans les camps forestiers jaillissaient, violents, de la lie de sa mémoire et tintaient à ses oreilles. Une force impatiente l'agitait, la même que Noiraud Labourdette avait déclenchée quand il lui avait parlé des belles filles, près d'un chevreuil mort. L'image éthérée à travers laquelle il voyait Fernande depuis la rencontre chez les Letellier disparaissait soudain, pour laisser place à un langage de tout son corps vers cette bouche, ces bras superbes, ces hanches, ces jambes, cette chair, cette femme, Fernande, la seule pour qui il eût jamais senti cet appel si impérieux et si doux à la fois.

— Moi aussi, je veux vous parler. J'ai beaucoup de choses à vous dire, murmura-t-il.

Des bruits de porte, d'armoire refermée avec rage, des grognements d'impatience arrivaient de la cuisine. En entendant ce fracas, Pierre jeta sur Fernande un coup d'œil désemparé. Cet homme et cette femme étaient mariés, unis pour la vie. Que faisait-il ici, à comploter des rendez-vous secrets, à laisser toutes les fibres de son être se complaire dans le langage qu'elles tenaient à cette femme qui y répondait fiévreusement sous le couvert d'un tendre intérêt?

— Où est cette maudite bouteille? hurla Maître Larochelle.

La phrase que Pierre avait dite à l'avocat tout à l'heure, « Il n'y a plus d'issue pour personne, depuis le premier péché du monde, sauf de se rouler aux pieds de Dieu », lui revint. Cette félicité dans laquelle il se voyait sombrer, il n'y avait pas droit, elle n'avait pas d'issue. Que faisait-il ici? Il avait abandonné sa vocation, tué une vieille femme, et Dieu l'attendait impatiemment pour le confronter avec le châtiment.

— Excusez-moi, je m'en vais d'ici! chuchota-t-il, effrayé.

Elle s'était levée pour courir vers son mari et tenter de calmer sa colère. En entendant cette phrase de Pierre, tout son visage se tendit d'angoisse et elle s'agrippa à son bras.

— Si vous... Restez! Je suis heureuse, tellement, depuis une heure... malgré ça.

Elle marcha rapidement vers la cuisine. Pierre arpenta la petite pièce et heurta le banc du piano. Les éclats de voix furieux de Maître Larochelle lui apprenaient que quelqu'un d'autre avait dû boire le cognac, qu'il devait en rester encore, qu'au moins elle aurait dû en racheter d'autre. Fernande le suppliait de cesser ses cris, et l'avocat, aiguillonné par ses chuchotements, criait de plus en plus fort comme pour allumer une violente scène de ménage.

— Ton insouciance me plongera pour de bon dans l'enfer des ratés! Car c'est ça, l'enfer, être raté!

Elle dut lui répondre doucement qu'il ne lui restait plus un sou dans son portefeuille, car il cessa aussitôt de clamer sa mauvaise humeur et revint au salon, la figure épanouie d'une cordialité inattendue. Fernande le suivait, pâle, le visage contracté et épuisé par son rôle.

— Je ne veux pas de pousse-café, dit Pierre, sèchement.

— Je vous comprends; y en a plus! J'avais oublié que j'avais bu la dernière bouteille hier soir. Tant pis.

Le ton de cette réponse pinça Pierre comme une gifle. Fernande souffrait et il n'y pouvait rien. Tout son être recommençait à se recroqueviller en boule, prêt à bondir et à se battre. Mais la présence de Fernande retardait l'effet de sa colère, et le mari eut le temps de changer le sujet avant que Pierre pût parler.

— Si tu nous faisais un peu de piano, ma chérie?

— Avec joie, fit-elle, visiblement ravie de cette diversion.

Comme elle s'installait au clavier et que Pierre, rassuré, s'apprêtait à oublier l'avocat pour se livrer complètement au langage que Fernande lui tiendrait à travers la musique, la sonnerie du téléphone retentit. L'avocat courut à l'appareil et Pierre, du salon, apercevait dans le clair-obscur du corridor, sa grosse tête tourmentée goulûment tendue vers cette voix qui s'identifiait au bout du fil:

— Allô, comment allez-vous? Le cocktail est-il terminé? Et cette blonde? Vous...

Yvon Letellier appelait Maître Larochelle d'urgence, le convoquait à un rendez-vous, mais le suppliait de ne pas prononcer son nom en présence de ce Pierre Boisjoly dont il serait question. Il s'agissait de ne pas éveiller les soupçons de ce dernier. C'était de la première importance, et Maître Larochelle y trouverait très grand profit. L'avocat, écrasé par le mystère plein de promesses dans lequel cette voix le tirait, et ébloui par la perspective des horizons qui s'ouvraient à son ambition, leva machinalement la tête vers le salon et regarda Pierre comme s'il se fût agi de nouveau personnage. « Il faut venir tout de suite, sans faute, au *Lion d'Or*. Pas un mot à votre femme non plus! »

— Compris! Je suis votre homme! bredouillait presque l'avocat. J'y vais immédiatement.

Il saisit son paletot à la patère et courut plus qu'il ne

marcha vers le salon. Le neveu du procureur général! Pierre Boisjoly! Une affaire de la plus haute importance où il trouverait très grand profit! C'est d'une voix victorieuse qu'il vint annoncer:

— Il faut m'excuser. Je dois voir un client très important d'urgence. Une cause très grave.

Fernande, sidérée, les mains à plat sur les genoux, protestait:

— Mais... au moins... cela pourrait attendre à demain. Nous avons un invité.

— Si je te disais que c'est aussi grave qu'un meurtre, argumentait gravement Maître Larochelle en jetant un regard étrange.

Celui-ci avala sa salive et se leva brusquement:

— Alors je pars moi aussi.

— Que non! s'écria Maître Larochelle en lui mettant avec effusion les mains sur les épaules. Faites de la musique. Attendez-moi, je serai absent une heure au plus.

Les genoux de Pierre obéirent facilement à cette maritale injonction. La porte claqua derrière Maître Larochelle dont le pas lourd dégringola l'escalier. L'atmosphère devenait irrespirable. Fernande s'était tournée vers le clavier et pianotait doucement. L'intolérable présence de ce tiers était maintenant disparue, les livrant tous deux à leur complicité inavouée, dans cette pièce cubique où leurs deux cœurs battaient lourdement.

— Venez chanter ceci, put-elle murmurer.

Il s'approcha peureusement, le regard trouble, la gorge serrée par l'émotion. Quelle distance à parcourir pour rejoindre ce piano! Les quatre murs l'observaient, cela prendrait au moins huit pas pour atteindre ce poste debout derrière cette épaule ronde qu'envahissait une riche chevelure. Mais il y allait et ses vêtements lui semblaient de papier tant il entendait leurs froissements étonnés. La tête de Fernande ne se retournait pas, et plus il approchait d'elle, plus le vol de ses doigts sur les notes devenait aérien et presque imperceptible. Avait-il déjà existé d'autres personnes qu'elle et lui sur la terre? Il n'y avait plus de place que pour eux dans cet univers. Il aperçut son propre visage exalté, reflété par le vernis du piano, sur lequel se profilaient maintenant ses larges épaules auxquelles elle souriait tendrement. D'une main elle approcha un cahier ouvert à *l'Invitation au Voyage*, dont elle ébaucha l'accompagnement.

— Chantez, intima-t-elle dans un souffle.

La voix contenue, presque rendue rauque par son trouble, il commença de chanter dans une demi-teinte plaintive:

Mon enfant, ma sœur,
Songe à la douceur
D'aller là-bas, vivre ensemble.

Il ne vit pas naître les larmes dans les yeux de Fernande, il ne les aperçut que reposant, déjà, en un reflet presque heureux, au sommet des joues. Sa voix trembla puis il s'arrêta de chanter:

— Qu'est-ce qui vous est donc arrivé depuis l'an passé?

Ce fut à son tour de cesser de jouer et c'est avec une véhémence suppliante qu'elle s'accrocha à son bras et le fit asseoir de guingois sur le banc, de sorte que leurs visages se touchaient presque et que leurs corps vibraient l'un contre l'autre. Il apercevait cette gorge que l'émotion soulevait et la phrase de Denis Boucher tintait à son oreille: « Mademoiselle est ma maîtresse. Nous couchons ensemble! » Et il ne se sentait pas jaloux?

— Ce qui m'est arrivé? put-elle enfin dire. Et à vous, depuis que vous êtes parti à la poursuite de Denis, ce soir terrible que je n'oublierai jamais, qu'est-il survenu?

Une déception se décrochait de son cœur et tombait lourdement au fond de ses entrailles comme une pierre, une déception qu'il ne s'expliquait pas. Cette fièvre dont tout son corps brûlait se nourrissait exclusivement de la présence absolue de cette Fernande adorée, à qui il était destiné depuis des siècles. Et voilà que le fil était coupé. Le passé, le monde extérieur reprenaient le dessus. Il s'en voulut d'avoir posé la première question. « Qu'est-il arrivé? » répétait-il. Il dut faire un effort pour retrouver l'histoire de Pierre Boisjoly. « C'est vrai, la vieille morte! » songea-t-il. Elle ne savait pas? Pourquoi ne pas tout lui raconter, confier son drame à cette immense tendresse offerte? Mais c'est l'attitude défensive qu'il réussit à atteindre.

— Qu'est-il arrivé? Nous nous sommes brouillés. C'est tout.

— C'est tout? Dites-moi la vérité, Pierre!

C'est lui qui avait les larmes aux yeux maintenant. Elle avait dit: « Pierre! »

— C'est tout... Je vous en supplie, ne m'en demandez pas davantage.

Elle essayait de trouver son regard, de le percer, et sa voix fiévreuse intensifiait l'appel de tout son être:

— Pierre... Quand Denis Boucher est revenu ce soir-là, il m'a chassée. Son visage était blanc et dur comme du marbre. Il m'a dit de ne plus jamais le revoir, m'a donné tout l'argent qu'il possédait et dont je n'ai pas voulu. Il ne m'a rien expliqué et je suis partie.

— L'aimiez-vous? fit-il en baissant les yeux.

Elle lui pressa la main avec détresse:

— J'étais enceinte!

Il voyait soudain sa jalousie infantile dégénérer en une sorte de honte devant la déférence émue que cette réponse éveillait en lui. Puis une souffrance neuve, terrible, le pénétra de ses premiers lancinements: à cause de lui, la vie d'une autre personne avait été brisée. Dans sa course vers un destin magnifique, malgré son idéal de pureté et d'amour, il laissait derrière lui des victimes. Toute grandeur s'atteint aux dépens des êtres qui nous sont le plus chers. Il s'agrippa à un dernier espoir:

— Aviez-vous demeuré avec d'autres hommes avant lui?

— Pierre!...

— Pardon! gémit-il. Je suis un lâche! C'est vrai, je vous crois le cœur pur, toujours!

Elle pleurait silencieusement et continuait d'une voix rauque et basse:

— Je suis la cinquième enfant d'une nombreuse famille de la campagne. Que vous importe le nom du village. Mon père y est marchand.

« Mes frères ont reçu une assez bonne instruction; quant aux filles, selon mon père, elles sont bonnes à se marier ou à entrer au couvent. C'est le rêve de mes parents de voir plusieurs de leurs enfants devenir religieux. L'aîné, qu'on destinait à la prêtrise, est devenu notaire; mais par contre les deux suivants, qui pourtant ne parlaient jamais de leurs projets, sont devenus frères des Ecoles chrétiennes. Me voyant studieuse, on me laissa terminer mon cours supérieur, avec l'espérance que je me ferais religieuse. Mais j'avais le cœur et l'esprit ouverts à des horizons différents; la radio, les journaux, les revues m'apportaient les échos d'un monde merveilleux, attrayant et divers, qui me faisaient tressaillir et espérer d'autres issues pour la petite fille rêveuse que j'étais, que le couvent ou le comptoir d'un marchand de village. Au terme de mes études supérieures, j'appris timidement à mon père ma résolution de m'inscrire à l'école de Service social de l'université. J'entends encore sa réponse furieuse, qui me parut à l'époque un peu comique, mais qui se revêt aujourd'hui d'un voile de malédiction: « Dans le temps de la crise, nos filles de campagne allaient s'engager servantes dans les villes et se perdaient; aujourd'hui elles vont travailler dans les usines ou étudier en ville avec le même résultat. » Vous ne savez pas, Pierre, la blessure que cette phrase infligea à ma pudeur de couventine. Ma timidité se changea en détermination farouche et je répondis à mon père qu'il détestait la ville depuis que les autos plus rapides permettaient aux fermiers d'aller s'y approvisionner à meilleur compte que chez les marchands ruraux. Ce fut la brouille, et elle dura jusqu'à mon mariage.

« Je possédais quelques économies et je partis pour la ville où je m'installai dans une chambre à prix modique dans le Quartier Latin. Puis je m'inscrivis à l'école de Service social. Bientôt mon petit pécule s'épuisa et je me fis serveuse de restaurant, le soir, pour pouvoir boucler mon budget. C'est là que je rencontrai Denis. Il venait toujours à la même heure, vers minuit, s'asseyait seul et lisait en mangeant. Les serveuses qui le trouvaient fort bel homme, essayaient en vain d'engager un flirt avec lui. Il n'était pas timide; il respirait la force, la hauteur sereine et en même temps une grande bonté. Un soir que je servais la table voisine de la sienne, je fus insultée de grossière façon par deux marins en goguette qui me prirent par la taille. Malgré ma frayeur, j'aperçus cet inconnu, Denis, qui jetait son journal, marchait sur nous et abattait chacune de ses mains sur l'épaule de mes assaillants. Ceux-ci me lâchèrent pour faire face à Denis qui leur souriait d'un air moqueur. Le patron, les cuisiniers arrivaient à la rescousse. Les marins faisaient des menaces en anglais à Denis, qui souriait toujours en les écoutant. Puis il leur dit: *Get out of here!* d'une voix si dure que les marins hésitèrent, puis sortirent en jurant. Je le remerciai et il fit un commentaire qui me parut curieux sur le moment: « Ce n'est rien, Mademoiselle. Les hommes sont un peu tous pareils à ces marins, au fond de leur cœur. Il s'agit de les repousser sans trop les punir. » Mais ces marins ne quittaient pas le trottoir d'en face et, inquiète, je les apercevais qui m'observaient dans la grande glace de la vitrine. Denis Boucher aussi les avait vus et comme je passais près de lui, il me souffla: « Ne craignez rien. Je vous attends; quand vous aurez terminé votre service, j'irai vous reconduire si vous le désirez. » Ma frayeur tomba immédiatement pour faire place à une joie et une fierté soudaines. Au grand étonnement des serveuses, il partit avec moi et les marins n'osèrent rien. Denis marchait à mes côtés d'un pas lent, les mains croisées derrière le dos, comme s'il eût été seul. Par politesse, du fond de sa solitude, il m'adressait de temps à autre une question vague. Et pourtant il réussit à me faire raconter, par bribes, ma courte histoire. Dès ce moment il sembla me découvrir et s'intéresser à moi, avec une générosité qui me paraissait tellement dénuée de calcul, que j'en fus émue. Il revint au restaurant, me raccompagna plusieurs fois, et sans que je m'en rendisse bien compte, il me fit entrer chaque jour davantage dans un univers qui m'exaltait, le sien. Son intransigeante et noble conception du monde fut bientôt la mienne, et toutes mes actions, mes pensées, gravitaient autour de cet homme extraordinaire, dur et doux à la fois. Je me sentais couvée par sa force et j'en éprouvais une tranquillité heureuse.

« Il avait toujours été correct avec moi. Un soir du printemps dernier que nous nous étions assis dans un parc, il glissa doucement sa main dans mes cheveux et me dit après une hésitation : « Je vais vous avouer quelque chose qui vous blessera peut-être. Et j'espère qu'ensuite vous ne me haïrez pas, ni me mépriserez. Je ne sais pas si je vous aime d'amour. Mais je vous trouve belle et je vous désire. J'ai eu une splendide maîtresse en Italie pendant la guerre, mais elle avait les yeux moins beaux que les vôtres. Et vous me plaisez comme pas une femme ne m'a plu, car au désir que j'éprouve pour vous ne se mêle pas le secret mépris que je ressens en général pour les femmes. Ne vous ai-je pas dit que les hommes étaient tous un peu pareils à ces marins ivres ? Etes-vous fâchée ? » Je n'avais pas appris à jouer une colère que je ne ressentais pas. Comment l'aurais-je pu, quand j'étais en proie à un étonnement qui me troublait ? Je bégayai que mon éducation ne m'avait pas habituée à entendre parler de ces sortes de choses, mais secrètement, je comprenais sans colère et exactement ce qu'il voulait me proposer. Je pensai surtout à la phrase de mon père contre les villes, phrase que je ne voulais surtout pas justifier. Denis enchaîna immédiatement : « Je vous estime trop pour vous proposer le mariage, car étant ma femme, vous seriez malheureuse. Mais si vous pouvez vivre avec moi sans que la hantise du péché gâte votre bonheur, je vous ferai un petit foyer agréable. »

— Mais c'est un démon ! s'écria Pierre. Vous avez accepté !

— C'est un homme, fit distraitement Fernande. Non, je

n'ai pas accepté. Je lui ai répondu que dans ces conditions, nous ne pouvions plus nous revoir. Il me serra la main longuement et me souhaita d'être heureuse. Mais après cet adieu, je me sentis seule et perdue comme une hirondelle dans une chambre noire. Les jours succédaient aux jours, plus vides, plus tristes. Mes études, ce travail du soir où j'étais en butte à l'incompréhension de mes compagnes, aux vulgarités des clients (rien n'est plus répugnant que de voir manger des hommes et des femmes pendant des heures et des heures), minaient lentement mon courage. Retourner chez moi, où l'on me considérait comme une fille perdue? Que faire? Et j'étais femme, Pierre, la forte et tendre image de Denis planait sur ma vie. Je le rencontrai par hasard, alors que j'errais dans le parc Montmorency entre mes heures de cours. Assis sur un banc, il fumait nonchalamment, le regard perdu sur le port.

Pierre l'écoutait maintenant avec un effroi grandissant. Le récit de Fernande avait atteint ce point culminant où l'intérêt qu'il avait représenté se changeait pour lui en souffrance aiguë. Et cette souffrance avait éclaté à l'instant où elle avait parlé de ce banc où était assis Denis, parc Montmorency. Le même banc, peut-être, où Pierre s'était écrasé en larmes, après le refus du Père Martel? Le récit de Fernande confirmerait certainement qu'à partir de cette rencontre elle avait cédé à Denis! Et lui-même, c'est de ce banc qu'il avait marché vers le procureur général, puis vers celle qu'il croyait à jamais disparue de sa route! Il marmotta avec angoisse:

— Je ne veux pas savoir le reste de l'histoire.

— Non, Pierre. Vous seul avez eu en moi une confiance que vous perdrez si je ne vous raconte pas tout; au moins, vous pourrez me juger et quand même...

La réponse jaillit, généreuse et absolue:

— Et vous aimer!

Elle mit doucement la main sur la bouche confuse de Pierre. Après un silence elle continua:

— Donc Denis était assis sur ce banc. En m'apercevant,

il eut un sourire tendre de gamin heureux. Pierre, écoutez bien ceci: les grandes résolutions, les longues patiences vont mal aux femmes; elles ne sont capables d'héroïsme que pour leurs enfants ou pour leur homme. En apercevant ce sourire ami, toutes mes résolutions sont tombées, et dans l'élan d'une défaite qui m'était infiniment douce, je lui ai dit sans réfléchir: « Emmenez-moi chez vous. »

Pierre fit le geste de s'écarter d'elle, mais elle le retint.

— Ne soyez pas impitoyable. J'étais une petite fille sans amis, fatiguée, à bout de ressources. Un homme franc et fort m'offrait son affection.

Pierre dit avec véhémence:

— Moi je n'aurais pas profité de votre situation. Je vous aurais respectée comme une déesse, j'aurais travaillé pour vous rendre heureuse et je me serais couché devant votre porte pour la défendre!

— Je sais, Pierre, je l'ai compris en vous voyant la première fois. Mais Denis était un homme de trente ans, avec une vie déjà lourde d'expérience, de regrets et de désirs. Déjà, vous-mêmes, vous vous acheminez très vite vers cet âge farouche de l'homme, où les rêves et les abnégations romanesques ne peuvent plus rien contre son désir de possession de la femme. Je peux cependant vous jurer, Pierre, qu'il a pris tout de suite pour vous un intérêt que je ne lui ai jamais vu prendre pour personne, même pour moi. Toute cette journée de votre distribution des prix, il était fébrile, parlait de vous comme d'un être extraordinaire dont le tempérament, l'intelligence et ce qu'il appelait votre « ligne de vie » le transportaient d'enthousiasme. Je crois que, tout à la fois, il eût voulu être votre grand frère ou le jouteur puissant avec qui vous alliez oser croiser le fer.

— Je ne veux être ni son frère ni son ennemi, trancha Pierre. Il n'existe pas!

— Oui, il existe, puisqu'à cause de lui, nos deux vies ont changé leurs cours.

Pierre serra la mâchoire en une crispation haineuse et ne dit rien. Fernande ajouta rapidement:

— De ces deux mois où j'ai habité avec lui, c'est ce dernier jour où je vous ai rencontré qui s'est le mieux gravé dans ma mémoire. Tous les autres jours me semblent aujourd'hui noyés dans une routine où je vivais près de lui comme un chat dont on caresse distraitement la nuque sans rien lui raconter. Oui c'est ce soir terrible où vous êtes parti à sa poursuite, en taxi, que pour la première fois un homme, vous, me donnait une suprême importance. Et quand Denis est revenu, il m'a chassée. Quelque chose de très grave a dû se passer que vous ne voulez pas me dire.

— Il vous a chassée et il savait que vous étiez enceinte?

— Non. Moi-même je ne le savais pas.

Pierre en éprouva de la déception. D'ailleurs il avait posé la question avec une naïveté exigeante, sans savoir exactement quand et comment une femme peut apprendre qu'elle est enceinte. Il garda un silence soucieux.

— Je ne l'ai su qu'une semaine après m'être mariée. Car je me suis mariée exactement quatorze jours après avoir laissé Denis Boucher. Oui, Pierre, vous avez raison de me contempler avec étonnement. Dès que Denis m'eut chassée, je retrouvai ma dimension première, pourrais-je dire. Je venais de vivre une aventure en dehors de mon véritable univers, celui d'une jeune fille pour qui le mariage avec un homme tendre et bon prime sur n'importe quelle passion. Toutes les femmes se cherchent un mari, même les intellectuelles, qu'elles l'avouent ou non. Si j'étais malheureuse et humiliée d'avoir été abandonnée par Denis, je l'étais plus encore, une fois délivrée de cette énorme présence qui annihilait en moi toute volonté et tout remords, de me trouver petite campagnarde souillée par le péché. Pour étouffer cette sensation d'être une fille perdue, je me remis à fréquenter l'Université et à suivre les cours d'été. Un midi que je déjeunais dans un petit restaurant, je me trouvai à la même table que Robert Larochelle. Il engagea vite conversation.

« Cette joie d'enfant, cet enthousiasme juvénile qui illuminaient son visage d'homme mûr m'étaient, après Denis que j'avais connu amer et taciturne, une réconfortante expérience. Il me raconta son histoire, sa sortie du monastère et les années de Droit qu'il venait de terminer. Il était fébrile comme un gamin qui ouvre des bras avides à la vie. Il m'invita au cinéma et, à la fin de la soirée, je lui avouai que mes parents avaient voulu faire de moi une religieuse. Je le revois nettement: il leva les bras au ciel et s'écria avec joie: « C'était écrit, nous sommes faits l'un pour l'autre; voulez-vous devenir ma femme? » Etourdie par la surprise, je me mis à rire, faute de pouvoir lui répondre d'une façon sensée. Il me harcela pendant une semaine. Qu'attendais-je? « La vie est courte, suppliait-il, voyez tous ces précieux jours qui s'enfuient et où je vous attends, trépignant, pour former une équipe solide. Vite, acceptez, nous triompherons de tout, je suis avocat, plein de force, et je sens que je ne pourrai avancer sans vous!

« Tout comme j'avais cédé au désir de Denis, je cédai à l'enthousiasme fiévreux de Robert. Il était la sécurité et il serait bon pour moi puisqu'il avait été au cloître. Nous nous mariâmes la semaine suivante, et c'est durant notre voyage de noces que je commençai à comprendre que j'étais enceinte. Ecrasée, affolée par cette réalité, j'éprouvai à vivre avec Robert une honte qu'il prit pour de la répugnance. Il n'avait jamais connu de jeune fille avant moi et il s'était imaginé, dans sa candeur, qu'une femme était une sorte d'aimable machine sexuelle à laquelle le mariage lui donnait droit de priorité. Furieux, rongé par une ambition féroce, il commença de vivre cette vie forcenée d'homme qui veut rattraper le temps perdu, et à me faire des scènes comme celle dont vous avez été témoin tout à l'heure. Je le connus sous son vrai jour: il se sent chaque minute poursuivi par le démon et il court comme un fou vers la réussite afin de la lui opposer comme bouclier. Tout est prétexte à se moquer de son stage au noviciat. Il n'est si étonnant que parce qu'il tente constamment de vivre hors de lui-même. Il craint la mort, il s'éveille en sursaut plusieurs fois la nuit pour écouter le rythme de son cœur. Mon existence avec lui est un martyre, Pierre, et je suis plus seule et plus désespérée qu'à l'époque où, abandonnée par Denis, je me sentais une fille perdue. Et je vous retrouve ce soir, Pierre! Si au moins j'avais mon enfant! »

Elle éclatait en sanglots et se blottissait contre lui, la tête sur son épaule. Avec une stupeur voluptueuse, il la consolait en silence, de ses mains neuves aux caresses, gauches d'abord, mais vite rendues géniales par l'amour.

La chaleur de ce front posé contre sa joue, la masse palpitante de ce corps blotti dans ses bras et se fondant au sien dans un abandon et une confiance absolus le projetaient hors de lui-même, au point qu'il apercevait l'ancien Pierre Boisjoly s'estompant au loin, dans un nuage de petites inquiétudes juvéniles, produits sans doute de l'oisiveté intérieure qui précède la maturité et ses durs problèmes. Toute sa chair était exaltée par la surprise. Quoi, cette déesse au corps admirable qui l'avait ébloui une première fois dans la chambre de Denis Boucher, et dont la seule vue, ce soir, l'avait replongé dans l'ancienne folie, centuplée, était ici, toute dans ses bras, pleurant, savourant ses caresses, avouant sa solitude et sa misère! N'était-il pas responsable de ce sot mariage? Il eut un instant de lucidité. Etait-ce là une douleur maternelle, ou l'inconscient élan d'une femme faite pour être dominée et être aimée? Comme si elle eût deviné cette pensée, elle caressa doucement son épaule:

— C'est à vous, Pierre, que j'étais destinée, je le sais bien. Mais maintenant c'est fini, je suis une épave.

Il releva la tête avec défi:

— Non, vous n'êtes pas une épave. Fernande... Vous êtes désormais mon idéal, ma seule amie, et pour vous je me battrai. Allons-nous-en ensemble dans un petit village où j'ai un ami, Noiraud Labourdette. Nous serons heureux.

— Pierre!

Elle s'était dressée et, les deux mains sur ses épaules, le regardait fixement, avec un effroi attendri. Mais lui, aveuglé par la fièvre qui montait en lui, il voyait au-delà de ce regard, parlait avec une plus grande exaltation:

— Oui, partons! Moi aussi, je suis malheureux. Tous m'abandonnent et me trahissent. Je n'ai plus que vous. Venez! Vous avez bien cédé à Denis Boucher et à cet avocat, pourquoi pas à moi qui vous aime!

Elle le secouait tendrement, comme un enfant qui divague.

— Pierre! Vous oubliez que je suis mariée, et catholique!

Il protesta avec un accent déchirant:

— Alors, pourquoi avez-vous pleuré ainsi contre moi! Je suis comme fou maintenant. Venez vite! Rien ne compte de ce qui est établi. Il faut réinventer le monde pour soi.

— Mais si je vous suivais, Pierre, comme tout mon être me crie de le faire, je ne pourrais plus m'accrocher à la seule raison de vivre qui s'offre à moi: le sacrifice. Nous serions vite rongés par le remords qui nous ferait nous haïr l'un l'autre.

— Des remords, j'en ai plein le cœur, protestait-il avec véhémence, et je vous aime! Votre récit m'a prouvé que nos deux existences sont intimement liées l'une à l'autre à jamais.

— Et le sacrement de mariage, Pierre? jeta-t-elle avec angoisse.

— Le sacrement de mariage?

Il la contemplait avec hébétude, comme si elle lui eût subitement arraché un masque.

— Le sacrement de mariage... murmura-t-il à nouveau.

Des pas se firent entendre dans l'escalier qui le firent se dresser furtivement. Les bruits cessèrent. Il passa sa main sur son front. Puis il regarda les quatre murs, un à un, aperçut la photo montrant Fernande et son mari à l'église, le jour du mariage. Et sa vocation religieuse, et la vieille dame, et cet enfant mort!

— Qu'est-ce que je fais ici! martela-t-il en un sanglot sourd.

— Mon petit Pierrot! fit-elle en venant vers lui, les mains peureusement tendues, les lèvres tremblantes.

Il marcha vers le corridor, saisit son paletot et son chapeau. Elle le suivit. Se tordant les mains, se mordant les lèvres pour ne pas dire la phrase qui la pousserait à jamais vers lui: « Emmenez-moi! », elle réussit à murmurer, suppliante:

— Ne partez pas! Les hommes veulent toujours tout briser. Soyez donc mon ami.

Il la dominait de sa haute taille et, pendant qu'elle suppliait ainsi, à la hauteur de son cœur, il apercevait nettement les détails de cette photo de mariage sur le mur du salon. Il dit avec amertume, en fermant les yeux:

— J'ai voulu que mon existence fût une course vers l'absolu; je n'ai jamais réussi qu'à en faire une dégringolade vers le pire, si je songe au bonheur tel qu'on l'entend d'ordinaire. Je ne suis pas fait pour les situations tranquilles et sans heurts. Je veux être absolument damné ou absolument saint; le purgatoire ne m'intéresse pas. Fernande, je vous aime et je vous désire et je vous ai parlé sans calcul. Je vous demande pardon de tout le mal que je vous ai fait et que j'allais vous faire. Je me damnerai seul. Adieu!

— Pierre! Emmenez-moi!

Il descendit l'escalier en courant.

Le visage en feu, essoufflé par le tumulte des pensées qui le bouleversaient, il aperçut la chapelle des franciscains, dont le clocher perçait calmement l'obscurité étoilée. Et immédiatement des larmes mouillèrent ses yeux. C'est là que Fernande allait prier, et qu'il eût été heureux d'avoir seulement le droit de s'agenouiller à ses côtés, de sentir la dentelle de sa robe effleurer son corps en prière. Ah! voir une tendresse de femme qui viendrait adoucir sa dure existence d'homme, une tendresse qui ne fût pas celle d'une mère, ni celle d'un enfant, mais la tendresse gratuite et projetée vers soi du bout du monde, sur laquelle il eût refermé ses bras à jamais. Il se revit, enfant de chœur, dans le sanctuaire de l'église paroissiale, vêtu de sa soutane rouge et servant à pas feutrés le bon curé Loupret qui, dans un silence éthéré, quoique chargé de mystère, longeait l'autel lentement, les yeux baissés, déjà complice du miracle tout proche de la consécration. Qu'ils étaient doux et tranquilles ces matins illuminés par la lampe du sanctuaire! Le saint sacrifice terminé, ils regagnaient la sacristie, le vieux prêtre et lui, comme un père et son fils reviennent d'un beau voyage. C'est avec Fernande à ses côtés qu'il évoquait ces paysages d'antan. D'antan, comme pour les vieux! Et il ne posséderait jamais Fernande dans la pure et sainte douceur. Il ne pourrait jamais l'avoir toute que dans la violence de la damnation, dans les faux semblants de la passion et dans un furtif bonheur, joué tant bien que mal, puisque le péché serait toujours là, implacablement présent.

Il marcha encore plus vite, rejetant en arrière, en un tic familier, son chapeau de feutre. Ses lèvres s'agitaient, articulant presque des phrases qui bondissaient de sa gorge. D'ailleurs, pourrait-il rester longtemps, ainsi agenouillé près d'elle, unissant, dans un exaltant amour, ses prières aux siennes? Non, bientôt son regard se brouillerait, l'autel, l'église disparaîtraient et une seule préoccupation farouche se collerait à son cerveau: prendre Fernande dans ses bras et s'enfuir pour la dévorer de baisers.

Et cette histoire de sa liaison avec Denis! Comme elle avait suavement contourné les détails qui eussent pu le déchirer. Mais dans cette chambre du Quartier Latin, devant ce voyou, elle s'était déshabillée et, folle de plaisir sans doute, elle s'était pâmée sous ses caresses, puisqu'elle avait été enceinte? Et même, chaque minute, chaque heure pendant des jours, elle n'avait pensé amoureusement qu'à Denis, s'était jetée maintes fois dans ses bras en pleurant sur sa poitrine! Cela, elle ne l'avait pas dit!

Il ramassa une poignée de neige et l'avala. Mais la souffrance envahissait chaque fibre de son être, de plus en plus brûlante et intolérable.

IV

Il avait marché deux milles sans penser à rien d'autre qu'à ces minutes épouvantables où Fernande avait appartenu à Denis, et déjà il atteignait la maison de pension où il avait son appartement. Il monta l'escalier comme un homme ivre.

— Enfin! V'là mon ancien chauffeur.

Willie Savard, la figure rendue rayonnante par le whisky retrouvé, debout devant la porte de l'appartement, ses courtes mains croisées sur son ventre, examinait Pierre avec un regard visqueux et un sourire béat.

— Es-tu gelé? Comment va ton avenir?

Pierre, tenant la rampe de l'escalier, s'était immobilisé sur la dernière marche, hébété, et tentait d'émerger de sa fièvre pour envisager cette réalité nouvelle. Il put enfin balbutier:

— Vous êtes sorti du sanatorium?

— Mieux que ça! Je me suis sauvé. Je m'ennuyais de toi, faut croire.

— Vous avez recommencé à boire?

— Oui, pour te rendre service. Cesse de me regarder avec ces yeux de merlan frit et fais-moi entrer, afin qu'on puisse parler tranquilles, au cas où la police ne serait pas trop loin.

Fébrilement Pierre chercha sa clé. La police? C'est vrai, le procureur! Les tentacules de cette pieuvre, la vie, continuaient de le pourchasser sans répit. La phrase mystérieuse de Maître Larochelle, après le téléphone qui l'avait fait partir précipitamment, retentit à son oreille: « C'est une cause aussi grave qu'un meurtre! » Et l'avocat l'avait drôlement examiné. Pierre desserra sa cravate. Willie Savard se laissa tomber sur le lit, fouilla dans sa poche intérieure et jeta sur la table l'enveloppe contenant le négatif.

— Tiens, le fameux paquet que tu m'avais confié. Je te le remets tel quel. Je ne l'ai pas ouvert. Je peux dire qu'il me coûte une autre « brosse », et une petite fortune. Tu joues dur, mon garçon?

Pierre prit l'enveloppe et la glissa distraitement dans un tiroir.

— Je joue dur et je n'aime plus cela. Je voudrais n'être que bon et charitable. Qu'est-il arrivé?

— Dommage. Si tu voulais continuer à jouer dur, on pourrait devenir riches et pas mal puissants. Tu me ferais un fameux partenaire. Je m'excuse de t'avoir demandé d'être mon secrétaire.

— Vite, qu'est-il arrivé?

L'industriel tira une bouteille de whisky de son paletot et en but une longue gorgée.

— Bois, mon Willie, t'en as besoin, marmottait-il en regardant fixement le linoléum du plancher. Ça t'empêchera de te poser des questions trop compliquées. Oui, ils sont venus au sanatorium, déclara-t-il avec emphase. Deux types qui se disaient intéressés à me voir prospérer. Très puissants près du gouvernement.

— Ainsi donc, mon téléphone avec l'abbé Lippé a été intercepté! s'écria Pierre. Je m'en doutais.

Cette réflexion interrompit à peine le soliloque de l'industriel.

— Ils m'ont parlé de la réserve forestière que j'essaie d'obtenir depuis cinq ans, sans succès. « Elle est à vous! » m'ont-ils dit. Je leur ai avec empressement offert un cigare. Qu'avais-je fait au bon Dieu pour mériter une telle faveur? J'ai pensé tout de suite à la statue que j'avais apportée à mère Cécile. Car moi, je suis un commerçant, même avec le bon Dieu, je pense toujours que c'est donnant donnant, comme dans les affaires. Un sacrifice, une récompense; un péché, une punition. Tu me saisis? Faut croire que c'est pour ça que tout le monde comprend bien la religion. C'est un système de troc avec le ciel ou l'enfer. Mais le bon Dieu m'a mêlé cette fois-là! Les deux gars posaient une condition: que je leur remette l'enveloppe que tu m'avais confiée. J'ai fait l'ignorant. Quelle enveloppe? Je n'en sais rien. Pourtant j'étais pas soûl! Même que je commençais à guérir. Dommage, ça allait si bien. Ils sont partis en disant: « A votre aise. Pas de paquet, pas de réserve. » Alors je me suis demandé ce qui m'arrivait. Pour une maudite enveloppe que m'avait confiée un jeune faraud qui m'avait déjà coûté quatre mille cinq cents dollars, je perdais la réserve forestière de ma vie. Et puis je me dis: « T'as promis, Willie. T'as promis. Ce garçon a été bon pour toi. Il t'a défendu contre le Grand Dick. Il a acheté des roses pour ta femme. » Mais la maudite réserve chérie enfonçait mon beau geste à coups de superbes bouleaux de quinze pouces de diamètre. Il y en avait des millions. Ah! quel supplice! Il me fallait rejoindre ces deux types. J'ai couru au bureau de Mère Cécile, je l'ai assurée de ma bonne santé et lui ai parlé d'une affaire de la plus haute importance qui me réclamait à mon bureau. J'ai sauté dans ma Buick. Je devais faire du quatre-vingts à l'heure. Tout d'un coup j'ai aperçu la grande horloge du clocher de l'église St-Sauveur et j'ai pensé aux horloges brisées, moi qui pleurais au milieu des pendules et toi qui m'as aidé à sortir de la maison. Alors j'ai stoppé à un magasin de liqueurs et je me suis acheté trois quarante onces, que j'ai immédiatement commencé à boire avec une sainte énergie. Tu étais sauvé. Ne me demande pas si ton salut m'a servi de prétexte à étancher ma soif, ou si ma soif m'a été un prétexte pour te sauver, nous ne le saurons jamais. En tout cas, je t'attends à la porte depuis une heure. Qu'est-ce que t'as? Tu pleures!

Pierre, écrasé dans sa chaise, les yeux fermés, n'élevait même pas la main pour essuyer les deux larmes qui coulaient lentement sur ses joues.

— Merci, Monsieur Savard. Vous êtes bon et généreux. Ça fait du bien.

— Voyons! voyons! grogna Willie Savard, saisissant rapidement sa bouteille et buvant à nouveau. Ouf! Il fait chaud ici.

Il enleva son veston et se rassit au bord du lit en se prenant la tête entre les mains. Puis, sur un ton timide:

— Dis donc, as-tu un père, toi?

— Non, il est mort j'étais très jeune. Ma mère est femme de peine. Je vous l'ai déjà raconté.

— Ah! c'est vrai, fit l'ivrogne en se frappant le front. C'est même un peu pour ça que je me tourmente à vouloir toujours te rendre service. T'acceptes jamais. J'ai un fils, tu sais. Il est notaire, chef d'un mouvement de tempérance, et quand je suis soûl trop longtemps, il essaie de me faire interner, mais ma femme refuse. Tu avais bien fait de lui acheter des roses. Ça m'a fait penser à lui en envoyer cet après-midi. On s'aimait bien gros dans notre jeunesse, tellement qu'on est devenus comme soudés. Elle a beau me sentir avec son nez quand j'arrive, et moi j'ai beau la battre, on est toujours soudés. Mon fils, qui me trouve dégoûtant, m'a déjà dit, un jour que j'étais plus soûl que d'habitude: « Vieil écœurant, si tu pouvais mourir! » C'est plus facile à se rappeler que n'importe quoi.

L'industriel essuyait une larme.

— Toi, c'est pas pareil.

Pierre réussissait à faire reculer sa propre souffrance, à toucher avec son cœur la solitude de Willie Savard.

— Monsieur Savard, reprenez le négatif, je vous le donne, échangez-le contre cette réserve forestière. Au moins quelqu'un sera heureux.

Les yeux de l'industriel luirent un instant de convoitise puis sa bouche se gonfla en un abcès de tristesse. Il reprit sa bouteille et but.

— Non. J'aurais l'air du vieux farceur que je suis d'habitude. Je me serais joué la comédie de la bonté et, au fond, te connaissant, je t'aurais roulé. Non, je ne suis pas venu ici en voyage d'affaires, comme pour la statue. Et encore, la question de la statue, ça pourrait se discuter. Tu sais pourquoi mon fils veut me faire interner? Je me mets debout devant la fenêtre, je regarde nulle part, puis je déchire les billets de banque qui tombent sous la main en petits morceaux. C'est tout. Garde pour toi ce paquet. Tu en auras besoin.

Pierre examinait avidement ce gros homme, échoué dans sa chambre comme le dernier gîte où il eût pu se réfugier, cette journée-là de sa vie; seule la pudeur empêcha le jeune homme de s'élancer vers lui pour le consoler, et peut-être essayer de le faire sourire. Puis une angoisse amère lui noua la gorge:

— Vous aimiez tant votre femme. Et malgré tout, après tant d'années, vous êtes malheureux à ce point? Et tous ceux que j'ai connus, qui vieillissent, souffrent de plus en plus. Tout le monde se trompe donc de chemin?

Willie Savard serrait le goulot de sa bouteille comme une arme.

— J'ai jamais beaucoup réfléchi si les autres trouvaient le bon chemin ou non. Mais me semble que ça doit être un peu cela pour tout le monde, même pour ceux qui aiment pas le whisky. Moi, je suis rentré dans la vie comme dans un tunnel, excepté que l'autre bout du tunnel me paraissait grand sans bon sens. Comme dans une longue-vue. Mais plus on avance, plus le tunnel est étroit; on s'accroche un peu partout, on est plein de saletés, on est lourd, on s'essouffle et on se retourne souvent pour tâcher d'apercevoir le beau temps qu'il faisait au commencement.

— Alors, mieux vaut mourir tout de suite! murmura Pierre.

— Mourir? fit le bonhomme, hébété. Pas intéressant. Surtout si les autres continuent, ceux que j'aime et ceux que je n'aime pas.

« Ceux que j'aime. » Pierre frémit. Il ne voyait plus Willie Savard, ce drame ne le touchait plus. C'est l'image de Fernande qui emplissait à nouveau la chambre. Pendant qu'il était ici à écouter cet étrange ivrogne, elle était seule, assise au centre du divan, les mains croisées sur ses genoux, encore toute bouleversée par le passé évoqué, par l'amour qu'il lui avait avoué. Elle avait crié: « Emmenez-moi! » Mais il s'était sauvé. Elle avait été la maîtresse de Denis Boucher et maintenant, seule au milieu de ce divan ou couchée dans son lit, peut-être, elle attendait ce dégoûtant avocat qui l'avait à lui pour toute la vie. Elle était belle et lui, Pierre, était fait pour elle, de toute éternité comme elle était faite pour lui, tout entière, corps et âme. Ses beaux cheveux, ses yeux, sa bouche, ses bras! Il laissa échapper un gémissement et cria presque:

— Alors, Monsieur Savard, ces trois femmes que vous aviez l'autre soir, à l'hôtel, on les appelle!

L'étonnement aplatissait la grosse face de Willie Savard.

— Pas mes trois juments?

Pierre voyait trouble, il se livrait, la tête en feu, au vide amer et méchant dans lequel il se sentait sombrer.

— Appelez-les comme vous voudrez. J'en ai assez de courir après la magnificence, et de ne serrer jamais sur mon cœur déçu qu'amertume et regrets. Je suis entré dans le tunnel, moi aussi; il ne s'agit plus que d'y avancer avec courage, comme les autres, et d'essayer de perdre avec entrain mes illusions, une à une. Je ne peux plus être un saint; alors je me damne, je l'ai déjà promis. Pas de lâche flirt avec le purgatoire.

— Si tu te mets à me réciter l'Evangile, ça commence mal. Es-tu sérieux, pour vrai?

— Appelez ces trois femmes, je vous dis!

Pierre avait crié ces mots comme pour attiser sa rage contre lui-même, son dégoût contre Pierre Boisjoly, le Magnifique qui, déchiré par un amour sans issue, poursuivi par le remords, entouré d'ennemis se débattait, prisonnier d'une immense toile d'araignée qu'il avait tissée lui-même dans sa course vers la grandeur. La vie se venge bien de ceux qui veulent la vaincre. Quelle déchéance! Il suppliait maintenant un vieil ivrogne de le traîner au bordel!

— Je veux me salir! répéta-t-il, hagard.

Oui, se salir pour se dégager de cette effrayante virginité dont il se glorifiait tant, hier encore, et qui maintenant lui était une source de jalousie intolérable. Ne s'agissait-il pas de retrouver Fernande sur un même palier? de lui dire:

« Maintenant je n'ai plus rien à vous pardonner »? Mais toujours la passion qui avait uni Fernande à Denis serait là, comme un gouffre, pour les séparer. Toutes les veines de Pierre se crispaient, il haletait, la bouche entrouverte, le front couvert de sueur.

— Ou plutôt non, n'appelez pas ces femmes. Je vous en supplie!

Il saisit la bouteille de whisky des mains de l'industriel.

— Aie! c'est la mienne. Prends-en une neuve, fit Willie avec circonspection. C'est pas chanceux, deux sur le même goulot.

Pierre affolé buvait le whisky comme si c'eût été de l'eau. Il vida la bouteille de moitié, d'un seul trait, sous l'œil épaté de l'ivrogne.

— Pour un buveur de lait, tu y vas!

Pierre déposa la bouteille et sursauta comme si un choc électrique l'eût secoué. Attentif à la métamorphose qui s'opérait en lui, il demeurait immobile; ses yeux, tout d'abord hagards, devenaient vitreux.

— A propos de mes juments, poursuivait l'ivrogne en soliloque, j'aime mieux ça. T'es pas le genre. Vous faites l'amour comme des affamés, puis ensuite vous êtes tristes, vous allez à confesse et ça ennuie les putains. Un de mes amis, notaire, l'homme le plus pieux de la paroisse, m'avait supplié un jour de l'emmener dans ma talle. Il voulait se changer les idées. Il est entré dans la chambre comme un lion dans l'arène aux chrétiens. Je le vois encore avec sa grosse moustache grise, qui sautait sur Germaine. Ensuite il était découragé comme un mort et récitait son acte de contrition, la bedaine écrasée sur les genoux, à côté de Germaine tout essoufflée. Je ne parle pas de la neuvaine qu'il a fait commencer à sa famille dès le lendemain. Moi, je prends ça comme un sport. Je les fais courir, je les bats. Ça me change pas l'humeur. Enfin j'aime mieux ça. A présent, on va se parler tranquillement. Raconte-moi donc cette histoire de photo. Ça doit être intéressant?

Il s'interrompit. Pierre était tombé endormi sur le lit.

Willie Savard le secoua faiblement puis, jetant un coup d'œil sur le quarante onces que Pierre avait à moitié vidé, il hocha la tête. Il se rendit au pied du lit et, de ses gros doigts tremblants, il délaça les souliers de Pierre et les enleva en murmurant dans un hoquet:

— Brave p'tit gars. Y en a pas beaucoup de ta race.

Il endossa son veston et son paletot, ramassa ses bouteilles, éteignit la lampe et sortit en fermant la porte doucement.

Pierre dormit ainsi pendant quinze heures. Il émergea de cette anesthésie causée par un mélange de whisky et de désespoir, comme un cancéreux s'éveille au retour de la salle d'opération sans y avoir été opéré. Son mal venait à sa rencontre, dès le réveil, intact, moqueur et victorieux. Pierre laissa couler l'eau du robinet sur sa nuque jusqu'à ce que le bienfait qu'elle lui apportait d'abord se changeât en douleur intolérable. Son cerveau demeurait lourd et las et son corps était amolli par une langueur qu'il n'avait jamais ressentie, une langueur nourrie par l'image presque palpable de Fernande, plus belle et plus désirable qu'il ne l'avait jamais imaginée. Puis soudain la phrase de Willie Savard sur les tunnels lui revint. Pourtant il avait à peine vingt ans, le soleil d'avril était bon; il eût été facile pour lui d'écarter tous ces problèmes en exécutant une volte-face agile comme peuvent en opérer les jeunes hommes devant les ennuis. Qu'avait-il d'extrêmement grave à se reprocher, aux yeux du monde? La mort de madame Boisseau? Un accident que Denis Boucher et lui seuls connaissaient et dont lui, Pierre, était absolument innocent. Mais au regard de Pierre Boisjoly, toutes ces saletés déjà frôlées au cours des derniers mois, ternissaient mortellement l'effrayante raison d'être qu'il s'était assignée: vivre pur et magnifique, dire non à tout péché, même au péché originel. Son défi à la faible nature humaine, la vie le relevait, elle le lançait dans cette ronde effrénée qui le secouait de plus en plus et qui bientôt le rejetterait, pantelant et vaincu, au pied d'un tribunal que déjà il voyait se dessiner au bout du tourbillon. Qui, de Dieu ou de Satan, le présiderait? Entendu, il acceptait le verdict immédiat, plutôt que d'attendre comme Willie Savard, la fin de son âge.

Il n'était plus question pour lui de se rendre au bureau du parlement, maintenant que le procureur avait étalé son jeu. Pierre s'assit près de l'appareil du téléphone. La sonnerie ne pouvait pas ne pas retentir d'un instant à l'autre, déclenchée par une des tentacules de la pieuvre de plus en plus enveloppante. Peut-être Fernande était-elle aussi assise près de son appareil dans le corridor? La main de Pierre plana plusieurs fois au-dessus de l'écouteur et même il le toucha sans toutefois le décrocher. Il était cinq heures quand la sonnerie retentit: il ne sursauta pas. « Allô! » C'était la voix de Fernande, rauque, furtive:

— Pierre! Quelque chose de terrible est en train d'arriver. Je cours chez vous. Il n'y a plus que vous de bon!

Il avait dit oui, d'une voix à peine perceptible, mais un oui tellement absolu, au-delà de toute question, qu'elle avait raccroché. Il s'étendit de tout son long sur le lit, fermant une à une toutes les portes de sa conscience, pour ne laisser ouverte que celle d'un cœur qui battait éperdument.

V

C'était son pas rapide dans l'escalier, puis hésitant devant les chambres numérotées. Il ouvrit: « Fernande! »

Elle tenait une petite valise, comme une étudiante. Elle était pâle, ne portait aucun maquillage et s'élançait vers lui non comme une femme qui se donne, mais comme une enfant apeurée. Elle jeta sa valise sur le lit, et sans prendre le temps d'enlever son chapeau et son manteau, se précipita contre lui qui était demeuré comme exalté dans un silence bienheureux. Il referma sa longue main sur ses cheveux et serra tendrement sa nuque.

— Je viens vivre avec vous pour toujours. Il ne peut plus y avoir de péché à cela.

Il ferma les yeux, sentant en lui la divine marée du bonheur qui l'envahissait comme un flot. C'était ce bonheur orgueilleux et sans limite de l'homme protecteur et puissant, sur le sein de qui se jette en pleurant, comme une enfant affolée, la femme hier aimée, désirée, mais qui, hier encore, dans son refus, lui opposait une stature d'adversaire. Ce bonheur puissant précédait toute réflexion pratique, tout sursaut de la conscience, parce que le désir ne remontait pas encore en Pierre, submergé par sa tendresse de défenseur. Il lui enleva son chapeau, baisa ses cheveux et dit doucement:

— Vous avez bien fait de venir. Avec moi, n'ayez plus peur de personne. Je suis plus fort que tous.

— Mais, Pierre, le Département du procureur général trame quelque chose contre vous et l'on a voulu se servir de moi!

Il ne put réprimer le trouble effrayé qui jaillissait en lui et il la fit asseoir pour permettre à son assurance et à sa force de revenir. Tout à l'heure à son arrivée, elle lui était apparue comme la femme aimée qu'enfin il posséderait à jamais, et maintenant il ne la regardait que comme une amie fidèle venue l'avertir d'un complot contre sa vie peut-être. Il oubliait qu'elle pourrait demeurer avec lui, qu'elle serait sa maîtresse et que sa tâche consisterait à être heureux contre le ciel et l'enfer, contre le monde entier, contre Pierre Boisjoly le Magnifique. Il s'assit sur le bord du lit et murmura d'une voix qu'il eût voulu moins angoissée:

— Qu'est-ce qui se trame contre moi?

Elle enleva son manteau et vint s'accroupir à ses genoux, puis lui saisit les mains avec la ferveur dont tout son être vibrait, une ferveur qui agrandissait son regard et rendait sa voix rauque.

— Pierre, ils ne pourront rien maintenant que je vous ai choisi comme mon mari et que je suis à vous pour toujours. Hier, environ dix minutes après votre départ de la maison, mon mari est arrivé en fredonnant, le visage radieux. Il m'accabla d'attentions et de délicatesses, ce dont, depuis des mois, il m'avait déshabituée. « Il n'en tiendra qu'à toi pour que notre avenir s'illumine, pour que je devienne enfin attaché au Département du procureur général! » répétait-il souvent en me regardant fixement, d'un regard presque fou tant il était rendu avide par l'ambition. « Ça n'a pas l'air de te transporter de curiosité? » s'impatientait-il devant mon silence. Je lui ai demandé de quoi il s'agissait. « Ah! c'est un secret jusqu'à demain. Et ce n'est pas moi qui te l'apprendrai. C'est le neveu du procureur général, le jeune Yvon Letellier, que je viens de rencontrer. C'est un garçon extraordinaire, qui ira loin. Il veut te voir ici, demain matin, seul à seule. J'éclate de joie! Je voudrais tellement te parler de la chance formidable qui nous arrive. Mais j'ai promis de ne rien dire immédiatement. Dis, ma Fernande, tu accepteras la proposition du jeune Letellier? Promets-le-moi. Tu sais, les sommets ne s'atteignent qu'à la condition de faire des concessions qui nous paraissent énormes sur le moment, mais qui, une fois le but atteint, nous semblent bien insignifiantes et bien lointaines. » Ce langage m'agaçait et piquait ma curiosité tout à la fois. Vous savez, Pierre, comme ce jeune Letellier peut m'être antipathique depuis cette distribution de prix à laquelle j'ai assisté. « Au moins, lui ai-je dit, explique-toi, dis-moi un peu de quoi il s'agit! » « J'ai promis le secret jusqu'à demain! » répondait-il en se frottant les mains comme un avare pauvre sur le point d'hériter d'une fortune. Il arpentait toute la maison d'un pas de bête en cage et soudain il s'arrêta devant moi: « T'es-tu aperçue que tu plaisais beaucoup à ce Pierre Boisjoly? Tu lui plais, n'est-ce pas? Ah! ne fais pas la petite fille coquette. Les femmes savent quand elles plaisent. Dis, tu lui plais? « Oui, et il me plaît aussi! » ai-je répondu avec une inquiétude que j'ai pu masquer sous la colère, puis je suis allée me coucher en faisant claquer la porte derrière moi. Je l'ai entendu qui s'exclamait: « Alleluia, la victoire est à nous! » Je n'ai pu dormir de la nuit. L'heure exaltante que j'avais passée avec vous et qui m'avait laissée brisée, ce mystérieux complot où Yvon Letellier, vous, mon mari et moi semblions devoir être mêlés, m'empêchèrent de fermer l'œil et m'obligèrent à écouter les pas de mon mari qui marcha comme un déchaîné jusqu'au matin, buvant du café, s'accrochant aux chaises et fredonnant sa joie. Pour la première fois depuis notre mariage, c'est mon mari qui prépara le déjeuner. Il partit pour le bureau plus tôt que d'habitude, afin de me laisser seule au plus vite, et comme pour hâter la venue d'Yvon Letellier. Avant de fermer la porte, il croisa ses mains et me dit sur le ton de l'oraison: « Fernande, tu accepteras, n'est-ce pas? Notre avenir est en jeu. »

Pierre écoutait maintenant ce récit avec un abandon passionné, en caressant les cheveux de Fernande appuyée sur ses genoux. Elle lui embrassa les mains et murmura avec horreur:

— Et vous verrez maintenant comment la haine ou l'ambition peuvent rendre les hommes ignobles. Le jeune Letellier est arrivé vers les onze heures. Désinvolte, il se permit quelques commentaires sur notre piètre logement, puis éclata de rire en me faisant remarquer que je semblais tendue, sur mes gardes. *Relax!* s'écria-t-il en clignant de l'œil, ce que je viens vous proposer n'est qu'agréable et qu'intéressant, si vous êtes intelligente comme je le suppose. » Il m'offrit une cigarette, s'installa sur le banc du piano et se prit un genou dans les mains. « Votre mari sera attaché au Département du procureur général, mon oncle, mais il n'en tient qu'à vous. J'ai insisté pour vous parler de mon projet, le premier; les maris s'expliquent toujours très mal avec leur femme. Habitués de leur cacher tant de choses, ils ont l'air louche quand ils leur disent la vérité. Voici de quoi il s'agit. Par ma faute, et à la suite de circonstances qu'il serait trop long de vous expliquer, Pierre Boisjoly, qui a passé ici la soirée d'hier, exerce sur mon oncle, le procureur général, un chantage éhonté. » « Je ne vous crois pas! Pierre est incapable de chantage! » me suis-je écriée.

Pour toute réponse, Pierre laissa échapper un gémissement de rage, gonflé des protestations qui jaillissaient de sa poitrine pour sa défense. C'étaient les Letellier qui le traînaient de force dans ce chantage qui lui répugnait. Mais pourquoi alors ne leur remettait-il pas ce négatif et ne disparaissait-il pas gratuitement dans la foule pauvre et malheureuse? Cela se ferait le lendemain même. Il leur renverrait ce négatif par la poste. « Merci! » murmura-t-il en serrant la tête de Fernande dans ses mains. Fernande se soumit toute au silence de cette caresse, et ils restèrent immobiles, les yeux fermés, pendant quelques secondes, comme soudés par l'acte de foi qu'elle venait de lui répéter. Puis elle continua avec effort, d'une voix étranglée par un effroi mêlé d'indignation:

— C'est à ce moment que la voix d'Yvon Letellier s'est durcie: « Ah! vous croyez Boisjoly incapable de chantage? Pauvre brebis. Enfin, je vois qu'il vous plaît et la tâche ne vous sera que plus facile, car je pense que vous lui plaisez au-delà du flirt. Chère Madame, cette arme que possède Boisjoly contre mon oncle est un négatif de photo. Mon oncle prend tous les moyens pour le lui racheter, mais rien à faire, et comme je suis responsable de l'affaire rattachée à cette photo, c'est moi qui me chargerai de lui reprendre le négatif. Grâce à vous, je pense réussir. Vous serez bien récompensée. » Et c'est alors, Pierre, qu'il me proposa cette comédie odieuse où, jouant le rôle de la séductrice, je vous amènerais lentement à me désirer, puis je vous recevrais chez moi en l'absence de mon mari jusqu'au jour où celui-ci, accompagné d'un témoin, qui ne serait nul autre qu'Yvon Letellier, nous surprendrait. Vous imaginez bien le reste: menace de scandale, je vous supplierais de remettre ce négatif pour sauver ma réputation, ce que vous feriez par amour pour moi.

— Un jour, je tuerai probablement Yvon Letellier, dit Pierre, d'une voix blanche, égale.

Et immédiatement la vision de la vieille dame étendue, morte, sur le plancher, lui apparut. Atterré, il n'osa lever les yeux au-dessus de lui, de peur d'y sentir la calme présence de Dieu, observant le travail de Sa justice immanente. Tous les personnages de son drame, Pierre le vit clairement en une épouvantable seconde, mettaient l'épaule à la roue, comme des acteurs irresponsables, à la roue qui le précipiterait bientôt, lui, Pierre Boisjoly, au bout de son aventure sacrilège, au pied du calvaire où l'attendait le châtiment. Le frémissement qui l'agitait se greffa au trouble de Fernande et elle continua d'une voix plus rapide:

— Sortez d'ici! ai-je crié à ce vaurien. « Sans blague! ricana-t-il. J'ai bien fait de vous voir d'abord. Et si j'apprenais à votre mari qu'avant votre mariage vous avez été la maîtresse d'un certain voyou du Quartier Latin? Votre foyer se brisera et vous errerez, veuve sans espoir, car vous connaissez assez votre étrange avocat pour savoir que, inspiré par une sainte colère, il vous abandonnera, surtout si, malgré ce geste, il obtient quand même le poste qu'il envie et dont vous ne jouirez pas! » Pleurant d'indignation, je l'ai chassé: « Vous êtes un monstre! Je refuse! Vous direz à mon mari ce que vous voudrez. Il ne m'intéresse plus puisqu'il me met en vente. Et je défendrai Pierre Boisjoly de toutes mes forces, j'irai le mettre au courant de ces saletés! » Il m'a jeté un mot affreux que je ne vous répéterai pas et est parti en sifflant. Immédiatement je vous ai appelé. Aucune réponse.

« Et je dormais comme une bête! songea Pierre. Et je dormais! » s'écria-t-il. Puis il pensa avec horreur aux trois femmes qu'il avait demandé à Willie Savard d'appeler, quand Fernande avait tout brisé pour venir le rejoindre, lui, jeune homme de vingt ans cerné par un destin inéluctable. Pourquoi aller battre ou tuer Yvon Letellier? Celui-ci ne lui avait servi que de prétexte à abandonner sa vocation et à mieux nourrir son désir pour Fernande. Et Pierre ne semblait être entré dans la vie de la jeune femme que pour la faire dévier. Fernande lui revenait maintenant, pour ainsi dire, comme un chèque sans fonds. Dans son innocence, Pierre avait vue en elle le mirage du bonheur, un bonheur qu'il avait acheté à crédit en misant sur les gains d'une vie magnifique. Et depuis, il n'avait même ressenti en lui une parcelle de la noblesse dans laquelle la plus simple de ses prières d'adolescent le jetait. Il enfouit sa tête dans ses bras croisés. Les événements le martelaient de plus en plus durement, leur poids et leur intensité le débordaient. Dans une heure peut-être, le Pierre Boisjoly d'aujourd'hui n'existerait plus, et le désespoir viendrait à jamais, puisque les seules exigences permises resteraient celles de ses sens.

Fernande, déconcertée, angoissée devant l'attitude de Pierre, lui dénoua les bras et prit sa tête dans ses mains.

— Regardez-moi, Pierre, je suis à vous. Vous m'aimez, n'est-ce pas? Je crois en vous, vous me garderez. Je l'ai dit à mon mari, quand je l'ai quitté tout à l'heure après une scène épouvantable. Il est revenu à lui, il me demandait pardon. Il disait que l'ambition l'avait comme rendu fou. Je lui répondais avec une fièvre cruelle, presque heureuse qu'il eût voulu ainsi se servir de moi, puisque cela me justifiait de ne plus vouloir demeurer avec lui et d'aller vous trouver. Car je lui ai crié avant de partir que je venais me jeter dans les bras de Pierre Boisjoly, le seul homme que j'aie jamais aimé, le seul homme noble que j'aie connu. Nous sommes désormais l'un à l'autre, Pierre, mon petit, mon chéri.

Les yeux aveuglés de larmes, elle chercha la bouche du jeune homme où ses lèvres se fondirent en un baiser au-delà du désir avide et court, un baiser de mère, d'amante et d'enfant tout à la fois, un baiser qui cherche l'âme pour se donner à elle absolument. Tout le reste, excepté eux deux, chavirait, puis disparaissait. Pierre devenait soudé à elle, dont la seule pensée avait fait dévier tout son jeune destin; il l'avait toute à lui, elle était abandonnée contre lui, épousant les courbes de son corps. Mais elle s'était sans doute lancée ainsi contre Denis Boucher, quand elle avait fui ses premiers malheurs pour chercher une protection! Il poussa un gémissement de douleur et se dégagea, la laissant palpitante. Il marcha en titubant vers le petit bureau et en sortit le négatif. Il bégayait, ses paroles trébuchaient sans suite:

— Vous ne savez pas tout ce qui pèse déjà sur moi. Ce serait encore pire de partager ma vie que celle de votre mari. Et ce serait de l'adultère. L'adultère! Votre mari a pleuré, il vous demande pardon. Pardonnez, rendez-le heureux. C'est là ce qui exalte. Moi, je lui pardonne, je pardonne à tous. La vie est si courte et Dieu est si long. Donnez ce négatif à votre avocat, il ne lui aura rien coûté. Et nous deux nous serons meilleurs.

Atterrée, les yeux exorbités, les lèvres agitées par des mots qui ne sortaient pas de sa bouche, elle se traînait vers lui, enlaçait ses jambes:

— Oui, donnons-le quand même, mais je reste avec vous. Je ne veux plus le voir; que sera ma vie ensuite avec cet homme et loin de vous? Il ne peut plus y avoir d'aldutère quand l'existence à côté d'un mari n'est faite que de dégoût et de révolte, il ne peut plus y avoir d'adultère quand ce mari a voulu me vendre et que celui que j'ai choisi est Pierre Boisjoly. Ce qui nous arrive, Pierre, est bien au-delà du péché. Ne voyez-vous pas que je vous suis due, comme une récompense, ou comme un châtiment?

Le souffle court, la tête en feu, il s'accrochait au bord chancelant de sa conscience, aux aspérités de l'orgueil:

— Méritée ou non, je ne veux pas de récompense, je ne veux pas qu'on me doive quelque chose. On n'est alors qu'un créancier et c'est le commencement de la petitesse.

Elle ne fut qu'un instant vaincue, puis son visage s'illumina en un cri de victoire:

— Alors il ne vous reste plus qu'à être grand et coupable. Vous ne pouvez refuser le châtiment, ni le choisir. Prenez-moi, Pierre! puisque je suis le châtiment. Ce n'est pas un caprice qui me jette dans vos bras, c'est une mer d'événements qui me déposent sur votre grève et qui ne peuvent plus me reprendre. Pierre, acceptez-moi, surtout si c'est pour vous un sacrifice!

Il gémit:

— Ce ne serait pas un sacrifice! Je vous aime! Mais ce serait aussi la fin de tout.

Fernande émergeait lentement de sa frayeur, voyait poindre la victoire dans le bégaiement douloureux de ce grand garçon prisonnier de sa noblesse et déchiré par son amour. Ce grand garçon qui emplissait maintenant tout son horizon de sa stature et dans lequel une soif brûlante et sans autre issue la poussait à se perdre à jamais, avec l'abandon absolu d'une femme. Il les oublierait bientôt, ces sursauts de conscience adolescente, elle-même les avait oubliés sous les coups de la vie. Il n'y a jamais moyen d'esquiver le péché, se disait-elle dans son affolement, c'est l'inévitable gouffre des natures riches; tôt ou tard Pierre se perdrait, et la seule pensée que ce serait avec une autre donnait du génie à sa lutte désespérée. Car c'est elle qu'il aimait, elle qui avait coupé tous les ponts avec son passé pour ne laisser à Pierre aucun choix de l'accepter ou de la refuser.

Debout devant lui, ses larmes séchant déjà au coin du sourire radieux et candide qui illuminait son visage, elle enleva ses souliers à talons hauts d'un mouvement imperceptible de la cheville, et d'un geste tendre de la tête, fit voler sa lourde chevelure autour de ses épaules. Elle marcha au miroir, sourit doucement à son image, regarda Pierre comme pour quémander un affectueux compliment; elle alla vers la porte, s'assura qu'elle était fermée, remit en place quelques livres mal rangés, prit son manteau et son chapeau, demanda à Pierre de les accrocher dans la garde-robe, et pendant qu'il obéissait machinalement, elle se pencha sur le petit appareil de radio en tentant de trouver de la musique.

— Pas ce bouton, l'autre! fit Pierre, soudain pris d'une timidité et d'un émoi qui lui nouaient la gorge.

Il avait l'impression d'être transporté ailleurs. Le parfum de Fernande imprégnait discrètement l'atmosphère de la chambre et Pierre, malgré lui, prenait pied dans un nouvel univers, d'où tout le passé lui apparaissait remisé dans l'enclos de son enfance. C'est non seulement à ses yeux qu'elle apparaissait belle et douce, c'est à tous ses sens et à son cœur; cette pierre de l'angoisse accrochée dans sa poitrine depuis toujours, il la sentait miraculeusement s'épanouir en une fleur voluptueuse. Était-ce possible? Fernande pouvait être à lui, à jamais? Elle lui apparaissait telle qu'il l'avait vue la première fois, dans une vieille rue du Quartier Latin, où elle l'avait contemplé avec une tendre curiosité, la tête tirée par un lent coup de peigne et le corps moulé dans un peignoir humide. Elle lui avait semblé alors infiniment inaccessible. Aujourd'hui, elle portait cette petite robe noire, à pois blancs, toute simple, sa peau était aussi douce, et la supplication gonflait ses lèvres, et la fièvre amoureuse remplaçait dans ses yeux la tendre curiosité. Elle était dans sa chambre et ses souliers étaient rangés près de la cheminée et elle disait:

— Pierre, ce n'est pas l'impureté qui nous unit. Dans un grand livre, écrit il y a des milliers d'années, il était dit que je vous étais destinée, que je serais la fille d'un marchand de village lancée vers la ville, que j'y rencontrerais Denis Boucher par qui je vous découvrirais et à cause de qui j'épouserais Robert Larochelle, à seule fin de vous retrouver et de vous garder pour toujours. Rien au monde ne peut vous empêcher de dire: « Ma Fernande ». Le destin a fait de vous mon maître et, soumise, bienheureuse, discrète, mais ardemment présente, je prendrai ma petite place dans votre dure vie d'homme.

Ces mots engourdissaient Pierre, il obéissait docilement à cette main qui le pressait de s'abattre comme un enfant, sur le tapis, près d'elle assise sur un tabouret, à cette main qui pressait sa tête contre la hanche chaude et obéissante. Tant d'années d'une exaltation vers l'impossible sombraient doucement dans une caresse. Il pleurait de joie, et la bouche et la main et tout le corps de Fernande lui murmuraient: « Mon petit Pierrot. Nous vivrons ensemble dans la douceur, n'importe où. » Il ne pouvait plus dire non, il ne lui restait plus qu'à murmurer adieu au farouche idéal de ses jeunes années, avec les paroles déchirantes qu'on laisse tomber sur l'enfant qu'on abandonne. Ses larmes, ses mots se perdaient, lourds, dans cette hanche lisse et gonflée comme une lèvre:

— Fernande, c'est la première fois depuis longtemps que je suis heureux, et c'est la première fois que j'ai honte.

Pas un instant vous ne m'avez accusé de lâcheté parce que je tentais de m'esquiver; par amour pour moi et à cause de moi, vous avez tout abandonné pour chercher refuge à mes côtés. Vous avez cru en moi et c'est ce qui me déchire, parce que, croyant en moi, vous ne pouviez espérer que je vous possède dans le médiocre péché et pourtant, vous êtes si seule et si désespérée que, avec un aveuglement et une foi qui m'écrasent, vous ennoblissez l'inévitable faute qui élève entre nous sa barrière. Mon enfance s'est déroulée dans la pauvreté d'un foyer médiocre. Gamin farouche, je n'ai pas vécu comme les autres enfants, dans l'insouciance du jeu. Tout de suite j'ai été torturé par la nécessité de choisir entre la mort ou la grandeur. Toujours j'ai été confronté par l'essentiel. Il n'y a qu'un choix possible: ou c'est Dieu à chaque instant, avec tout ce que cela comporte d'inhumain, ou c'est chaque instant et ses courts et faciles plaisirs. J'avais choisi Dieu. Je ne pouvais pas faire d'autre choix, dévoré que j'étais par cette soif d'absolu. J'avais choisi Dieu et le chemin qui y mène le plus directement: la prêtrise. Denis Boucher, lui, ne voulait pas choisir, par lâcheté, pour prolonger son illusion de l'éternité terrestre. Je le plains. Pendant des années, j'ai vécu dans l'immatériel bonheur de la prière, j'ai vécu sans remords, les yeux fixés sur le ciel et le cœur chaviré de joie sous l'exaltante sensation que mon élan vers la grandeur me portait bien au-delà de la mort. J'étais inattentif aux humiliations, aux succès, je planais dans mon rêve. Puis je vous ai rencontrée, je vous ai aimée; immédiatement je suis devenu sensible aux petitesses des Letellier, aux miroitements de l'ambition et, aveuglé, j'ai transposé mon choix premier vers un sommet où il m'eût aussi été possible de vous entraîner avec moi. J'ai abandonné ma vocation, le ciel tout près m'a échappé et j'ai couru sans le savoir vers vous, comme un fou gémissant sous les coups des événements que le destin m'assénait en me répétant: « Tu t'es trompé. » Et je ne me retournais pas, parce que j'étais emporté par votre image, votre image qui, je le croyais m'inspirait la même pure exaltation que mes prières. Et je vous ai atteinte, et je vous ai désirée; et le Dieu difficile de mon enfance, que j'avais délaissé sans pour cela Le trahir dans le péché, m'indique aujourd'hui que le compromis n'est plus possible entre vous et Lui. Et je L'aime et je veux Le servir, je veux être grand pour Lui; mais vous êtes là aussi, malheureuse, aimante, et je me sens plus humble et plus heureux ainsi perdu contre vous.

Le regard fixe, atterré, Fernande se raidissait sous cette confession si entière qu'elle chassait le vent de folie qui l'avait jetée vers Pierre. Ce garçon était un saint que, sous le voile de la tendresse, elle essayait de corrompre et d'arracher à sa grandeur! Devant Pierre blotti contre son flanc et avouant son drame, elle revenait à elle, son désir se changeait en vénération, son amour se haussait jusqu'à l'abnégation maternelle. Que venait-elle faire ici et pourquoi n'acceptait-elle pas la vie révoltante de Robert Larochelle, à qui elle avait juré fidélité au pied de l'autel? Ce sacrifice, elle l'offrirait pour le salut de Pierre, pour qu'il continue sa course vers les sommets. Elle tenta de se dégager en lui caressant les cheveux.

— Vous avez raison. J'ai été folle. Je dois retourner chez moi, accepter le lot qui m'est réservé et vous aimer quand même.

Il l'enlaça sauvagement:

— Non!

Elle le repoussait avec douceur:

— Je vous aime, Pierre. Vous m'avez ouvert les yeux. C'est pourquoi je m'en vais. Vous avez raison, demain, ce soir même, déjà, je vous deviendrais un fardeau que vous vous feriez un devoir de porter toute votre vie, par honnêteté.

Pierre, d'un bond, s'était relevé et esquissait des pas hésitants pour la suivre et l'arrêter. Les arguments qu'apportait Fernande, au lieu de se marier aux siens, les lui faisaient haïr et allumaient dans tout son corps une terreur animale qui noyait l'effusion sentimentale à laquelle il s'était laissé aller quelques minutes auparavant. Fernande, où qu'elle se tournerait, serait vaincue et sans défense. De retour à la maison, faible de son départ et des menaces qu'elle avait faites à son mari, elle reprendrait avec cet homme une vie commune qui ne pourrait pas durer. Vers où se tournerait-elle? Elle courrait à Denis Boucher, le père de son enfant et se jetterait à ses genoux en le suppliant.

— Fernande, vous ne partirez pas, je vous garde pour toujours! dit-il d'une voix dure.

Le visage tiré, les yeux écarquillés, luttant désespérément contre elle-même, Fernande, la bouche douloureuse et la gorge nouée, s'accrochait au « non! » que sa tête, en hochements brefs, opposait à Pierre. La sonnerie du téléphone retentit. Il décrocha:

— Pierre? Ici le procureur général. J'apprends que mon neveu a encore fait des siennes. Il est incorrigible. Je veux vous voir.

Pierre ricana nerveusement, et au fond de la fièvre qui le brûlait, il put retrouver d'anciennes inquiétudes et d'anciennes colères.

— Et le téléphone qu'on a intercepté, et le marché qu'on a offert à Willie Savard? Encore votre neveu, je suppose?

Au bout du fil, la voix se faisait brève et menaçante:

— Très bien. Si vous voulez qu'on joue dur, mon garçon, vous serez servi.

— Faites ce que vous voudrez! cria Pierre, et il raccrocha.

L'effort de volonté qu'avait fourni la jeune femme pour quitter Pierre s'était effondré pendant les courts instants qu'avait durés le téléphone. Son chapeau dans les mains, elle s'était assise comme une mendiante épuisée qui attend l'aumône, près de la porte.

Le « Faites ce que vous voudrez! » qu'il avait crié au procureur avait comme marqué d'un sceau l'assurance batailleuse que Pierre sentait monter en lui depuis qu'il avait ordonné à Fernande de rester. Il parla d'une voix calme:

— D'ici à demain, ce soir peut-être, toutes ces circonstances qui m'étranglent vont se dénouer. Je ne sais pas encore comment. Mais je veux que vous soyez là avec moi. Vous resterez ici et vous vous reposerez quelques heures. Moi je vais sortir pour réfléchir.

— Pierre ! ne me laissez pas seule !

Il lui enleva le chapeau qu'elle venait de replacer sur ses cheveux et la baisa sur le front.

— Couchez-vous dans mon lit et attendez-moi. Si je restais maintenant, nous serions vaincus tous les deux, et vous partageriez un châtiment qui n'est dû qu'à moi.

Heureuse, tranquille, elle acceptait comme un baume ces paroles mystérieuses et laissait tomber mollement sa tête dans l'oreiller qu'il glissait gauchement sous sa nuque. Ne sortait-il pas, sur le bout des pieds, comme un mari aimant qui promet de revenir tôt dans la soirée ?

VI

Au dehors, il retrouva avec surprise des rues, des maisons, des gens. C'était donc le printemps ? C'était donc le soir ? Mais Fernande était couchée dans son lit ! Immédiatement, l'inexplicable assurance qu'il avait montrée à Fernande avant de la quitter, l'abandonna. Son aventure allait se dénouer ? Le châtiment viendrait bientôt ? Il la gardait comme témoin ? Qu'avait-il été inventer, dans sa folie, pour empêcher Fernande de partir et aussi pour ne pas succomber ? S'il avait fallu, n'eût-il même pas parlé de sa mort prochaine ? Que faisait-il dehors pendant qu'elle attendait ? Où allait-il ? Il eût été logique que son fatalisme de tout à l'heure l'inspirât maintenant d'aller se livrer au procureur général en avouant la part qu'il avait prise à la mort de la vieille madame Boisseau ? Mais il ne le pouvait plus, Fernande serait trouvée chez lui et serait traînée au procès. Alors il n'était donc qu'un lâche qui se raconte des histoires de bravoure ? Et les heures passeraient et il reviendrait à Fernande. Rien ne se serait dénoué. Il ne pourrait plus la renvoyer.

— Ah! Boisjoly! Enfin!

Robert Larochelle, les yeux hagards, gesticulait devant lui. Il n'affichait plus sa rondeur habituelle, il avait l'air d'un énorme gamin éperdu. Un prêtre, gelé dans une hautaine componction, l'accompagnait, vers qui il se tournait souvent avec une attitude désemparée.

— Boisjoly! Je cherche ma femme. Je l'ai effrayée pour lui jouer un tour et elle a tout pris au sérieux. Imaginez que dans son désarroi elle m'a dit au moment de sa fuite qu'elle allait se réfugier chez vous. Mais je vois bien que ce n'est pas vrai, puisque vous quittez votre maison, calme et seul. Vous ne l'avez pas vue?

Froidement, Pierre lui planta son regard dans les yeux, comme une lame.

— Non, je ne l'ai pas vue, Monsieur Larochelle.

— Mon Dieu! Mon Dieu! fit l'avocat en toussant d'angoisse et en s'accrochant aux lèvres du prêtre. Antonio!

— Alors il ne sert à rien de courir à l'aventure! fit celui-ci d'une voix ennuyée. Allons l'attendre chez toi en jouant une bonne partie d'échecs. Car elle reviendra. Je lui servirai alors un petit sermon et tout rentrera dans l'ordre.

— Et si elle ne revient pas, Antonio?

— Voyons! Ne t'énerve pas. Elle reviendra.

— Bonsoir! fit Pierre d'une voix indifférente.

Il eut le courage de marcher d'un pas nonchalant jusqu'à ce qu'il eût échappé à leur vue. Ainsi Maître Larochelle s'accrochait aux prêtres dont il se moquait tant, dès que le fil sur lequel il marchait tremblait, menaçait de lui faire perdre l'équilibre? Il sembla à Pierre que son propre cœur s'épanouissait de soulagement et de victoire. Il ne regrettait pas ce « Non, je ne l'ai pas vue » qu'il avait répondu à Robert Larochelle. Pour la première fois, il soustrayait Fernande aux recherches de celui qui avait tous les droits de la lui enlever, et cette victoire la lui rendait plus sienne, plus présente dans sa chambre. Il avait soigneusement tourné la clé dans la serrure.

Pierre savoura quelques instants la griserie de ces pensées, comme s'il n'eût jamais connu le dilemme qui l'avait fait fuir la jeune femme. Il s'immobilisa soudain devant une affiche de cinéma montrant une actrice presque nue, couchée langoureusement sur le sable. Il détourna machinalement son regard qui tomba sur le clocher de la basilique.

Un lancinement aigu pénétra tout son être et sa vue en fut voilée. Une nouvelle crise de l'âme se déclenchait, plus violente, présageant la douleur définitive. Où se jeter? La meute des événements jappait de plus en plus près, le cernant dans son dernier retranchement. Et vaincu, comment serait-il dévoré? Un sursaut d'énergie le secoua. Mais non, il ne serait pas vaincu! Il laisserait tomber sa proie, Fernande, détournant ainsi quelque temps la menace des événements voraces. Il lui fallait rejeter cet amour qui le rendait lentement prisonnier de son miracle et de sa douceur. Oui, le rejeter à coups de mépris et de dégoût.

Il courut comme un fou vers le logis maternel. Il verrait ce pensionnaire en bretelles et, ô Dieu, qu'il surprenne cet homme à embrasser sa mère, dans sa petite chambre de séminariste! Ne deviendraient-ils pas un peu ainsi, Fernande et lui, en vieillissant? Ils n'auraient plus rien à se dire, et pour échapper aux silences, ils les rempliraient de ces caresses qui désespèrent et qui font gémir après le bonheur de ceux qui sont restés grands.

Il entra sans frapper.

— Pierrot!

Sa mère remonta ses lunettes, déposa son tricot et se leva vivement, souriant de bonheur. Seuls les craquements de la chaise vide qui continuait son bercement, emplissaient la cuisine de leur bruit.

— Et le pensionnaire? fit Pierre, déçu.

— Il est parti, fit-elle en rougissant. Viens donc habiter ici maintenant.

Elle lui parlait comme à un enfant qui revient après des années. Il avait donc tellement changé? Sa mère aussi avait changé. Elle avait déjà l'air d'une vieille femme heureuse, et c'est pour lui, sans doute, qu'elle avait renvoyé ce pensionnaire. Il reviendrait ici se blottir dans l'anonymat de la pauvreté ignorante. C'était le salut, le repos près de sa mère, la femme de peine. Il bredouilla:

— Oui, maman, je reviendrai dès demain. Tiens, prends cet argent.

Il vida ses poches: quatre cents dollars qu'il jeta sur la table avec hâte. Avec hâte, comme s'il eût été extrêmement pressé. Et il sortit sans observer la surprise émerveillée de sa mère. Il marchait vite. Arriverait-il à temps au rendez-vous? Quel rendez-vous? Il n'avait pas trouvé à l'égard de sa mère la source de dégoût qui eût pu le détacher de Fernande. Il n'y avait découvert qu'une douceur et une solitude maternelles, la même douceur et la même solitude féminines dont il auréolait aussitôt la chaude image de Fernande, seule dans sa chambre. Il lui sembla que son cœur emplissait toute sa poitrine et il s'aperçut soudain qu'il trépignait devant le presbytère où le curé Loupret vivait, vieux et délaissé. Il fit deux pas en arrière. Non, il n'irait pas se confesser, raconter toutes ces saletés et toutes ces souffrances pour obtenir une absolution qui ne l'eût pas empêché de désirer Fernande. Non, il n'aurait pas la cruauté d'aller exhiber sa déchéance devant celui-là même qui avait voulu faire de lui un prêtre exceptionnel.

Quelle pitié! Quelle pitié d'être Pierre Boisjoly! Et tout avait commencé lorsqu'il avait foncé sur un voyou qui le traitait de *suisse!*

C'est lui qui avait tout déclenché! Denis Boucher le monstre, l'amant de Fernande. Le cœur de Pierre se vidait de toute générosité; une dure fureur bandait graduellement ses muscles et rendait son regard vitreux. Il savait maintenant pourquoi il avait quitté Fernande, pourquoi il venait de laisser sa mère avec hâte. Son rendez-vous était avec Denis Boucher, et il n'avait tant tardé à se l'avouer, il ne l'avait masqué sous de faux-fuyants que parce que s'y dénouerait tragiquement son aventure. « Ah! que je ne te revoie plus! » m'avais-tu dit? murmura Pierre entre ses dents.

Chacun de ses longs pas d'automate semblait mesurer la courte distance qui le séparait du dernier gouffre. Pas une seconde, Pierre n'imagina que Denis Boucher eût pu déménager ou qu'il ne fût pas chez lui en ce moment, dans sa chambre bourrée de bibelots. Il monta l'escalier sans hâte, du même pas mécanique en route vers l'inévitable, donna un coup de poing bref dans la porte mal fermée. Elle s'ouvrit, comme poussée par un coup de vent, et quelques secondes d'un silence effrayant s'écoulèrent qui virent la silhouette nonchalante de Denis Boucher, étendu sur le divan, se raidir et se dresser devant le séminariste de l'an dernier qu'il avait, par hasard, projeté vers l'enfer et qui, ainsi immobile dans l'embrasure de la porte, semblait un fantôme venu régler ses comptes. Tentant de cacher son trouble, Denis Boucher esquissa le seul geste qui pût en ce moment l'aider à garder sa contenance: il arracha la cigarette pendue à ses lèvres et, sans l'éteindre, la fit voler en l'air d'une chiquenaude.

— Je t'avais pourtant dit que je ne voulais plus te voir.

Les lèvres de Pierre semblèrent se déchirer en un sourire méprisant. Il répondait d'une voix implacable, monotone:

— Monsieur n'aime pas qu'on lui désobéisse? Dommage! cria-t-il en refermant la porte d'un coup de talon.

Denis Boucher, à l'affût du pire, s'appuyait contre le bureau en une attitude faussement dégagée. Son regard aigu observait les mains, les pieds de Pierre.

— Avant d'aller plus loin, dis-moi. As-tu un revolver? Es-tu venu pour me tuer? Si oui, exécute-toi.

— Non, non, ronronnait Pierre. Pire que ça. Je suis venu vous faire souffrir. Vous avez fini de ne pas choisir, de nier la vertu, le péché. Par votre faute, j'ai faussé ma route, et depuis, tous ceux qui me touchent sont brûlés par le malheur. Vous avez fait de moi un porteur de germes de souffrance, et vous vieillissez tranquillement, en fumant, comme un homme satisfait?

Denis Boucher le contemplait d'un regard triste et las, haussait les épaules avec compassion:

— Comme un homme satisfait? Tu dis des choses intéressantes. Comme on change en peu de mois! N'avais-tu pas promis que toi, tu gagnerais?

— On ne peut gagner quand on mise sur ce qui finit avec la mort! s'écria Pierre dans un sanglot qu'il tenta furieusement de contenir.

— Bon! Tu parles français. Maintenant, va-t'en.

— Je vous répète que vous êtes un lâche. Vous ne voulez pas revoir vos victimes, vous croyez qu'en les chassant vous chassez aussi votre remords. A cause de la vieille morte...

— Le courage eût été d'aller te dénoncer toi-même à la police...

— Mais je ne voulais pas de vous comme complice. C'était là la vraie honte!

— Va-t'en! te dis-je, coupa Denis Boucher en marchant vers lui.

— A cause de la vieille morte, à cause de moi, vous avez chassé Fernande, cette enfant pure et désespérée que vous n'aviez recueillie que pour en faire votre maîtresse, votre maîtresse qui s'est roulée avec vous sur ce divan et qui était enceinte de vous quand vous l'avez renvoyée.

Pierre vit la pâleur qui blanchissait rapidement ce visage goguenard et le plaquait des teintes de la terreur. Les épaules de l'homme s'affaissaient, démunies de tout geste de défense. Il tentait de bredouiller:

— Enceinte! Enceinte? Où as-tu pris cela?

Pierre s'écriait avec un accent de triomphe:

— C'est elle-même qui me l'a dit!

— Et l'enfant?

L'angoisse animale avec laquelle Denis Boucher murmurait cette question faisait soudainement pourrir en honte la fureur de Pierre. Il tentait en vain de s'accrocher à la vue du divan où cet enfant avait été conçu, mais il ne pouvait plus y voir maintenant qu'un petit cercueil blanc, fermé, et le père qui arrivait trop tard. Ses lèvres tremblèrent.

— Je vous demande pardon. L'enfant est mort, bien avant terme.

Et une autre phrase monta du fond de ses entrailles:

— Comme ma vocation, Monsieur.

Les deux hommes se faisaient face, légèrement courbés, la figure ravagée.

— Oui c'est vrai, comme ta vocation. C'est moi qui les ai tués tous les deux. C'est parce que j'ai voulu te sauver, contre tout espoir, que je t'ai dit: « Va-t'en! » dès le soir de la vieille. Car je t'aime comme le seul frère que je reconnaisse en ce monde. C'est à cause de cette fraternité absolue que je t'avais invité chez moi, l'an dernier. Quand je me suis aperçu que notre rencontre te détournait de ta vocation, il était trop tard. Mon sourire et mes sarcasmes de cette soirée masquaient mon angoisse. Je me sentais responsable de toi. Je t'avais à ma charge. Obéissant à une inspiration folle, j'ai couru chez ces Letellier, mais tu m'y as suivi et le drame est survenu. Ne représentais-je pas pour toi le malheur? Je t'ai dit « Va-t'en! », je te le répète aujourd'hui. Quand je suis revenu à ma chambre, j'ai aussi chassé Fernande; pourtant je l'aimais. La cohabitation à trois, avec ce fantôme d'un prêtre mort entre nous deux, n'était pas possible. Et j'avais un enfant! Où est Fernande?

Cet homme aimait Fernande! Et certainement, désormais, à cause de l'enfant, il voudrait la reprendre! Le cœur de Pierre se refermait sauvagement sur l'image aimée et tout son être s'armait pour la défendre contre cet homme qui, le premier, l'avait cueillie. Le reste, la vocation manquée, la mort de la vieille Boisseau, le ciel, l'enfer, l'enfant mort disparaissaient dès que la menace de perdre Fernande se ravivait. Et l'antagoniste était devant lui qui disait l'aimer comme un frère! Non!

— Oui, où est-elle? redemandait Denis Boucher.

— Dans ma chambre. Couchée dans mon lit. La porte est fermée à clé.

— Dans ta chambre?

— Oui, dans ma chambre. Elle m'aime, je l'aime et elle se donne à moi pour la vie. Qu'est-ce que ça peut vous faire, vous l'avez chassée?

Pierre, avec une faconde diabolique, triomphatrice, avait

l'impression de verser des mots bouillants dans les yeux écarquillés, au bord de l'effarement, de ce Denis Boucher qui s'était cru assez fort pour intervenir dans son destin. Il lui racontait rapidement les événements qui avaient marqué sa vie durant les derniers mois, sa rencontre avec Fernande, l'histoire de son mariage, puis le drame des dernières heures. Et, la gorge sèche, la tête en feu, les muscles prêts à la bataille, il attendit. Denis Boucher l'examina longuement d'un air distrait, puis marcha vers le mur où il décrocha la guitare. Il commença à pincer les cordes, consciencieusement, comme s'il n'eût eu d'autre chose à faire. C'était *Stardust*. Penché sur l'instrument, il demanda:

— Ainsi, ce sera la première fois que tu coucheras avec une femme?

— Je n'ai pas dit cela! s'exaspérait Pierre. J'ai dit que je la gardais, que vous ne l'aurez pas!

Denis Boucher pinça sèchement un *la* qui tinta comme un son de gong et il déposa la guitare. Il regarda ses doigts, puis brusquement il sauta sur ses pieds, le visage soudain sculpté par une décision irrévocable:

— Tu vas la renvoyer chez elle. Téléphone-lui d'ici. Tu ne la reverras pas!

Pierre eut un petit rire nerveux qui décelait le sentiment féroce de la victoire qui hérissait son cœur.

— La jalousie, maintenant? C'est émouvant.

— Je veux te sauver! hachait Denis d'une voix dure.

— Je n'admets pas que vous m'ayez perdu, ni que vous prétendiez me sauver. Ce sont des choses que l'on fait soi-même. J'ai décidé de garder Fernande et c'est cela que je suis venu vous dire.

— La virginité exaspérée te rend méchant, Boisjoly. Tu ne reverras pas Fernande, continuait Denis calmement. Allons, appelle!

— Au revoir! ricanait Pierre. Cette fois nous ne nous reverrons plus.

— C'est ton dernier mot?

— Adieu.

Denis Boucher ramassait son paletot.
— Tu l'auras voulu. Je m'en vais confesser ce meurtre.
— C'est cette phrase que j'attendais ! s'écria Pierre. Allez-y tout de suite. Allez-y donc !

Ils dégringolèrent l'escalier et sautèrent dans la rue en même temps. Pierre demeura un moment immobile, le cœur tapi, écrasé au fond de la poitrine, ses yeux hagards suivant la marche rapide de Denis Boucher qui s'éloignait, les pans de son paletot battant au vent. Pierre lui cria son adresse en ajoutant:

— Pour que vous n'ayez pas de difficulté à me trouver.

Une grande paix l'envahit et il eut froid. C'est Denis Boucher qui endossait la honte de la dénonciation. Denis Boucher qui ne pourrait pas reprendre Fernande.

VII

Le temps avait cessé d'exister depuis que Pierre était revenu à sa chambre et s'était abattu à genoux près du lit où Fernande étendue avait reçu sa tête contre elle. Elle avait aussitôt enveloppé de ses mains brûlantes cette figure de blessé et aussi longtemps, une heure peut-être, que dura le silence de cette douleur, elle y communia par la seule caresse de ses doigts, mouillés des larmes de Pierre.

— Tout est fini, murmura-t-il enfin au creux de cette main.

— Rien n'est fini, mon petit, puisque je renonce à tout avec joie. Nous sommes deux malheureux que Dieu pousse l'un contre l'autre. Car pourra-t-il être jamais question de vulgarité entre nous ? C'est la hiérarchie et la légalité qui rendent les hommes méchants. Essayons d'être bons et d'aimer Dieu en marge de cette hiérarchie et de cette légalité. Peut-être y a-t-il place pour un grand bonheur au-delà des règlements ? Je vous aimerai jusqu'à la mort, Pierre.

Il lui sembla qu'elle lui parlait d'un dilemme qui l'avait torturé à une lointaine époque. Pierre grelotta. Sa course effrénée était maintenant finie et il attendait, immobile, au bord de la nuit froide, la venue de l'inéluctable. Oui, il eût été bon de se blottir contre Fernande et de la serrer en sanglotant, en buvant sa chaleur et sa calme confiance. Mais cette rédemption serait superficielle puisqu'elle ne sombrerait en elle, comme un fugitif affolé, que pour lui crier avec hâte: « Je vous aime, mais allez-vous-en vite, la police est sur le point d'arriver! » Il bredouilla en claquant des dents:

— Fernande, il faut vous en aller. Vous ne me reverrez plus. Je préfère vous garder pure toute ma vie au fond de mon cœur, plutôt que de vous avoir possédée une fois à la fin de la dernière étape.

Elle prit sa tête et la lui redressa.

— Que se passe-t-il donc, Pierre? Il y a tellement de choses mystérieuses que vous ne me racontez pas. J'ai droit à toute la vérité. Je vous ai tout dit sur moi. Pierre, si vous m'aimez...

Non, il ne raconterait pas cette sale histoire de meurtre où il lui faudrait mêler le nom de Denis Boucher. Mais la phrase fusa de sa bouche, épuisée de contenir son secret:

— Fernande! On va m'arrêter d'un instant à l'autre et l'on m'accusera de complicité dans un meurtre. Je ne suis pas coupable, je vous le jure. Il ne faut pas que vous soyez ici quand ils viendront.

Les mots se brisèrent contre la passion d'une femme amoureuse. Fernande se redressait, agitée par une exaltation fiévreuse:

— Avec vous je partagerai toute honte, toute gloire, toute souffrance. Je ne veux pas de la sécurité sans vous. S'ils viennent, je serai à vos côtés et je leur crierai ma joie et ma fierté de vous aimer.

Elle le prit sous les épaules et le tira vers elle doucement. Il gémissait, sans défense: « Tout est perdu. »

A ce moment même (il était minuit), un taxi arrivait en trombe et stoppait à la porte de la maison de pension où logeait Pierre. Denis Boucher en sortit et aida un vieux prêtre à descendre. C'était le curé Aristide Loupret.

— Montez vite. Je m'occupe de régler avec le chauffeur. Bonne chance et adieu!

Mais il n'existait plus pour le vieillard qui, les yeux gonflés par son souhait intense: « Pourvu qu'il ne soit pas trop tard! », grimpait l'escalier en butant contre les marches dans l'obscurité. « Mon petit Pierrot, mon pauvre petit Pierrot! » marmottait-il dans sa prière. Numéro six. C'était ici! Il frappa de son poing maigre. Le bruit d'un court et brusque branle-bas lui parvint. Puis la voix ferme de Pierre éclata:

— Entrez! Nous sommes prêts.

Il sembla au vieux prêtre que son sang se figeait pendant que sa main poussait la porte. Son Pierre était là, au centre de la chambre, tenant fièrement par la main la belle jeune femme dont il avait été question durant l'étrange confession de Denis Boucher. Un lancinement de jalousie brûla le cœur du vieux prêtre.

Pierre, fasciné par cette apparition, abandonna la main de Fernande et marcha d'un pas hésitant, ivre de surprise et de honte, vers cette statue noire qui souriait timidement de ses lèvres minces et qui, quand il fut tout près, lui chuchota avec une gaminerie angélique, si bas que Fernande ne pouvait l'entendre:

— La police qui vient t'arrêter, c'est moi.

Pierre sentait se recroqueviller sur lui, en plis ridicules, le travestissement de courage hautain qu'il avait pris tant d'heures à endosser. Ses yeux s'écarquillaient, il commençait d'esquisser le même sourire que le curé Loupret. Toute sa poitrine se gonflait en un cri de joie immense, et pourtant, c'est dans le même chuchotement imperceptible aux oreilles de Fernande, qu'il demanda:

— Alors, c'est à vous qu'il est allé se confesser?

Le vieux prêtre disait oui par de petits coups de tête complices. Puis il leva les yeux sur Fernande, droite, blême et tellement seule au milieu de la pièce.

Le regard du prêtre retourna peureusement vers Pierre.

— Est-ce que j'arrive trop tard?

Pierre fit non, malicieusement, de la tête. L'enfance était retrouvée!

— Merci mon Dieu! dit hâtivement le curé.

Alors le vieux prêtre devint tout affairé, son attitude, de timide qu'elle avait été, reprit à nouveau son assurance paternelle, affectueuse et autoritaire.

— Alors, il faut que nous nous parlions. Viens.

Il prenait Pierre par le bras comme si Fernande n'eût pas été là.

Pierre aperçut la jeune femme, toujours immobile au centre de la pièce, et si une honte et un déchirement soudains l'empêchèrent de prononcer un seul mot, il entendit le cri qui jaillissait de ces yeux gonflés par le désespoir: « Vous m'abandonnez. Je sais que je vous perds maintenant à jamais. Mon amour, mon Pierre! »

Mais ce vieux petit curé l'entraînait dans le corridor, vers le salut peut-être. Il se débattit:

— Un instant, Monsieur le curé. Laissez-moi être honnête envers elle.

Il se dégagea et ouvrit vivement la porte.

— Fernande, je reviendrai tout à l'heure!

Elle ne se retournait pas, elle était affalée la face sur le lit et sanglotait. Il voulut courir à elle, lui crier: « Je ne vous abandonne pas! » mais le curé Loupret fermait la porte et le tirait, comme une bête étourdie, vers l'escalier.

Le curé Loupret, affamé d'absolution, transporté par son désir de plonger cet enfant dans la miséricorde et de faire éclore enfin dans son âme la grâce chasseresse, ne pouvait souffrir le long trajet d'une demi-heure qui le séparait de son presbytère. Il se jeta littéralement dans la porte entrouverte de la basilique où se déroulait une heure sainte. Pierre, épuisé, se laissait conduire docilement comme un enfant égaré qu'on retrouve au seuil de la nuit. Les orgues adoratrices le saisirent dès ses premiers pas sur les dalles de l'église, et leur chant triomphal l'enveloppa chaudement. Quel silence aussi ! Le silence des vrais miracles. Il abandonna sa main dans l'eau tiède du bénitier et fit son signe de croix. Il s'agenouillait.

— Viens, viens ! chuchota impatiemment le curé. Dans le coin arrière, nous serons bien.

— Confesse-toi, dis-moi tout, n'oublie rien.

Cet ordre avait ouvert un cœur trop longtemps comprimé, et, agenouillé dans ce souriant silence d'église caressé par la brise des orgues et enluminé par l'autel, sous les yeux de rares petites vieilles intriguées par ce chuchotement haletant, il laissait couler ses dix mois de souffrance, aidé de temps à autre par le curé Loupret qui, d'un mot, arrachait à la lie de l'orgueil qui obstruait parfois cette confession.

Quand Pierre eut fini, il aperçut à travers le brouillard de la honte et de la fatigue, le vieux prêtre qui, les yeux fermés dans une sainte extase, esquissait le geste solennel de l'absolution. Il protestait faiblement:

— Non, Monsieur le curé, je ne le mérite pas. C'est trop facile. Je ne le mérite pas.

— Mon cher petit. C'étaient tous ces mois terribles qui étaient difficiles. Tout sera facile maintenant, puisque tu as mérité de Dieu.

— Mais cette vieille morte?

— Tu n'es coupable en rien, et tu le sais bien. Et si quand même ce remords reste en toi, marie-le au péché originel, si seul dans le cœur des saints. Car tu seras prêtre, Pierre, un saint prêtre.

— Prêtre !

Les lèvres tremblantes, Pierre s'agrippait au prie-dieu, les yeux agrandis en une incrédulité vaincue par la joie. L'image du Christ, qui s'était estompée le jour de la distribution des prix, reparaissait, lumineuse, souveraine, au-dessus de l'autel. La magnificence ouvrait à nouveau à Pierre ses bras éternels et il s'y jeta avec un abandon amoureux, au-delà de la prière. Le curé Loupret berçait cette extase de mots merveilleux.

— Orgueilleux. Tu as cru que les pauvres contingences humaines avaient sali la route qui mène au ciel et au vrai bonheur. Tu avais commencé de la paver, toute blanche, et dès que tes premiers sentiments troubles d'adolescent l'eurent tachée de leur ombre, tu t'es farouchement détourné de Dieu, Qui souriait tristement de ton intransigeance, mais Qui t'attendait. Il t'a poursuivi partout de Sa grâce, et chaque fois qu'une issue semblait s'offrir à ton orgueilleuse fuite, Il prenait les devants et la fermait. Pense au chemin que tu as parcouru. Son doigt n'y est-il pas partout visible, qui t'entraînait à travers ce difficile mais nécessaire trajet, pour t'enseigner ce qui te manquait pour l'atteindre: l'humilité et l'amour? L'amour, Pierre, celui qui embellit le monde et lui donne un éclat divin. Ces Letellier, ce Denis Boucher, ce communiste, cet ivrogne, cet avocat, il s'agissait tout simplement de les aimer, de les aimer plus et mieux que tu n'aimais sans doute cette jeune femme, car cet amour qui engendre le désir n'est pas celui du Christ pour les malheureux. Aimer, Pierre, et le monde est sauvé.

Pierre releva la tête lentement et dit:

— Je suis heureux.

Ils sortirent, et pendant plusieurs minutes, ils n'échangèrent pas un mot. Puis le vieux prêtre toussa:

— Je sais que tu penses à cette jeune femme. Rendons-nous chez toi, et fermons à jamais ce livre.

Il n'y avait personne dans la chambre. Sur le bureau, Pierre identifia, déchiré en petits morceaux, le négatif. Un billet plié béait tout à côté. Pierre lut avidement les deux lignes griffonnées à la hâte: « Pierre, Dieu a raison. Priez pour moi. Fernande. »

Il laissa tomber le billet. Elle avait déchiré ce négatif qui n'aurait servi qu'à la revendre à son mari. Elle n'acceptait pas de transformer en profit l'humiliation de son retour. Pierre respira son parfum qui mourait tranquillement dans l'atmosphère, et en apercevant la trace du corps de Fernande sur le lit, il eut un sursaut de douleur.

Mais le curé Loupret veillait. Il s'exclama d'une voix enjouée:

— Ramassons ces débris de négatif. Tu les enverras demain au procureur général. C'est ainsi que tu commenceras d'aimer celui-là. Et viens-t'en. Tu coucheras au presbytère. Tu sais, cette bouteille de vin, elle est toujours dans le tiroir d'acier, qui t'attend.

Le curé Loupret avait tenu à ce qu'il entrât immédiatement au Grand Séminaire. Quelques jours plus tard, tenant au bout du bras une légère valise, Pierre refit un trajet familier. Ses pas le portèrent machinalement dans cette petite rue vieillotte du Quartier Latin qui conduisait au Séminaire. Son cœur battit à se rompre. Denis Boucher, appuyé nonchalamment contre sa maison, fumait. Pierre esquissa vers lui un sourire timide et Denis sourit aussi, très doucement.

Puis Pierre se mit à marcher vite. Etait-ce une illusion, cette ombre furtive aux longs cheveux, qui avait traversé la fenêtre? Non, il s'était trompé. « Faites que je me sois trompé, mon Dieu! » Son calme bonheur menaçait de chavirer à nouveau, le trouble cherchait son cœur pour s'y accrocher. Il atteignit enfin la porte du Séminaire et s'y blottit, essoufflé. Il se devait de retrouver la paix, la joie, car il serait prêtre. Il se tourna une dernière fois vers la ville, vers le monde qu'il quittait, et à cette vue, un cri d'adieu déchirant mourut dans sa gogre. Fernande avait-elle rejoint Denis?

Une bouffée d'amour exalta enfin tout son être: « Mon Dieu, pour vous, j'accepte de ne jamais le savoir! »

Il disparut derrière la grande porte.

DOSSIER

COMMENT JE DÉCONTENANÇAI DES LECTEURS QUI NE VOYAIENT EN MOI QUE LE ROMANCIER POPULISTE

Quand je m'attaquai à mon roman *Pierre le magnifique* en 1950, j'avais déjà publié *Au pied de la pente douce* et *Les Plouffe*, dont plusieurs qualifiaient le succès de populiste. On prévoyait sans doute que toute ma vie je fouillerais les ruelles des quartiers ouvriers pour en tirer des histoires salées teintées d'anticléricalisme. Là n'était pas mon souci. Dans mon premier roman, j'avais donné d'une paroisse une vision unanimiste. Elle était le personnage central. Dans *Les Plouffe* je m'approchais davantage du cocon social, une famille. Il me restait maintenant à cerner un individu pour en faire le pilier central d'un roman. Mais j'avais peur : autant j'avais plongé avec enthousiasme dans la foule grouillante de mes deux premiers romans, autant je me sentais timide, presque démuni dans l'attaque de l'aventure globale d'un jeune homme. Étais-je traumatisé par les reproches qu'on me faisait d'accorder une importance exagérée à l'observation des choses parce que incapable d'écrire un bon roman intimiste dans la grande tradition française ? À cette époque, à cause de l'influence de Claudel et de Mauriac, les problèmes liés à l'inquiétude religieuse étaient fort à la mode. Là n'était pas mon souci.

Pour échapper à la page blanche du grand projet de roman que je nourrissais pour le héros Pierre Boisjoly, dont les études étaient payées par son curé en vue d'en faire un prêtre, j'écrivis quelques nouvelles regroupées sous le titre *Fantaisies sur les péchés capitaux*. J'étais sous l'influence, à ce moment-là, de Mallarmé, Valéry et Gide. Rigueur, peur du bavardage me hantaient. Je m'acharnai à créer des nouvelles proches du poème. Je déconcertai mes lecteurs, qui ne s'attendaient pas à ce genre d'exercice. Mais à l'étranger, ce fut différent. Le célèbre Étiemble, dans *La nouvelle revue française*, publiée par Vittoria Ocampo en Amérique du Sud, monta aux nues le *Journal d'une Juive. Le chemin de croix*, traduit dans un grand nombre de langues, fait partie de plusieurs anthologies de la nouvelle dans le monde.

Alors je lus *Le rouge et le noir* de Stendhal. Ce fut un éblouissement. Le personnage de Julien Sorel a été et sera encore le héros romanesque le plus populaire de plusieurs générations d'adolescents. Alors je sentis que Pierre Boisjoly, mon héros, devenait mon Julien Sorel. Que de coïncidences entre les époques, les mentalités, les mœurs et les gens !

Tout comme dans la Grenoble du dix-neuvième siècle, le clergé et les hommes politiques contrôlaient toute vie à Québec. Entre le premier ministre Duplessis et les communautés religieuses régnait une entente quasi parfaite ; l'exception venait de la faculté des sciences sociales de Laval, fondée par le père Lévesque. Rien n'échappait à leur bénédiction ou à leur vindicte. Être socialiste, être en désaccord avec le régime et le dire attiraient sur les coupables une pénalité sérieuse. Si un prêtre défroquait et se permettait une liaison amoureuse, c'était le délit suprême.

Quel riche terreau pour un jeune homme comme Pierre Boisjoly, pauvre, bouillonnant de passion, dévoré par la soif de la vérité, que son curé veut embrigader chez les prêtres et qui, en cours de route, se prend de passion pour une femme superbe, elle-même mariée par intérêt politique à un ancien défroqué ? Et cette histoire ne me donnait-elle pas l'occasion de décrire la mainmise de Duplessis sur la société québécoise de 1940 à 1950 ? *Pierre le magnifique* parut enfin en 1952.

Encore une fois je décontenançai ceux de mes lecteurs qui ne voyaient en moi que l'auteur populiste. Malheureusement Gilles Marcotte, critique littéraire du *Devoir*, descendit si férocement le roman que je me décidai à abandonner la littérature tellement j'avais du chagrin. J'avais complètement perdu confiance en moi. À cette époque, Marcotte était à peu près le seul à parler des livres au Québec.

À Paris, chez Flammarion où j'étais publié, on fut bien étonné par l'attitude de mon compatriote, car dans *Le Monde*, Émile Henriot faisait de mon roman les plus hauts éloges et le recommandait pour le prix Goncourt.

Il y a de cela longtemps. Depuis, que de fois j'ai rencontré des gens qui m'ont dit avoir vu leur vie troublée par la lecture de *Pierre le magnifique*. Les chagrins d'auteur n'ont pas d'importance si leurs livres vivent d'eux-mêmes, longtemps, car l'écrivain est par cela même merveilleusement récompensé.

EXTRAITS DE LA CRITIQUE

Pierre le magnifique se passe à Québec, que M. Lemelin connaît bien ; il en est, et je l'y ai vu, chez lui, amusé, frondeur, fureteur, gai à vivre et bon compagnon instructif à regarder vivre, à écouter. Et je crois que nous pouvons saluer en lui un jeune maître du roman digne déjà de sérieuse estime. C'est un conteur entraînant, qui va vite, un peu vite parfois, quitte à broncher sur la pureté de la langue, la rigueur du vocabulaire et le temps des verbes. Mais la correction s'apprend, et il l'apprendra. Ce qu'il a pour lui, c'est le mouvement du récit, l'humour, l'observation, le sens de la vie, le don de l'intrigue et de l'aventure, et je ne sais quelle chaleur d'esprit, de vigueur critique même, qui donne à penser qu'il faut en rabattre sur la vieille notion du conformisme canadien, en train d'être si bien battu en brèche et pas seulement par l'auteur de *Pierre le magnifique*, lequel ose toucher avec autant d'adresse que d'audace à des sujets qu'on croyait tabous dans ce qui fut la Nouvelle-France, bourgeoise, catholique et aux mœurs surveillées de près par les prêtres. Pierre, un enfant du peuple, se prépare à en devenir un. Il a 20 ans, sa foi est grande et sincère, il est encore au séminaire, où ses succès lui valent l'inimitié féroce d'un petit patricien hypocrite et vindicatif. Cela part comme *Le rouge et le noir*, et, sans ressembler tout à fait à Julien Sorel, le Pierre Boisjoly de M. Lemelin, entre le vieux prêtre qui l'aime et fonde sur lui de grandes espérances, l'ecclésiastique mondain qui n'admire que l'intelligence et s'intéresse à ses succès, dans tout ce remuement de jalousie autour de lui, fait assez penser au nerveux et fier petit séminariste de Stendhal entre le bon abbé Chélan et le redoutable abbé Pirard. Une rencontre féminine décide de sa destinée. Pierre renonce à la prêtrise.

Il se veut cependant une vie magnifique, toute de conquête et d'autorité, hors la ligne prévue, acceptée. Partout où le portera son désir, d'épreuve en épreuve, il échoue. Ce n'est pas l'ingéniosité qui lui manque, ni l'ambition, ni le courage : il croira toucher le pouvoir, la fortune ; il est devenu le secrétaire du procureur général de Québec, qu'il pense dominer, et c'est lui qui est tenu, berné comme un enfant, et qui sera précipité. L'amour même, absolu, chaste, violent, qui l'a détourné de sa voie se dérobe à l'instant qu'il n'avait plus que cet amour pour raison d'être : la femme malheureuse qu'il aimait et qu'il a spirituellement conquise renonce au bonheur qui la sauverait : elle a deviné que Pierre était demeuré voué à Dieu, et qu'il n'y avait pas pour lui de bonheur terrestre possible. Pierre se fera prêtre. Voilà bien un trait spécifiquement canadien ; cette victoire de Dieu sur la créature, attestée, reconnue par un esprit libre comme l'est M. Roger Lemelin, cependant respectueux du sacré, s'il l'est fort peu de l'argent, des lois du monde et des gens en place. Ce livre des plus étonnants, ce roman d'action romanesque, mené à toute allure, sans une paille, sans un trou, vivant, amusant, émouvant a beau être situé au Canada et y avoir été écrit. Il mérite de venir à nous sans étiquette et de trouver le vaste public pour lequel il est fait. Supposez-le doté du prix Goncourt, ce serait le plus grand succès de l'année, et il le supporterait aisément.

Émile Henriot
Le Monde, Paris, 25 août 1954

M. Lemelin s'est peut-être dit que l'écrivain arrivé a le devoir de se lancer tête baissée dans la mêlée, qu'il a des obligations sociales à remplir et qu'il doit dire sérieusement ce qu'il avait dit jusqu'ici comme en se moquant. Chose terrible, et pour notre grand malheur, M. Lemelin a réfléchi : il est devenu penseur. Son livre aborde les grands problèmes sur un ton qui se veut grave : marxisme, démocratie, religion, sainteté, relations capital-travail, que sais-je encore ? tout y passe. Mais n'en voilà-t-il pas assez ?

Pierre le magnifique fait état de tous ces problèmes mais (qu'on se rassure !) en surface seulement. Par la voix de son héros, un jeune idéaliste québécois à la recherche de l'absolu, le romancier brasse des idées générales qui ont le tort de ne pas être originales du tout. Au surplus, M. Lemelin fulmine à chaque page ; il tonne, il fustige hommes et institutions. Redresseur de torts, son héros touche à tout ; il règle en un tournemain une grève montée par les communistes, il fait réinstaller un prêtre non conformiste dans ses fonctions au Séminaire, il se fait le collaborateur enthousiaste d'un mouvement d'éducation sociale populaire, il démasque les veules, les pleutres, les hypocrites, il n'admet de compromis avec personne.

Jean Hamelin
La Presse, Montréal,
20 décembre 1952

Comment l'un des romanciers les plus estimables du Canada français a-t-il pu commettre une telle énormité ?... Jusqu'ici, certes, Lemelin nous avait habitués à bien des outrances, à des fautes de goût et de style, à certaine débauche de l'imagination, mais nous lui pardonnions volontiers ces défauts parce qu'ils demeuraient inséparables d'une verve populaire peut-être sans égale dans nos lettres. *Au pied de la pente douce* et *Les Plouffe* étaient des livres gonflés d'exagérations, sans doute, mais des livres fondamentalement vrais.

Dans *Pierre le magnifique*, il semble que Lemelin ait visé trop haut ; ou plus justement, à côté du genre auquel le dispose sa véritable nature. Romancier essentiellement

« peuple », habile à peindre en couleurs vives des psychologies frustes, il applique au drame spirituel des moyens romanesques manifestement trop gros, qui s'y trouvent dépaysés comme des sabots de bois dans un salon. D'où une constante disproportion entre la subtilité nécessaire et sans doute voulue de l'analyse psychologique, et les grossières simplifications auxquelles elle se résout ; disproportion qui frôle souvent (je suis charitable) des abîmes de ridicule.

Je ne veux pas insister sur cet échec d'un bon romancier. Roger Lemelin a droit à ses erreurs. Je compte seulement qu'il abandonnera cette voie pour lui sans issue, pour revenir à des sujets qui lui conviennent davantage. Il n'est pas demandé à tout le monde d'écrire *Le rouge et le noir*.

Gilles Marcotte
Le Devoir, 20 décembre 1952

La valeur de ce roman tient à l'élévation du débat où est engagé ce jeune être viril. Nous sommes loin des basses alternatives où pourrait se traîner le roman d'un médiocre séminariste. Non qu'il n'y ait la présence d'une femme en cette histoire. Mais elle paraît surtout être là pour soumettre à une suprême épreuve l'exigence de pureté et de rigueur dont ce jeune homme est possédé. S'il a cru un moment qu'il lui fallait vivre dans le monde, ce n'était pas pour y chercher de tendres bonheurs. Il était en quête d'un champ de bataille. Il avait une ambition de justicier. Il voulait dominer les hommes pour les arracher aux confusions et aux équivoques qui grouillent dans la vie sociale. Un prêtre qui le connaît bien lui a dit un jour : « Tu as l'âme d'un Thésée et tu veux plonger au plus profond de l'abîme pour saisir le monstre dans ses replis. » C'est pourquoi le romancier donne le surnom de « magnifique » à ce jeune champion de la vérité intégrale.

M. Roger Lemelin nous prodigue le romanesque à grand spectacle, pour lancer et faire rebondir les aventures de son héros. Ce n'est pas, je crois, qu'il s'agisse pour cet écrivain canadien de recourir aux ressources faciles du pittoresque. Certes, les milieux les plus variés de Québec, et les chantiers de bûcherons dans la forêt sont mis à contribution. Mais le drame du « magnifique » est d'apprendre que la vie selon l'ordre de la terre est dans la dépendance du relatif. Y conduire une exigence absolue est d'une témérité qui peut devenir périlleuse. Alors le *« magnifique »* doit-il capituler ? Non, mais il s'avisera que sa vocation n'était pas trompeuse. Les insuffisances et les déceptions du temporel le rejettent vers l'éternel. Il lui faut devenir un homme de Dieu pour pouvoir faire face à la vie humaine avec l'ambition qu'il a pour elle.

André Rousseaux
Le Figaro, Paris, reproduit dans
Le Devoir du 23 juillet 1953

Je sais particulièrement gré à l'auteur d'avoir réussi un touchant personnage de femme, Fernande. On pourra discuter de son comportement, on ne pourra nier qu'il soit authentique. Il est conforme à ce qu'elle est, à ce qu'elle recherche, à un certain besoin inexprimé d'absolu. Pour elle, Lemelin, habituellement gouailleur, s'est fait tendre et compréhensif ; nous ne les en aimons que davantage, elle et lui. Sans y céder abusivement, il y a là une source d'émotion très pure.

Et par-dessus tout, l'auteur, dépassant la trentième année de son âge, prend un peu d'altitude. Le va-et-vient des fantoches ne le retient plus entièrement ; le temps du cirque est passé. Il a découvert une présence. Le dialogue de l'homme et de Dieu ne lui est plus un langage incommunicable. Le Créateur pose des problèmes à sa créature, à ce Pierre Boisjoly qui a rêvé d'être magnifique et le sera sans doute, parce qu'il n'a jamais fait taire en lui la voix qui est amour.

Roger Lemelin poursuit une œuvre avec patience, avec conviction. (...)

Nous lui gardons tout entière notre confiance. Il est né romancier ; ce sera jusqu'à la fin son tourment et sa joie de s'approcher sans cesse du chef-d'œuvre qu'il porte en son cœur et qui cherche à naître au monde.

Roger Duhamel,
L'action universitaire,
Montréal, janvier 1954

Aujourd'hui, les tortures morales que s'inflige Pierre le magnifique n'ont plus tellement de sens. Ce qui reste du roman de Lemelin, c'est donc la dimension de la chronique, dimension qui donne la juste mesure de l'importance historique de *Pierre le magnifique*. (...)

La chronique est vivante, elle sait mordre qui de droit, elle sait dénoncer, dans une certaine mesure, l'injustice. *Pierre le magnifique* est une œuvre naïve, et il y a dans cela quelque chose d'émouvant, d'édifiant. Pierre Boisjoly est une sorte de Lucky Luke sympathique, porté à agir d'abord, au nom de ce qu'il veut être la vérité et la justice, à réfléchir ensuite, au risque de s'apercevoir que les intentions n'étaient pas aussi magnifiques qu'il le croyait.

Réginald Martel
La Presse, 2 février 1974

Maintenant l'autre roman, *Pierre le magnifique ;* ce titre le dit bien, c'est l'histoire de Pierre, qui voudrait être magnifique ; être parfait. Tout le destinait à la prêtrise, mais à travers maintes aventures, il perd cette voie et gagne l'impression d'être perdu (religieusement). On sent tout au long du roman une volonté de la part de

Lemelin de dire des choses vraies, des belles valeurs, tout en les glorifiant : la sincérité, l'honnêteté, la justice, la pureté sont des vertus qui préoccupent beaucoup notre héros. Mais toujours, il faut se mettre en quête de cette époque vieille de vingt-cinq-trente ans, où toutes ces réalités étaient transmises par la foi et la religion. Pierre est aussi stéréotypé que le sont les personnages de la famille Plouffe. Il est le défenseur de la veuve et de l'orphelin, il a le goût de l'aventure, de la justice, de la connaissance. « Toujours la même soif de se jeter dans le difficile l'animait. » Ces caractéristiques sont souvent poussées à l'extrême, au ridicule, ce qui brise malheureusement le rythme (je reconnais ici un talent certain de conteur, qui sait tenir son auditoire en haleine). En effet, il y a du rythme, et souvent le lecteur est pris dans l'engrenage du roman, par des faits comiques, ou du moins, risibles. C'est encore gauche comme technique. Mais c'est aussi pimpant que *Les Plouffe*, parce que l'on plonge à corps perdu dans le pittoresque malgré nous. (...) Comment imaginer, sans Lemelin et ses deux romans, toutes ces belles années, avec toutes ces valeurs, si différentes de celles d'aujourd'hui ?

Jacques Robert
Le Devoir, Montréal,
9 février 1974

Le Denis Boucher de *Pierre le magnifique* se veut marginal. Il est plus ou moins associé avec un abbé du Séminaire dont l'une des activités principales est de photographier le monde. Comme l'abbé Lippé, Boucher est essentiellement sceptique et voyeur. Il aura tout au plus la tentation de retrouver une certaine pureté d'idéal en s'associant à Pierre qui veut devenir prêtre. Mais Denis Boucher reste sur une voie de garage et regarde les gens passer. Il tente de se racheter en sauvant — et c'est un faux salut pour les deux — la vocation de Pierre dont il l'avait d'abord détourné. La dernière image que le narrateur nous laisse, c'est un « Denis Boucher, appuyé nonchalamment contre sa maison » de la rue Sainte-Famille et qui fume. La contestation, la révolte puis la marginalité de Boucher restent négatives. Le personnage lucide reste solitaire et impuissant devant tout un univers traditionnel qui se défait.

André Gaulin
Québec français, Québec,
octobre 1979

La démobilisation littéraire progressive de Denis Boucher s'accompagne toutefois d'une efficacité grandissante dans le récit (intrigue, autres personnages, etc.). Déjà capital dans *Au pied de la pente douce*, son rôle devient plus déterminant encore avec *Les Plouffe :* c'est lui qui par ses paroles tout autant que ses articles provoque les péripéties au terme desquelles Théophile Plouffe perdra son emploi et Ovide quittera le monastère ; ces événements modifient en profondeur la vie d'une famille et le destin des protagonistes. Voilà donc un personnage d'autant plus agissant qu'il est moins écrivain. Mais de quasi-deus ex machina qu'il est déjà chez *Les Plouffe*, Denis Boucher, désormais sans emploi social, devient en contrepartie dans *Pierre le magnifique* un véritable principe occulte : il apparaît rarement tout en agissant sur Pierre Boisjoly à son insu et en infléchissant, au mépris de la vraisemblance, ce que le texte nomme « l'inexorable mécanique des événements ».

André Belleau
Le romancier fictif, Presses de
l'Université du Québec, Québec,
1980

ŒUVRES DE ROGER LEMELIN

Au pied de la pente douce, roman
Montréal, Éditions de l'Arbre, 1944 ; Paris, Flammarion, 1948 ; Montréal, Cercle du Livre de France, 1967 ; Montréal, Éditions La Presse, 1975 ; Montréal, Stanké, collection *Québec 10/10*, 1988. Traduction américaine par Samuel Putnam : *The Town Below*, New York, Reynald & Hitchcock, 1948. Traduction anglaise : *The Town Below*, Toronto, McClelland & Stewart, 1967.

Les Plouffe, roman
Québec, Éditions Bélisle, 1948 ; Paris, Flammarion, 1949 ; Montréal, Cercle du Livre de France, 1968 ; Montréal, Éditions La Presse, 1973 ; Montréal, Stanké, collection *Québec 10/10*, 1987. Traduction anglaise par Mary Finch : *The Plouffe Family*, Londres, Jonathan Cape, 1952.

Fantaisies sur les péchés capitaux
Montréal, Éditions Beauchemin, 1949 ; Montréal, Cercle du Livre de France, 1969.

Pierre le magnifique, roman
Québec, Institut littéraire de Québec, 1952 ; Paris, Flammarion, 1953 ; Montréal, Cercle du Livre de France, 1971 ; Montréal, Éditions La Presse, 1974. Traduction anglaise : *In Quest of Splendor*, Toronto McClelland & Stewart, 1955. Traduction néerlandaise : Peter de Grootmoedige, Antwerpen, Standaard-Bockhandel, 1956. Traduction anglaise par Harry Lorin-Binsse : *In Quest of Splendor*, Londres, A. Baker, 1956 ; Montréal, Stanké, collection *Québec 10/10*, 1988.

Les voies de l'espérance, essais
Montréal, Éditions La Presse, 1979.

La culotte en or, souvenirs
Montréal, Éditions La Presse, 1980.

Le crime d'Ovide Plouffe
Québec, Éditions du Téléphone Rouge, 1982 ; Montréal, Stanké, *Québec 10/10*, 1987.

Toutes les œuvres de Roger Lemelin seront bientôt disponibles dans Québec 10/10.

ÉTUDES SUR L'ŒUVRE DE ROGER LEMELIN

Des centaines d'articles ont été consacrés aux *Plouffe* de même qu'à l'adaptation de ce roman pour la télévision et le cinéma. Nous recommandons, pour approfondir le roman, les ouvrages suivants.

Ouvrages à consulter

Victor Barbeau, *La face et l'envers*, Montréal, Académie canadienne-française, 1966, p. 110-114.

André Belleau, *Le romancier fictif*, p. 61-72, Sillery, Presses de l'Université du Québec, 1980, 155 p.

Robert Charbonneau, *Romanciers canadiens*, p. 71-77, Québec, Presses de l'Université Laval, 1972, 176 p.

Jean-Charles Falardeau, *Notre société et son roman*, p. 180-220, Montréal, HMH, 1967.

M.-L. Gaulin, « Le monde romanesque de Roger Lemelin et de Gabrielle Roy », *Le roman canadien-français*, Archives des lettres canadiennes, vol. 111, Montréal, Fides, 1964, p. 143.

Bernard Poirier, *Les Plouffe :* du roman à la télévision, Thèse de maîtrise ès arts, Université de Montréal, 1979.

Ben Zion Shek, *Social Realisation in the French Canadian Novel*, p. 112-129-140, Montréal, Harvest House.

TABLE DES MATIÈRES